당신의 이름은 무엇인가요.

일러두기

- 인스타 독서기록모임(인독기) 커뮤니티의 일책성장 공저 2기 글벗들의 모음집입니다.
- 일부 표준어가 아닌 단어는 저자 고유의 입말을 살린 것입니다.
- 문단 나누기, 쉼표 하나도 작가의 의도가 숨어있으리라 생각되어, 최대한 원글을 살렸습니다.

작가소개

고동한

누나 둘, 누이 둘 사이에 샌드위치처럼 끼여서 자란 외동아들이다. 엄마의 사랑을 독차지하며 자랐다. 엄마는 온 세상과 같은 존재였다. 초보 작가로 글을 쓰기 시작하면서 엄마를 회고하며 내 안에 깃든 엄마에 대한 감정을 정리해 보고 싶었다. 50대 후반이 되었지만 아직도 엄마라는 말만 들으면 눈시울이 붉어지는 울보 아들이다. 사무치는 그리움에 흘리는 눈물이다. 책이 출판되면 하늘이 예쁜 날 엄마를 찾아가 한 권 올려드리고 싶다.

권혜영

지극히 평범하게 살고 있는 두 딸의 엄마이자 네 명의 손자 손녀를 둔 할머니이다. 엄마의 딸로 살면서 늘 엄마의 사랑에 굶주렸다. 그래서 늘 내가 세상에서 제일 외롭다고 생각해왔다.

이번에 엄마에 대한 글을 쓰면서 깨달았다. 정말로 처절하게 외로웠던 건 내가 아니라 엄마였던 것이다. 그 외로웠던 마음을 쓰다듬어 드리고 싶은데 엄마가 내 곁을 떠나버렸다. 살면서 깨달은 '나중에' 라는 단어를 버리고 '지금 바로 실천하자' 로 바꾸면서 매일 글쓰기를 하며 나를 알아가는 시간을 가지고 있다.

내 딸들에게 엄마를 떠올리면 행복한 미소가 입가에 번지는 자랑스런 엄마가 되기 위해 끊임없이 노력하는 중이다.

김세희

'곰의 탈을 쓴 여우'라 자칭하던 한 여자는 한 남자를 만나 곰 같은 딸, 여우 같은 딸과 매일 지지고 볶는다. 한때는 디자이너, 한때는 경리, 한때는 빵집 아르바이트생이었던 그녀는 이제 '엄마'라는 이름으로 책을 읽고, 글을 쓰고 있다. 그냥 엄마 말고 '어떤' 엄마가 되고 싶어서 아등바등살아간다. 그 안에서 실패와 좌절을 겪으며 그냥 '엄마'만 할까도 했다. 하지만, 책은 나를 그냥 엄마로 놔두지 않았다. 첫 전자책 『전업주부로 잘 살고 있습니다만』을 출간하면서 '전업주부지만 작가'라는 타이틀을 얻게 되었다. 검색창에 책의 이름을 쳤을 때, 도서 목록에 뜬다는 사실이 꿈만 같았다. 공저로 『별거 있는 책읽기』가 있다. 두 아이의 엄마라는 사실이 자랑스럽고 고맙다. 오늘도 나는 책을 읽고 글을 쓴다.

문미영

2년 넘게 인독기를 통해 책을 읽고 글을 쓰고 있다.
결혼한 지 7년이 되었지만 임신이 되지 않아 시험관 시술을 하면서 마음고생을 많이 했다. 그러다 우연히 가입하게 된 인독기를 통해 성장해나가고 있다.
서평 활동을 하며 출판사로부터 책을 지원받아 책을 읽고 서평을 작성하는 활동을 하며, 매일 글을 쓰기 시작한 지 260일이 넘었다. '책과 글을 통해 성장해나가는 힘'을 믿고 있다.
인독기 전자책 쓰기를 통해 '7년차 난임부부입니다' 책을 출간하였으며 '엄마'라는 주제로 두번째 전자책을 쓰고 있다. 난임에 관련하여 개인 저서 출간준비중에 있으며 '글쓰기'를 주제로 공저책을 쓰고 있다. 글을 쓰는 것에 진심이다.
2024년에는 더 다양한 분야로 책을 읽고 글을 쓰려고 한다.

박경화

어린 시절 친구랑 함께 갔던 학교 도서관에서 책과 이야기에 빠져들었다. 좋은 엄마가 되고 싶어 책을 들었다가 막내의 사춘기와 갱년기가 만났을 즈음 다시 책으로 돌아왔다. 돌이켜보면 삶의 순간마다 붙들어 준 것도, 세상으로부터 실컷 두들겨 맞은 나를 보듬어 주었던 것도 책이었다. 책 속에서 꿈의 단서를 발견하게 되었고 마음이 이끄는 대로 따라가다 작가의 꿈을 갖게 되었다. 지금은 13년째 장애통합교사로 일하면서 지역주민들과 독서 모임, 블로그와 밴드에 글쓰기로 함께 성장하는 삶을 나누고 있다. 언젠가는 사람을 살리는 글로 밝은 사회를 만들겠다는 꿈을 키워가는 중이다.

손유진

19년 차 일본어 강사이자 8년째 초, 중 공부방 원장입니다. 독서의 매력에 빠진 독자로는 25년이 되었다. 작가들의 글을 읽으며 언젠가 나도 저렇게 글을 써야겠다고 생각하던 것을 이뤄나가는 중이다. 10년 뒤에는 유명작가가 되어있을 것이다. 꾸준히 기록해나가는 사람이 진정한 작가라 믿는다. 글 쓰고 책 만드는 일을 꾸준히 하고 좋은 글벗들과 오래도록 쓰고 싶은 마음이다. 가르치지 않고 그저 스며드는 영향력으로 사람의 능력을 끌어 내주는 삶을 살고자 한다.

이주희

책은 좋아했지만 꾸준히 읽지 못하던 사람에서 현재는 인스타그램 북인플루언서로 활동 중에 있다. 약 3년간 책을 천 여권 가까이 읽었고 그 중 재독도 많다. sns를 독서 기록장으로 활용하여 매일 책 읽고 남기는 활동을 하며 인스타그램으로 독서습관 기르기를 위한 독서 모임인 '일취성장인독기'를 개설하여 30개월 운영 중에 있으며 올해 7월은 밴드로 활동하는 '최강독서 모임'도 개설하였다. 책으로 성장하는 사람들과 함께여서 매일 신나고 에너지를 받고 있으며 책읽는 사람에서 책 쓰는 사람으로 성장하고 싶으며 더 많은 이들과 함께 하고픈 바램이다.

인선민

이혼으로 19년째 엄마이자 가장으로 살아가고 있다. 삶의 위기의 순간 책을 통해 답을 찾는 방법을 알게 되었다. 책을 읽고 기록하며 깨달음을 얻으며 글쓰기를 시작했다. 브런치 작가로 활동하고 있으며 인스타 북스타그래머로 활동한다. 인독기 독서습관 코치로 활동하고 있으며, 인북클럽_문학살롱 외 다수 독서모임 참여중이다. 홍승은 작가와 함께하는 글 전시회에 1회 참여하며 글쓰기를 꾸준히 하고 있다. 엄마같은 엄마는 되고 싶지 않았던 엄마 선민, 수시로 길을 잃고, 처절하게 막힌 길 앞에서도 엄마로, 한 사람으로, 바로 서고자 흔들리며 나아가고 있다.

조연희

책 속으로의 여행을 즐기며, 책을 읽음으로 삶과 자신을 단단하게 키우는 여정을 찾아 배우고 실천하는 워킹맘이다. 회사와 육아를 병행하면서, 힘듦에도 독서 여행을 통해 독서가 어렵거나 힘든 게 아닌, 삶의 길잡이가 되어주고, 지혜를 알려주기도 하는 독서가 주는 여행의 즐거움, 재미를 같이 나누고 싶다.

차례

당신에게 이 글을 바칩니다.

모든 인생에는 각자의 이야기가 있습니다. 그중에서도 가장 깊고, 때로는 가장 아픈 이야기는 '엄마'에 관한 것일지도 모릅니다. 이 책은 9명의 작가들이 그들의 '엄마'에 대해 써 내려간 소중한 기록입니다. 퇴고를 하며 한 분 한 분의 글을 읽는 내내 했던 생각입니다. '사람 사는 모습이란 어느 집이나 같구나'. 우리 모두의 삶은 다르면서도 같습니다. 어느 집 하나 드라마처럼 평화롭고 완벽한 곳은 없으니까요.

시인의 말처럼, '자세히 보아야 오래 보아야 예쁜 것'이 우리의 삶입니다. 세밀하고 오래도록 들여다볼수록, 우리 삶의 진정한 아름다움과 아픔이 드러납니다. 이 책에 담긴 9명의 작가들의 어린 시절을 통해, 우리는 그들의 삶 속 깊은 감정과 경험을 공감하게 됩니다. 각 페이지를 넘길 때마다, 눈가에 맺히는 눈물은 작가님들의 내면 아이들에게 보내는 위로와 공감입니다.

한 사람을 이해하는 가장 빠른 길은 그의 글을 읽는 것입니다. 인독기 가족들의 어린 시절을 만나는 것은 저에게는 큰 축복이었으며, 그들의 삶을 통해 나의 삶도 성찰하게 된 계기가 되었습니다.

엄마의 삶을 들여다보면, 거기에는 놀랍게도 우리 자신의 모습이 보입니다. 이 책의 주제는 바로 그 이유에서 매우 의미 있는 작업이 되었습니다. 우리 중 어떤 이는 엄마처럼 살기를 원치 않고, 또 어떤 이는 엄마의 삶을 살고자 합니다. 어떤 선택을 하든, 삶은 결국 서로 비슷한 면을 지닙니다.

결혼이라는 수단을 통해 우리는 엄마처럼 살기를 거부하거나, 혹은 엄마와 비슷한 삶을 살기 위한 방편으로 삼기도 했습니다. 이 책을 통해, 작가들은 자신들의 삶과 엄마의 삶이 어떻게 얽혀 있는지, 그리고 그 속에서 우리 모두가 공유하는 인생의 본질을 들여다보는 시간을 가져보시길 바랍니다.

엄마에 대한 이야기는 단순히 과거를 회상하는 것이 아닙니다. 그것은 우리 자신을 돌아보고, 우리가 어떻게 현재의 모습이 되었는지를 이해하는 과정입니다. 이 책 속의 이야기들은 각자 다른 시간과 공간에서 펼쳐지지만, 그 속에 담긴 사랑과 갈등, 기쁨과 슬픔은 우리 모두가 공감할 수 있는 보편적인 감정입니다. 우리가 엄마를 통해 배우는 것은 단순히 어머니의 삶이 아니라, 인간으로서의 삶의 복잡성과 깊이입니다.

각기 다른 배경을 가진 9명의 작가들이 어머니와의 관계를 통해 자신들의 정체성을 탐색하고, 성장하는 과정을 담고 있습니다. 어떤 이는 어머니의 강인함에 감탄하며 그녀처럼 되고자 합니다. 다른 이는 어머니와는 다른 길을 걷고자 결심하며, 그 과정에서 새로운 자아를 모색해 갑니다. 이러한 다양한 경험들은 우리 모두가 고유한 방식으로 삶을 살아간다는 것을 보여줍니다.

이 책의 페이지를 넘기면서, 우리는 각 작가의 어린 시절 모습을 마주하게 됩니다. 그들의 눈을 통해 보는 세상, 그들이 경험한 사랑과 슬픔, 그리고 그들이 어떻게 성장하고 변화했는지를 목격하게 됩니다. 이는 단순히 한 개인의 성장기가 아니라, 우리 모두가 공유할 수 있는 인간적인 경험의 집합체입니다.

결국, 이 책은 엄마에 대한 이야기를 통해 우리 자신을 더 깊이 이해하고, 우리 삶의 의미를 찾아가는 여정입니다. 우리는 모두 어머니를 통해 태어났고, 어머니의 삶을 통해 우리 자신의 삶을 바라볼 수 있습니다. 이 책은 그러한 관계의 아름다움과 복잡성을 탐구하고, 그 속에서 우리 자신을 발견하는 기회를 제공합니다.

이 책을 통해, 여러분 자신의 삶과 어머니에 대한 추억을 되새겨보시기 바랍니다. 여러분의 마음에 깊은 울림을 전해줄 이 책이 여러분에게 위안과 통찰을 제공하기를 바랍니다. 우리의 삶은 어머니의 삶과 긴밀하게 연결되어 있으며, 그 속에서 우리는 사랑과 인내, 강인함과 연민을 배웁니다. 이 책이 여러분의 마음에 잘 닿기를 희망합니다.

"당신의 이름은 무엇인가요."

어머니, 엄마, 사랑해요.

일책성장 코치 손유진 올림

엄마가 남기고 간 유산

고동한

엄마가 남기고 간 유산

고동한

내가 그때로 다시 돌아갈 수만 있다면

내가 그때로 다시 돌아갈 수만 있다면, 그날 보았던 엄마의 고운 모습을 더 오래도록 눈에 담아 두고 싶다. 또렷하게 남아 있던 그날의 기억이 점점 흐려져 가고 있기 때문이다. 언젠가 모두 사라질 것만 같은 서글픈 생각에 낡은 테이프를 돌리듯 빛 바래 가는 기억을 더듬으며 엄마의 모습을 추억한다.

엄마가 병원에 입원하신 지 수개월이 지난 어느 날이었다. 병원으로 올라가는 언덕 길 위에는 노란 은행잎들이 바람에 뒹굴며 가을이 깊어 감을 말해주고 있었다. '엄마가 입원할 때는 여름이었는데 벌써 가을이구나.'하는 생각으로 발끝에 채이는 은행잎들을 내려다보며 병원으로 향했다. 정문을 들어서자 언덕 위에 우뚝 선 커다란 건물이 눈에 들어온다. 기다란 컨테이너를 옆으로 그리고 위로 몇 겹씩 켜켜이 쌓아 올린 듯한 건물은 볼 때마다 어깨를 짓누르기라도 하듯 무거워 보였다. 엄마 병실이 어디쯤 있는지 눈대중으로 어림짐작하며 현관으로 들어섰다.

엘리베이터를 타고 병동에 내리자 낯익은 간호사들의 시선과 마주쳤다. 고개를 숙이며 어색한 눈인사를 하고는 병동을 지나 엄마 병실로 들어서자 병실 바닥이 햇빛에 반사되어 눈이 부시게 반들거리고 있었다. 창가 옆 침대에 앉아 있을 엄마를 찾았다. 얼굴 가득 햇살을 받고 계신 엄마는 무언가를 하고 계셨다. 서서히 눈에 들어오는 모습이 다른 날과 달라 보였다. 하얀 얼굴에 베이비 파우더를 뿌린 듯 다른 날과는 달리 뽀송해 보였고, 앙상하게 도드라진 광대뼈 주위는 생기가 도는 듯했다. '엄마가 오늘은 참 곱네.'라는 생각을 하며 다가섰다. 팔뚝에 난 수술 부위에 혼자서 드레싱을 하고 계셨다. 다가서는 인기척에 얼굴을 들어 올려다보더니 환한 미소를 띠며 반기셨다. 아마도 내가 태어났을 때부터 엄마 얼굴에 피어났을 미소일 게다. 입꼬리는 활처럼 활짝 휘어져 올라가고 눈가에 주름살은 두텁게 겹겹이 접히며 광대뼈는 팽팽히 당겨져 반들반들해지는 미소였다. 오랜 투병과 치료로 얼굴은 하루가 다르게 말라갔고, 피부는 하얗게 변해갔지만 아들이 갈 때면 언제나 하회탈 같은 미소로 반겼다. 봄 햇살에 눈 녹듯 내 근심들을 말끔히 씻어주는 미소였다. 그날 그렇게 곱고 예쁜 모습을 남기신 엄마는 결국 고약한 병을 이겨내지 못하시고 돌아가셨다. 2001년 1월 1일 새벽이었다. 새해 첫날이 막 밝아오는 이른 새벽, 엄마는 예순넷의 나이에 세상을 등지셨다.

엄마는 평소에 병원을 잘 안 가셨다. 그 시절 내 고향 상주시 중덕동에 살던 시골의 엄마들은 몸이 아파도 꾹 참으며 농사일을 하셨다. 농사일을 하다 보면 온몸의 근육과 무릎 관절이 아픈 것은 당연한 것으로 생각하며 지내셨다. 좀 많이 아프다 싶으면 기껏해야 약국에 가서, 이 약 저 약을 지어먹는 걸로 아픔을 달래며 일하셨다. 그게 자식들 걱정 안 시키는 거라는 말을 당신들끼리 주고받으며 공감대를 만들어 놓으셨다. 결국 아픔을 참고 일하다가 허리는 휘어지고 무릎 관절은 어스러져 다들 퇴행성 관절염을 안고 사셨다. 엄마도 그런 엄마들 중 하나였다. 오랜 기간 이빨이 아프셨던 모양이다. 팔다리가 아닌 이빨이 아프니 고통을 참기가 어려웠을 거다. 그 무렵 엄마는 농사일을 그만두셨을 때였다. 대신 읍내에 있는 식당으로 일을 다니셨다. 자식들이 일은 그만하고 집에서 편히 쉬라고 만류했지만 소용이 없었다. 평생을 바쁘게 몸을 움직이며 사셔서 그런지 집에서 가만히 쉬지를 못하셨다. 일하러 오가는 길에 읍내에 있는 치과를 자주 다니신 모양이다. 치과의사가 오랫동안 치료를 해도 차도가 없자, 다른 병을 의심했는지 엄마에게 큰 병원을 가보라고 일러주었다고 한다.

뜨거웠던 2000년 여름

2000년 6월, 그해 나의 여름은 뜨거운 용광로 속으로 빨려 들어가는 듯했다. 하루가 다르게 치솟는 기온도 뜨거워졌지만 마음도 덩달아 달아오르고 있었다. 당시 직장이 파업을 하고 있었다. 파업은 하루 이틀 만에 끝날 것으로 예상했지만 회사의 강경 대응으로 예상과 다르게 길어지며 어느덧 일주일을 넘어가고 있었다. 나도 파업에 참가하고 있었다.

회사 앞 지상 주차장, 뜨끈뜨끈한 아스팔트 위에 고무 깔개 하나를 깔고 앉아서 동료들과 함께 주먹을 쥐고 흔들며 노동가를 부르고 있었다. 파업은 같은 회사에 다니면서도 그동안 모르고 지냈던 다른 부서의 동료들과 어울릴 수 있는 시간을 만들어주는 계기가 되었다. 서로의 경험담을 나누게 되면서 사내 부조리한 일들에 대한 폭로가 터져 나오기 시작했다. 여성 동료들에 의해 드러난 사내 성차별과 성희롱의 민낯은 충격적이었다.

폭로 사태는 점점 커져갔고, 어린 두 딸을 키우고 있던 내 마음도 부글부글 끓어올랐다. 이전까지의 노동조합이 얼마나 엉터리였는지도 알게 되었다. 더 나아가 우리들 파업 소식이 실린 신문과 TV 뉴스를 보고는 미디어가 우리를 얼마나 왜곡시킬 수 있는지도 뼈저리게 실감했다. 이 일을 계기로 뉴스미디어가 나 같은 보통의 사람들을 언제든 바보로 만들 수 있다는 걸 알게 되었다. 세상을 보는 시선이 달라지며 과거의 가치관과 새로 형성되기 시작한 가치관이 뒤섞이며 삶의 방향도 달라지기 시작했다.

그해 6월이 뜨거웠던 이유는 또 있었다. 당시 한반도에는 평화의 훈풍이 거세게 불고 있었다. 김대중 대통령이 평양을 방문하기로 한 날이 하루하루 다가오고 있었기 때문이다. 분단 이후 최초의 남북정상회담이 다가오면서 서울발 속보가 연일 전 세계로 퍼져 나가며 세계의 이목이 서울로 쏠리고 있었다. 역사적인 평양 방문의 일거수일투족을 생중계하기 위해 지구촌의 매스컴들이 모두 서울로 모여들고 있었다. 평화의 분위기가 넘실거렸고, 취재 열기는 최고조를 향해 달아올랐다. 그런데 공교롭게도 남북정상회담 취재기자단 프레스센터가 파업 중이던 우리 호텔에 설치되어 있었다. 2000여명의 각국 기자들이 서울에 도착하자마자 목격하게 된 장면은 호텔 현관 앞, 지상주차장을 가득 메운 채 아스팔트 위에 앉아서 함성을 지르고 있는 한 무리였다. 머리에는 붉은 머리띠를 두르고 알아듣지 못할 말로 구호를 외치는 낯선 광경에 각국의 기자들은 어리둥절해했다. 우리는 그들을 향해 더 크게 외쳤다. 우리를 철저히 외면하고 있던 국내 언론들을 대신해서 그들이 서울발 뉴스로 우리에 대한 기사를 써 주길 바라면서…

그 무렵이었다. 핸드폰이 울렸다. 고향 상주를 떠나지 않고, 읍내에서 살고 있던 바로 밑 여동생으로부터 전화가 왔다. "오빠, 엄마가 이빨이 아파서 치과를 갔다 왔는데 의사가 서울 큰 병원에 한번 가 보래."라고 한다. 의사가 병원을 소개해 주었다며 엄마와 함께 올라올 거라고 했다. 전화를 끊고 나자 왠지 마음이 석연치가 않았다. 며칠 뒤, 파업을 하고 있는 동료들을 뒤로 한 채, 동생과 약속한 병원으로 향했다. 진찰실 앞에는 벌써 엄마와 여동생이 도착해 있었다. 오랜만에 만난 아들을 보자, 엄마는 굳은살이 박힌 투박한 두 손으로 내 얼굴을 어루만지며 반가워하셨다. 그러고는 이내 한쪽 손으로 턱을 잡더니 턱에서 손을 떼지 못하셨다. 많이 고통스러운 듯했다. 엄마와 함께 이비인후과 의사를 만났다. 검사를 받고 결과가 나올 때까지 며칠을 기다려야 했다. 엄마를 모시고 집으로 향했다. 가장의 파업으로 인해 집안 분위기는 냉랭했다. 아내는 하루하루 불안해했고 아이들도 아빠 엄마의 예전 같지 않은 표정에 기가 죽어 말이 별로 없었다. 편안한 분위기에서 엄마를 모셔야 하는데 그럴 형편이 못되었다. 엄마도 아들 회사가 파업 중이란 것을 알고 있어서 걱정이 많으셨다. 그런 분위기에서 며칠 집에 모신 뒤 결과가 나오는 날이 되었다. 의사를 만나러

가는 동안 온갖 시나리오를 상상해 보았다. 최악의 경우와 최상의 경우를 생각하면서.

엄마를 밖에 두고 혼자서 의사를 만났다. 결과는 불길했던 예감대로 청천벽력 같은 소식을 듣게 되었다. 엄마 입안의 혀와 잇몸 사이에서 암세포가 자라고 있단다. 순간 아득한 생각이 들며 아무 생각을 할 수가 없었다. 아무 말도 못 하고 멍하니 의사 얼굴만 쳐다보았다.

그때 처음 알았다. 입안에도 암이 생긴다는 것을. 엄마가 암에 걸렸다는 사실이 믿기지가 않았다. 의사를 뒤로하고 나오며 엄마에게 어떻게 전할까 고민했다. 사실대로 알려 드리기로 했다. 엄마는 여전히 고통을 참기 위해 한 손으로 한쪽 턱을 잡고 앉아 계셨다. 떨리는 마음을 애써 숨기며 얘기하려 했으나 목소리가 흔들리고 있었다. 근데 엄마는 마음의 준비를 단단히 하고 계셨던 것 같다. 당신이 느끼는 고통이 예사로운 고통이 아님을 알고 있는 듯했다. 별달리 놀라시지 않으면서 "살 만큼 살았다."고 하며 자조 섞인 한 마디를 내뱉고는 대수롭지 않은 듯 무덤덤하게 삭이셨다.

며칠 뒤, 주치의 의사는 가족 모두를 불러 모았다. 시골에 계신 아버지까지 올라오시고, 누나들, 매형들, 여동생들이 모두 모인

자리에서 주치의는 수술을 하자고 제안했다. 수술을 하면 생존 확률이 60%란다. 그러면서 수술 과정을 설명하였는데 수술은 대수술이었다. 먼저 암세포를 도려내야 하는데, 잇몸과 혀 사이에 있기에 암 덩어리와 암세포 주위로 5cm 가량을 도려내야 한단다. 놀란 것은 혀도 반쯤을 도려내야 한다는 사실이었다. 그 말을 듣는 순간 멈칫했다. '혀를 도려낸다고, 그럼 어떻게 먹고 어떻게 말을 하라는 거지?' 혼자서 이런 생각을 하고 있는데 주치의는 계속 설명했다. 도려낸 혀는 손목 위 생살을 떼어내 남아 있는 혀에 갖다 붙여서 혀를 만들고, 손목 살을 떼어낸 곳은 엉덩이 살을 떼어내 손목에 갖다 붙인다는 것이다. 상상만 해도 너무나 끔찍해서 오금이 지리는데 주치의는 아무렇지도 않게 태연히 설명을 하였다. 그리곤 가족들에게 수술 여부를 결정해 달라고 했다. 가족들은 한동안 말이 없었다. 나도 마찬가지로 별다른 말을 하지 못했다. 다들 놀란 표정들인데 어떻게 말을 해야 할지 모르는 듯했다. 조심스러운 말들이 오간 뒤, 생존율이 60%라는 말에 수술을 하자는 의견으로 모아졌다. 몇 가지 질문을 한 뒤, 결국 가족들은 엄마가 있는 앞에서 수술을 하기로 결정하였다. 엄마와 암과의 사투는 이렇게 시작되었다.

23년이 지난 지금, 내가 그때 그 자리로 다시 돌아갈 수만 있다면 수술을 거부할 것이다. 아니 수술을 하더라도 그토록 서두르며 결정을 하지는 않을 것이다. 시간이 걸리더라도 다른 병원의 진료를 받아보고, 의사들의 의견을 더 많이 들어본 다음 결정할 것이다. 암 판정은 달라지지 않겠지만 수술 방법과 치료 방법은 의사마다 달랐을 것이다. 수술 부위가 '혀'였기에 더욱 신중했어야 했다. 너무 성급한 결정을 한 것을 두고두고 후회한다. 혀를 도려낸 후 어떤 상황이 펼쳐질지를 왜 깊이 생각하지 못했을까? 생존율에 현혹되어 눈이 멀었던 것 같다. 어쩌면 아들이 거부를 안 하니 다른 가족들은 나를 믿고 따라 준 것일지도 모르겠다. 당시 내 나이 서른넷, 적은 나이가 아니었음에도 불구하고 그 정도의 판단과 결정을 내리는 것에도 서투른 어리숙한 아들이었다. 수술을 거부하지 못한 변명거리는 또 있었다. 그해 여름은 잊을 수가 없다. 당시 우리 회사만 파업을 하고 있었던 게 아니다. 서울시내 모든 대형병원의 의사와 간호사들도 '의약분업'에 반대하며 파업을 하고 있었다. 자칫 잘못하면 의료 파업이라는 큰 소용돌이에 휩쓸려 엄마의 병을 앞에 두고 아무 것도 못하게 될지도 모른다는 걱정이 앞섰다. 주치의는 그런 걱정을 알고 있다는 듯이 수술 여부만 결정해 준다면, 인턴들을 설득해서 수술을 할 수 있도록 하겠다며 가족들을 안심시켰다. 그렇게 애써주는 주치의가 고맙게 느껴졌다. 그게 다른 병원으로 가볼 생각을 하지 못하게 했다. 수술을 하기로 결정하자 곧 날짜가 잡혔다. 그즈음, 회사도 사정이 급박하게 돌아가고 있었다. 길어지는 파업을 더이상 방치할 수 없다고 본 회사에서 경찰에 공권력 투입을 요청할 것이라는 소문이 파다하게 퍼지고 있었다. 노동조합도 위협에 굴하지 않고 요구사항이었던

'비정규직의 정규직화와 성차별 금지'등이 관철될 때까지 파업을 계속 이어 가기로 했다. 그러면서 공권력이 들어오지 못하도록 파업 장소를 옥외 주차장에서 실내로 옮기며 그곳으로 들어올 수 있는 통로를 모두 막고는 철야농성에 들어갔다. 실내로 이동하기 전, 나는 동료들을 뒤로하고 그곳을 빠져나와야만 했다. 엄마 수술 때문이었다.

다음날 아침, 엄마 옆 간의 침대에서 자고 일어나 수술 전에 준비할 것들을 챙기고 있을 때였다. TV 에서 뉴스가 흘러나오고 있었다. 남북정상회담 소식이 한참 이어지더니 긴급 속보가 나오기 시작했다. "○○호텔 파업, 공권력 투입"이라는 자막과 함께 현장 상황이 생중계로 흘러나오고 있었다. 나도 모르게 TV 앞으로 다가갔다. 화면 속에는 카메라 불빛 아래 컴컴한 실내를 경찰들이 분주히 움직이고 있었다. 진압에 들어가기 전에 전기를 모두 차단한 것 같았다. 화면 속에는 동료들이 전부 고개를 파묻은 채, 헬멧을 쓰고 방망이를 든 사복 경찰들에게 한 명씩 끌려 나오고 있었다. 머리는 산발이 되어 헝클어져 있었고, 옷들은 전부 젖어 있었으며 핏자국도 군데군데 보였다. 카메라를 향해 다가오며 절규하는 동료의 입을 경찰이 황급히 틀어막는 모습도 보였으며, 옹기종기 모여 웅크리고 앉아 있는 동료들의 모습도 보였다. 그 속에는 임산부도 있었다. 비참한 장면이었다. 새벽녘에 전쟁터를 방불케 한 파업 진압 작전이 있었던 모양이다. 머릿속이 뒤죽박죽이었다. 엄마가 아픈 것만으로도 신경이 곤두서는데 직장 일까지 꼬여 가고 있었다. '왜 하필 지금 이런 일들이 한꺼번에 일어나고 있는 걸까?' 착잡한 마음으로 뉴스를 보며 엄마를 챙겼다. 곧 수술실로 들어가야 할 엄마가 그런 나를 지켜보고 있었다. 걱정이 되었나 보다. "회사에 안 가봐도 되니?"라고 한다. 그 소리에 화들짝 놀란 표정을 지으며 "쓸데없는 걱정하지 말고 엄마 수술이나 걱정해요."라며 엄마를 애써 안심시켰다. 오전 8시쯤 간호사들이 엄마를 데리러 왔다. 수술실로 향하는 엄마를 혼자서 따라가며 배웅했다. 엄마도 긴장이 되었는지 표정이 굳은 채 아무 말없이 천장만 쳐다보며 긴 복도를 지나갔다. 수술실 앞에 다다르자 내가 더 긴장이 되었다. 목이 타며 침이 말랐다. 꼭 잡은 엄마 손을 놓아주며 "엄마 수술 잘하고 오세요." 라며 짧은 인사를 건넸다.

기억 속의 엄마

어린 유년 시절, 아침 풍경 한 조각이 희미하게 남아 있다. 툇마루가 있는 작은 초가집에 살았던 것으로 기억한다. 방 하나에 일곱 식구가 옹기종기 살던 때였다. 어느 날 아침, 잠이 깬 나는 눈을 비비며 마루로 나와 엄마를 찾았다. 엄마는 멀리 있지 않았다. 마당과 부엌을 오가며 바삐 움직이셨다. 방문을 열고 나오는 나를 보더니 엄마는 방긋 미소를 지으시면서 "우리 동한이 일찍 일어났네." "응, 엄마 뭐해?" "응…" 엄마는 대답없이 마당 한 켠 깨끗한 곳에 정화수 한 그릇을 떠놓고는 무릎을 꿇고 앉아 연신 두 손을 비벼 댔다. 입으로는 쉬지 않고 중얼거렸는데 알아들을 수가 없는 말들이었다. 그런 엄마의 모습이 어린 눈에 무척 의아했던 기억이 있다. 그 일이 끝나면 엄마는 내게 다가와서 차가운 손으로 얼굴을 두어 번 어루만지시고는 다시 부엌으로 가셔서 일곱 식구의 아침밥을 바지런히 챙기셨다. 다른 식구들은 모두 잠들어 있는 엄마와 나만의 시간이었다. 그 시간만큼은 엄마가 내 차지여서 좋았다. 병아리가 어미 닭 따라다니듯 엄마를 쫓아 부엌으로, 마당으로 졸졸 따라다니며 귀찮게 했다. 엄마도 그런 나를 귀찮아하지 않으시고 좋아했다. 어렵게 얻은 외동아들이라며 금이야 옥이야 했으리라. 지금도 그날을 생각하면 엄마의 손길이 느껴지는 듯 행복감이 밀려든다. 유년 시절 가장 아름다운 순간으로 기억되는 아침 풍경이다.

엄마는 아버지와 결혼 후 큰 누나를 낳고 또 작은 누나를 낳으셨다. 큰 누나 말에 의하면 작은 누나 위에도 딸이 하나 더 있었다고 한다. 근데 일찍 죽었단다. 그러니까 엄마는 딸만 내리 셋을 낳았던 거다. 다음은 꼭 아들을 낳아야만 했다. 아들을 낳기 위해 수많은 날들을 절에 다니시며 불공을 들이셨다고 한다. 상주 서곡동에 있는 '동해사(東海寺)'라는 절이 있다. 엄마가 다니셨던 절이다. 절에 올라서면 상주 시가지와 병성천이 한눈에 내려다보이는 산마루 꼭대기에 있는 절이다. 올라가는 길이 가파른 급경사이다. 지금도 차가 올라가려면 조심조심해서 올라가야만 한다. 엄마가 다니던 시절엔 찻길은 아예 없었고 산 비탈길을 헤집으며 힘겹게 올라야만 했다. 그곳을 얼마나 많이 오르셨을까? 엄마의 지극정성 불공을 통해 내가 태어났단다. 엄마에게 나는 그런 아들이었다.

어릴 적 엄마를 따라 동해사를 갔던 기억이 있다. 절에 갈 때면 나를 깨끗이 씻기시고 깨끗한 옷으로 갈아 입힌 다음 데리고 가셨다. 비탈진 좁은 산길을 올라가는 게 어린 나에겐 쉽지 않은 일이었다. 엄마는 나를 먼저 앞서게 하고 뒤에서 따라 올라오셨다. 힘들어 낑낑대는 아들에게 "우리 동한이 잘 올라가네."라는 말로 칭찬을 하며 북돋아 주곤 했다. 엄마의 마음을 알았는지 산을 오르며 한 번도 응석을 부린 기억이 없다. 절에 도착하면 먼저 스님에게 인사를 한 뒤, 대웅전에 들어가서 절을 하셨다. 엄마는 내게도 절을 따라 하라고 하셨다. 처음엔 잘 따라 했다. 근데 엄마가 그치질 않고 계속 절을 하시는 거다. 몇 번 따라 하고는 이내 지겨워서 방바닥에 풀썩 주저앉곤 했다. 그러면 살살 달래며 계속 따라 하게 했다. 마지못해 몇 번을 더 따라 하고는 다시 그쳤다. 대웅전을 나오며 그러셨다. "우리 동한이 엄마가 여기서 불공을 드려서 낳았는데 부처님에게 절을 안 하면 안 되지."라며 타이르곤 했다. 그런 다음 대웅전보다 더 높은 산속에 있는 산신각으로 향했다. 그곳에 들어서자 촛불 하나를 제단에 올려놓고는 다시 또 절을 하셨다. 어린 생각에 '절'을 왜 '절'이라고 부르는지를 그때 깨우쳤다. '절'을 많이 하는 곳이라서 '절'이라고 부르는 거라고 생각했다. 엄마는 평생 동해사를 다니시며 가족들을 위해 불공을 드리셨다. 엄마의 간절한 불공을 통해 태어났지만 나는 지금 불교신자가 아니다. 하지만 여행을 하다 보면 사찰을 종종 찾게 되는데, 어느 사찰을 가던지 절에 들어서게 되면 이유 모를 편안함을 느끼게 된다. 어린 시절 기억 때문이리라.

예닐곱 살이 되었을 무렵, 하루는 성냥에 호기심이 생겼다. 시골 마을엔 어느 집이든 부뚜막에 성냥이 늘 놓여 있던 시절이었다. 그날 집에는 식구들도 다 있었던 걸로 기억한다. 성냥에 호기심이 생긴 나는 부엌에 몰래 들어가서 성냥을 갖고 나와서는 아무도 안 보는 뒤꼍으로 갔다. 뒤꼍 모퉁이에서 성냥을 문질러 불을 켰다. 근데 성냥이 눅눅해서 그랬던지 불이 잘 안 붙었다. 순간 앞마당에 쌓아 놓은 볏짚 더미가 생각이 났다. 성냥을 갖고 앞마당으로 갔다. 거기 쪼그리고 앉아서 지푸라기를 헤집어 부풀린 뒤 그 속에 성냥을 힘껏 문질러 넣었다. 성냥개비에 불꽃이 일며 지푸라기에 불이 붙었다. 불꽃이 사르르 번지면서 이내 활활 타오르기 시작했다. 불길이 커지자 덜컥 겁이 난 나는 뒷걸음질을 치며 툇마루로 도망갔다. 커져 가는 불을 보고도 어떻게 할 줄 몰랐다. 누군가를 불러야 하는데 잘못한 게 겁이 나서 불길만 멍하니 쳐다보고 있었다. 그때 어디선가 "불이야"하는 소리가 들렸다. 그 소리를 듣고 방에서 아버지와 엄마 누나들이 뛰쳐나오고, 동네 사람들도 여기저기서 달려왔다. 모두들 양동이에 물을 길어와서는 한참 만에 불을 껐다. 볏짚 더미를 새까맣게 다 태웠다. 겨우내 아궁이를 지필 땔감을 다 태워버린 것이다. 아버지에게 혼쭐이 날 것만 같아서 겁이 났다. 근데 아버지도 엄마도 혼내지 않으셨다. 내가 저지른 불장난에 내가 놀랜 걸 아시고는 꾸지람을 하지 않으셨다. 누나들이 놀란 나를 달래 주었다.

금쪽같은 아들이라며 한 번도 따끔하게 혼내신 적이 없는 엄마였지만, 아들이 못마땅하여 핀잔을 주신 적이 있다. 아버지가 화투에 빠져서 겨우내 노름을 하러 다니실 때였다. 그날도 엄마는 노름판이 벌어지고 있는 주막집 앞에서 아버지를 불렀던 모양이다. 그러나 아버지는 끝끝내 나오지 않으셨고 엄마는 혼자서 집으로 돌아오셨다. 궁리 끝에 엄마는 누나들을 시켰다. 누나들은 이미 여러 차례 가서 아버지를 데려오려고 했지만 소용이 없었기에 가기 싫다고 했다. 그러자 엄마는 아들에게 기대를 걸었던 것 같다. “동한아 네가 가서 아버지 데리고 와라. 아버지한테 가서 집에 가자고 불러 내. 아들인 네가 가서 부르면 아버지도 못 이겨 따라 나올 거야. 어서 가서 아버지 모시고 와. 얼른.”라며 아들을 재촉했다. 그러나 나도 가기 싫다고 했다. 실망한 엄마는 “에이~ 바보같이, 남자가 그것도 못하냐.”라며 나무라셨다. 코흘리개 남자의 자존심을 건드려서 아버지를 데려오게 만들려고 하신 거였다. 어린 시절 아버지를 유독 무서워했다. 그렇다고 아버지가 내게 폭력을 사용하신 적은 한 번도 없다. 왜, 그렇게 아버지를 무서워했는지 지금도 모르겠다. 아버지에게 말 한마디를 제대로 못했다. 그런 아버지를 노름방 밖에서 불러 내 데려오라는 거였다. 결국 혼자 가지 않았다. 엄마와 둘이서 같이 갔다. 엄마는 그 집 앞 어귀에 서 있었고, 나는 주막집 마당 한가운데에 들어가서 노름방을 향해 아버지를 불렀다. 기어 들어가는 목소리로 몇 번을 불러서야 문이 열렸다. 한참이 지난 뒤, 아버지가 나왔다. 집으로 돌아오는 길, 두 분은 티격태격하며 싸우셨다. 엄마 손을 잡고 따라가는 나는 불안했다. 엄마를 힘들게 하는 아버지가 미웠다. 단 한 번뿐인 엄마의 핀잔은 지금도 생생히 기억난다. 엄마는 아들이 좀 야무져서 아버지 앞을 막아서든지, 아니면 쫓아가서 데려오길 바라셨던 거다. 하지만 아들은 아버지를 너무 무서워했고 야무지지도 못했다. 마음은 여리었고 겁도 많았다.

결국 아버지는 젊은 시절 힘들게 일하며 벌어 놓은 논밭을 다 잃으셨다. 엄마가 우리들을 키우며 가장 힘들었을 시기였다. 엄마의 마음이 어땠을까? 가산을 탕진한 뒤 집은 가난했다. 뒤늦게 정신을 차리신 아버지는 객지로 돌아다니시며 돈을 벌러 다니기 시작하셨다. 젊은 시절부터 객지를 돌며 돈을 벌러 다녀 보신 경험이 많으셨다. 한번 나가시면 몇 달이고 안 돌아오실 때도 많았다. 집에 혼자 남은 엄마도 바쁘게 사셨다. 남의 집 농사일을 거들러 다니시거나 과수원으로 일을 하러 다니셨다. 하루하루 벌이를 하며 어린 자식들을 먹여 살렸다. 과수원 일을 끝내고 돌아올 때면 엄마는 보자기에 항상 썩은 과일을 한가득 싸가지고 오셨다. 우리는 보따리를 풀기도 전에 달려들었다. 엄마가 썩은 부위를 칼로 잘라낸 후에 깎아 주시면 게걸스럽게 받아먹었다. 배고프던 시절 엄마가 깎아 주었던 썩은 과일들은 너무나 달고 맛있었다.

엄마는 딸들 몰래 아들을 챙기셨다. 누나들이나 여동생들이 없을 때면 몰래 숨겨 놓은 사과나 홍시, 잔칫집 도시락 같은 것을 꺼내 주시곤 하였다. 마당 한 켠에 아버지가 닭장과 토끼집을 만들어 놓고는 닭과 토끼를 키웠다. 방과 후, 집에 돌아오면 낫과

망태기를 들고 들판에 나가 풀을 베다가 토끼를 주곤 했다. 토끼들은 무럭무럭 자랐고 새끼들도 자주 낳았다. 하얀 토끼 새끼들은 정말 귀여웠다. 토끼가 불어나서 토끼집이 비좁아지자 엄마는 그때마다 몇 마리씩 팔아서 가계에 보탰다. 그러고는 또 남은 토끼들을 키웠는데, 어느 날 어미 토끼 한 마리가 안 보였다. 부엌에서 엄마가 밥상을 들고나오며. "동한아, 이리 와서 이거 얼른 먹어라." 밥상 위엔 묽은 고깃국이 한 그릇 올려져 있었다. "이게 뭔 데?"라며 물었다. "토끼탕이야. 몸에 좋으니 얼른 먹어." 하시며 먹기를 재촉했다. 나는 먹지 않겠다고 했다. 먹고 싶은 마음이 안 생겼다. 귀여워하며 키웠던 토끼가 생각이 나서 도저히 먹을 수가 없었다. 결국 아들을 위한 마음으로 끓인 토끼탕은 작은 누나가 맛있게 먹었다고 한다. 작은 누나는 엄마가 나를 위해 챙겨주는 것을 내가 안 먹는다고 하면 그게 그렇게 좋았단다. 지금도 그때 일을 곧잘 얘기하며 즐거워한다.

장날이 서는 날이면 엄마는 가끔 읍내 시장에 가셨다. 시장 갔다가 돌아올 때면 맨 먼저 나를 찾으셨다. 그리곤 뭐가 그리도 좋으신지 싱글벙글 웃으시면서 내 앞에서 시장 봐 온 보따리를 풀어헤치셨다. 보따리 속에는 기름이 번들번들하게 묻은 누런 봉지가 들어 있었다. 봉지를 열자 튀김 닭 한 마리가 배를 까고 누워 있었다. 손으로 한쪽 다리를 뜯어서 내밀고는 빨리 먹으라고 하셨다. 한 입 물어뜯자 짭조름하면서도 기름지며 고소한 맛이

형용할 수 없는 맛이었다. 기름에 흥건히 젖은 닭 껍질은 속살보다 더 맛있었다. 누가 와서 뺏어 먹기라도 할까 봐 정신없이 먹는 모습을 엄마는 흐뭇하게 지켜보셨다. 바삭바삭한 요즘 치킨과는 비교할 바가 못되지만 고기가 귀하던 때였고, 튀김요리도 귀하던 때였다. 그때 먹었던 튀김 닭의 맛은 잊을 수가 없다.

엄마는 여흥을 좋아하신 듯하다. 여름철 들판에 모내기가 끝나거나, 가을 추수가 끝나게 되면 마을에서 어른들끼리 산이나 냇가 모래밭에 자리를 잡고는 한바탕 잔치를 벌였다. 막걸리에 맛있는 음식들을 먹으며 꽹과리에 북과 징, 그리고 장구를 치며 한바탕 춤을 추며 놀았다. 아이들도 빠지지 않고 어른들 틈을 뛰어다니며 덩달아 신나게 놀았다. 나는 꽹과리 치는 모습이 너무나 신기해서 꽹과리 치는 사람만 졸졸 따라다녔다. 동네 사람들 속에서 덩실덩실 춤을 추는 엄마 모습도 보였다. 엄마가 그렇게 많이 웃는 모습도 처음 보았고, 춤을 추는 모습을 본 것도 처음이었다. 잔치가 벌어지는 내내 엄마 얼굴엔 웃음이 떠나지 않았고 술도 한잔하셨는지 기분도 좋아 보였다. 일하는 모습만 보다가 흥에 겨워 춤을 추는 엄마 모습을 보니 왠지 낯설었지만 기분 나쁘지 않았다.

중학교 입학하는 날이었다. 입학식이 끝나고 교실에 들어갔는데 창가로 엄마가 왔다 갔다 하는 모습이 보였다. 애써 엄마를 외면했다. 다른 엄마들은 입학식이 끝나자마자 다들 돌아갔는데 엄마는 아들이 어느 반에서 어떤 친구들과 공부를 하는지 궁금했나 보다. 교실마다 찾아다니며 아들을 찾고 있었다. 급기야 쉬는 시간에 교실까지 들어오셔서 주위에 있는 친구들에게 사이좋게 잘 지내라는 얘기까지 하시곤 가셨다. 중학생이 된 나는 다른 엄마들과 다른 엄마가 창피했다. 엄마는 시골 마을 친구들이랑 다녔던 초등학교와는 다르게 읍내 아이들과 같이 다니게 될 중학교는 걱정이 되었던 거였다. 엄마의 염려는 헛된 기우가 아니었다. 읍내 아이들은 시골 마을 아이들과는 달랐다. 거칠었고, 약삭빨랐으며, 난폭하기 이를 데 없는 아이들도 있었다. 그로부터 몇 개월 뒤, 한 고약한 녀석으로부터 오랫동안 학폭에 시달리게 된다. 요즘은 그걸 학폭이라고 부르지만 그 시절엔 선생들이 별로 관심도 두지 않은 학생들끼리 만의 문제였다. 입학하는 날, 엄마가 걱정했던 일이 현실로 나타난 것이다. 학폭에 시달리게 된 이후부터 학교생활이 엉망이었다. 공부는 그 이전부터 흥미가 없었지만 학폭 이후 완전히 손을 놓아버렸다. 학교 가기가 싫었고, 아침이 밝아오는 게 싫었다. 학기 초 친해졌던 친구들이 하나, 둘 멀어져 가면서 외톨이가 되었다. 친구들이 없어지면서 내성적인 성격은 더욱더 내성적으로 변해갔다. 녀석의 폭력은 나를 비롯하여 몇 명에게 고정적으로 행해졌다. 중학교 3년 내내 그 녀석과 같은 반이 되면서 괴롭힘에 시달렸다. 인생의 순간을 가위로 잘라 낼 수만 있다면 중학생 시절을 싹둑 잘라내고 싶은 심정이다. 청춘이 막 피어날 시기에 영혼을 짓밟히며 헛되게 보낸 시간이었다.

중학교 3년, 그 녀석 말고는 특별한 기억도, 친구도 남아있지 않다. 엄마에겐 입도 뻥긋 못했다. 가족 누구에게도 말 못했다. 아니 할 수가 없었다. 금쪽같은 아들이 학폭에 시달린다는 것을 알게 된다면, 그건 엄마의 행복를 무참히 짓밟는 거였다. 애기를 한들 엄마가 해결할 수 있는 문제도 아니었다. 큰 근심거리만 안겨드릴 뿐이었다. 차마 그런 걱정거리를 엄마에게 안겨드릴 수는 없었다. 내게 어떤 엄마인데… 고등학생이 되어서야 그 녀석의 학폭으로부터 벗어났다. 고등학교 시절은 중학교 때와는 전혀 다른 시간을 보내며 좋은 친구들을 사귀었다. 나아가 학생회 간부로 활동하며 고교 시절의 아름다운 추억도 많이 쌓으며 보냈다.

대학생이 되었다. 공부엔 여전히 관심이 없었다. 2학년이 되자마자 곧바로 휴학을 하고 해병대를 지원했다. 해병대를 지원했던 이유는 두 가지였다. 먼저 유약하고 내성적인 성격을 바꾸고 싶었다. 졸업 후 사회에 진출하기 위해서는 외향적인 성격으로 바꿔야 할 필요성을 느꼈다. 두 번째는 호리호리한 체구에 나약해 보이는 체형을 바꾸고 싶었다. 중학생 시절 학폭에 대한 상처가 완전히 가시지 않았던 때였다. 남자다운 강인한 체형으로 바꿔서 두 번 다시는 폭력에 굴하고 싶지 않았다. 이런 성격과 체형을 스스로 바꾸기에는 의지력이 약하다는 것을 잘 알기에 벗어날 수 없는 환경이 필요하다고 생각했다. 그때 눈에 들어온 게 해병대 모병 공고였다. 해병대라면 두 가지를 동시에 바꿀 수 있는 최적의 환경이라고 생각했다. 어차피 가야 할 군대, 차라리 기회로 만들자는 각오로 지원서를 냈다. 두 달 뒤 영장이 나왔다. 시골에 계신 부모님에게 알리고는 입대 3일을 앞두고 고향에 내려갔다. 몇 개월 만에 아들을 본 아버지는 "남자는 군대를 빨리 갔다 와야 출세한다."라는 뚱딴지같은 말로 위로를 한답시고 하셨고, 엄마는 미소가 가신 얼굴에 근심 가득한 표정이었다. 물끄러미 내 얼굴을 쳐다만 볼 뿐, 아무 말이 없었다. 엄마가 말이 없다는 건 걱정을 하고 있다는 얘기였다. 어색한 분위기를 못 참고 있던 아버지가 "내일부터 모내기를 해야 하니 집에 있는 동안 모내기나 도와주고 가라."고 하신다. 그리곤 바지를 툭툭 털며 일어나시더니 마실을 나가셨다.

5월 초순, 들판에는 모내기가 한창이었다. 고향 마을에는 '한들'이라고 부르는 넓은 들판이 있다. 마을 끝에서 자전거를 타고 30분 정도는 가야 들판이 끝난다. 너른 들판에 한 줄로 서서 모내기를 하는 모습들이 군데군데 봄볕에 아른거렸다. 입대하기 전날까지 모내기를 도와주었다. 입대하는 날 아침, 밥상에 올려진 고봉밥을 보고는 밥을 담았을 엄마 모습이 눈에 선하게 그려졌다. 가마솥에서 갓 지은 고슬고슬한 쌀밥을 한 주걱 가득하게 퍼서 밥공기에 담은 뒤, 그 위에 또 한 주걱을 퍼서 담았을 것이다. 그런 다음 김이 모락모락 피어나는 뜨거운 밥을 찻물에 담근 손으로 매만지며 동그랗게 만들었을 것이다. 밥공기 위로 봉긋하게 솟아오른 밥을 보며 엄마를 쳐다봤다. 막내 누이동생과 따로 밥을 먹던 엄마는 고개를 숙인 채 밥만 먹고 계셨다. 밥상에만 앉으시면 말이 많으시던 아버지도 말이 없으셨다. 엄마를 생각하며 고봉밥을 먹었다. 아들이 밥을 남기는 날이면, 늘 걱정을 사서 하시던 엄마였다. "왜, 밥맛이 없어? 반찬이 없어서 그렇구나! 어디 아픈 데는 없고? 얼굴이 핼쑥한데 밥이라도 많이 먹어야지."라는 말들을 달고 사셨다. 그런 게 아니라고 아무리 고개를 가로 저으며 얘기를 해도 곧이 듣지 않았다. 오랫동안 못 볼 엄마 마음을 편하게 해드리기 위해서는 밥그릇을 깨끗하게 비워야 했다. 고봉밥을 밥 한 톨 안 남기고 깨끗이 비웠다. 그리곤 밥상을 물린 뒤, 아버지 어머니에게 큰절을 올렸다. 애지중지하며 키운 아들이 군대 간다며 큰절을 올렸을 때 엄마 마음이 어땠을까? 달리 내색은 하지 않으셨지만 미루어 짐작하고도 남았다. 집을 나섰다. 골목길을 나와서 들판 쪽으로 뻗은 경운기 길을 따라 한참을 걸어 나가면, 들판을 가로지르며 뻗은 아스팔트 길과 만나게 된다. 그곳 마을 어귀에 버스 정류장이 있었다. 아버지 어머니는 아들이 고향을 떠날 때면 으레 그곳까지 따라오셔서 배웅을 하곤 하셨다. 들판 끄트머리에 있는 산허리로 버스가 넘어오는 게 보였다. 버스가 점점 다가오자 아들은 아버지 어머니를 한번 뒤돌아보고는 "잘 다녀올게요.. 너무 걱정하지 마시고 건강 조심하세요."라며 작별인사를 하고는 버스에 올라탔다. 맨 뒷자리에 앉아서 한동안 뒤돌아보고는 이내 고개를 돌렸다. 엄마는 버스가 보이지 않을 때까지 아들 뒷모습을 바라보고 계셨을 게다.

두 달 뒤, 포항훈련소를 수료하고는 서해바다 끝 백령도로 배치를 받았다. 바다 건너 황해도 해주가 손에 잡힐 듯 보이는 곳이다. 인천에서 배를 타고 7~8시간을 가야만 닿을 수 있는 곳, 일주일에 두 번 연락선이 오가는 곳, 당시 백령도는 그런 외진 곳이었다. 자대 배치를 받고 부모님께 편지를 썼다. 부모님은 두 분 다 한글을 못 깨우치셨다. 학교를 다닐 형편이 못 되는 환경에서 자라셔서 평생 배움에 대한 한이 맺히신 분들이었다. 다행히 이제 중학생이 된 막내 누이가 부모님 곁에서 말과 글이 되어주었다. 막내의 편지가 날아오기 시작했다. 그 시절 막내의 편지는 군 생활에 많은 위안을 주었다. 입대한 지 일 년쯤 지나자, 엄마는 아들을 군대에 보내 놓고 면회 한번 못 간다며 자책하기 시작하셨다. 면회를 오고 싶다는 편지가 올 때마다 극구 말렸지만 엄마의 마음은 편하지가 않았던 모양이다. 면회를 못 오게 했던 데에는 그만한 이유가 있었다. 고향에서 백령도까지 오려면 아주 멀고도 먼 길이었다. 먼저 연락선을 타기 위해선 하루 전 인천에 도착하여 하룻밤을 묵어야 했다. 그런 다음 다음날 아침 배를 타고 백령도에 도착하면, 타고 온 배가 다시 인천으로 나갈 때까지 3일 동안 아들과 함께 백령도에 머물러야 한다. 면회가 끝나면 다시 배를 타고 육지로 나가 인천에서 또 하룻밤을 묵고, 다음날 아침 고향으로 내려가야만 했다. 족히 5박 6일 일정이다. 그것도 날씨가 좋아서 배가 제시간에 출항할 때 얘기이다. 바람이라도 심하게 불거나 폭우라도 내리는 날엔 며칠이 더 걸릴 수도 있다.

게다가 배를 타는 동안 엄마가 뱃멀미를 할 것은 십중팔구였다. 평생을 평지에 살았으니 뱃멀미로 고생할 것은 뻔했다. 고행길이 될 것이 눈에 선한데 그 먼 곳까지 어떻게 오라고 할 수 있겠는가? 엄마를 그런 고행길에 나서게 할 수는 없었다. 결국 제대할 때까지 엄마는 면회를 못 오셨다. 그게 늘 마음에 쓰였는지 제대를 한 이후에도 오랫동안 미안해 하셨다. 이제 와 생각하니 '그때 왜 말렸나?'하는 후회스러운 마음이 든다. 고생길이 되기는 했겠지만 엄마에겐 모처럼의 여행길이자, 아들과 함께하는 행복한 시간들이 되었을 텐데. 아들에게도 엄마와 함께하는 처음이자 마지막 여행이 될 수도 있었는데.

금쪽같은 아들을 두고 떠난 엄마

수술실 앞 대기실에는 보호자들이 착잡한 심정으로 서성거렸다. 얼굴은 모두 굳어 있었고 어깨는 무거워 보였다. 긴장감과 침울함이 감도는 공간이었다. 침묵이 흘렀고 간혹 전화 통화 소리가 들렸지만 그 소리마저 무겁게 가라앉는 듯 들렸다. 누나들과 누이들에게 수술실에 들어간 엄마 소식을 전했다. 그리고 나니 할 일이 없었다. 머릿속은 온통 엄마 생각뿐이었다. 긴 세월 아들을 향한 엄마의 사랑은 맹목적이었고 헌신적이었다. 그런 엄마의 사랑을 너무나 당연시하며 살아서, 아들이 엄마를 향해 마음을 쏟을 줄 모르고 살아왔다는 생각이 들었다. 뒤늦게 후회를 하며 엄마가 건강해지면 달라지겠다고 각오를 다졌다. 엄마와 같이 해보고 싶은 것들을 상상하며 엄마와 함께할 미래를 그렸다.

대기실에는 무료한 시간이 흘러가고 있었다. TV에서 뉴스가 흘러나왔다. 파업 진압 과정에서 벌여졌던 새로운 소식들이 후속 보도로 이어지고 있었다. 테러 진압을 위해 존재하는 경찰 특공대가 동원되었다는 보도가 나왔다. 힘 있는 의사들 파업에는 꼼짝 못 하던 경찰이 애꿎은 노동자들을 재물 삼아 분풀이식 진압을 했다는 보도도 나왔다. 어젯밤 동료들은 생지옥 같은 시간을 보내고 있었나 보다. 옆에서 같이 버텨주는 동료가 필요한 때에 함께 하지 못해서 미안한 마음이 들었다. 한편으론 파업 이탈자로 오해하지나 않을까 염려스러운 마음도 들었다. 파업이 길어지면서 파업 이탈자들이 계속 나오고 있었기 때문이다. 오해가 없기를 바라며 동료들을 믿기로 했다.

수술하는 동안 긴 기다림은 집에 있을 아내와 딸들도 생각나게 했다. 한창 밝게 자라고 있어야 할 시기인데 아빠의 파업으로, 또 할머니의 병으로 풀이 죽어 있는 아이들에게 관심을 두지 못하는 것 같아서 미안했다. 월급이 끊기기 시작하며 집 사정도 어려운데 엄마까지 병을 얻어 경제사정은 더욱 어려워졌다. 아내의 얼굴에서 미소가 사라진지는 오래되었고, 가장으로서 면목이 없었다. 먹고 살아가야 하는 생활은 현실이었고, 팍팍한 현실은 애정보다 훨씬 강했다. 파업과 엄마의 병원생활이 길어지면서 아내와 말다툼이 잦아졌다. 몸은 엄마의 수술실 앞에 있었지만, 마음은 집에서 아이들과 하루하루 힘들게 생활하고 있을 아내에게 가 있었다. 아내에게 미안한 마음이 들었다.

수술은 8 시간 동안 진행되었다. 아침에 시작된 수술은 저녁이 되어서야 끝이 났다. 수술을 끝낸 주치의가 긴 시간 동안 엄마가 잘 버텨주었다며 안도하게 해주고는 들어갔다. 밤이 깊어서야 마취에서 깨어난 엄마를 중환자실에서 만날 수 있었다. 엄마의 얼굴은 마치 풍선처럼 탱탱하게 부어올라 있었다. 차마 눈뜨고 볼 수가 없었다. 눈물이 쏟아질 듯 그렁그렁 한 내 얼굴을 엄마는 희미한 미소로 반겼다. 엄마가 내 오른손을 꼭 쥐었다. 두 손으로 엄마 손을 포개며 꼭 쥐어 잡았다. 엄마가 다시 손을 꽉 잡더니 끌어당기며 흔든다. 엄마는 괜찮으니 울지 말라며 눈으로, 손으로 말하고 있었다. 눈물범벅이 된 얼굴로 그제야 엄마가 말을 할 수가 없다는 것을 깨달았다. 감정은 더 북받쳤다. 그 후 가족들은 엄마가 완치되는 날만 기다리며 하루하루를 보냈다. 그러나 그건 긴 투병 생활의 시작에 불과했다. 수술 후, 엄마는 아무것도 드실 수가 없었다. 혀의 반을 떼어내고 생살을 이어 붙여 놓았으니 그 고통을 어찌 말로 표현할 수 있을까? 음식을 전혀 씹을 수가 없었다. 혀에 음식물을 올리면 고통스러워하셨다. 기껏해야 미음같이 아주 곱게 만든 죽만 고무호스를 통해 넘기셨다. 하루하루 살이 빠지면서 말라 갔고 피부는 하얗게 변해갔다. 그래도 엄마는 고통을 잘 참아 내시며 방사선 치료를 비롯한 모든 치료를 다 받으셨다. 주치의 의사는 매번 긍정적인 말로 용기를 내라며 약을 처방해 주었고 그의 말을 의심 없이 신뢰했다.

엄마는 주기적으로 방사선과로 가서 치료를 받았다. 그날도 엄마를 모시고 방사선과를 찾았다. 치료가 끝낸 의사가 엄마를 밖에 모시고 다시 들어오라고 했다. 걱정스러운 마음으로 다시 들어가니 의사가 조심스럽게 말을 꺼냈다. "보호자분, 아드님이세요?" "네." "어머님에게 더 이상의 치료는 무의미합니다. 고통만 줄 뿐입니다. 이제 치료는 그만두시고 어머님이 아프다고 할 때마다 간호사에게 얘기해서 진통제 아끼지 마시고 놓아주라고 하세요."라고 한다. 순간 눈앞이 아득했다. 시간이 멈춰진 듯 의사 말이 왕왕거리며 맴돌아서 다시 되물었다. "그게 무슨 소리세요. 조금씩 좋아지고 있는 것 아니었나요?" "아니예요. 잘못 알고 계신 것 같은데 어머님은 점점 안 좋아지고 있었어요. 주치의에게 치료 그만 받겠다고 하세요."라며 재차 치료를 그만 두라고 했다. 방사선과 의사 말은 엄마가 치료를 하여 나아질 수 있는 단계를 넘어섰다는 것이다. 주치의도 그것을 알고 있을 텐데 계속 치료를 하라고 보내니 안 되겠다 싶어서 보호자인 내게 직접 말을 한 거였다. 뒤돌아서 나오는데 다리가 풀렸다. 밖에서 기다리고 있을 엄마의 얼굴을 쳐다볼 수가 없을 것 같았다. 문을 열고 나오자마자 곧장 화장실을 찾아 들어갔다. 갑자기 눈물샘이 터지며 눈앞이 흐려졌다. 목을 타고 울음소리가 터져 나왔다. 입을 손으로 털어 막으며 삼키려 했지만 결국 흐느끼고 말았다. 한참을 화장실에서 나오지 못했다. 겨우 마음을 진정시키고 밖으로 나왔다. 진료실 앞 복도에 휠체어를 타고 계신 엄마가 보였다. 고개를 숙인 채 그 자리에 그대로 계셨다. 엄마도 아셨으리라. 아니, 나보다 먼저 알고 계셨으리라. 휠체어를 밀며 병실로 돌아오는 동안 엄마와 난 아무 말이 없었다. 투병하는 동안 엄마의 죽음을 상상하지 않은 것은 아니지만 갑작스럽게 현실로 다가왔다. 어떻게 받아들여야 할지 몰랐다. 병실에 모셔다 드리고 밖으로 나왔다. 그때까지도 엄마는 고개를 들어 나를 보지 않으셨다. 복도로 나와 멍하니 창밖을 내다보다가 누나와 동생들에게 전화를 했다. 불쑥 다가온 엄마의 죽음을 앞에 두고 형제들은 서로 다른 생각들과 감정들이 쏟아지며 부딪혔다. 말은 격해지고 날카로워지며 서로에게 상처를 주었다.

병실에 돌아오니 얼마 뒤 주치의가 왔다. 회진을 하고 나가는 주치의를 복도에서 불러 세웠다. 방사선 의사에게 들은 말을 전하니 주치의가 하는 말이 가관이었다. “보호자님, 포기하지 마세요. 요즈음 얼마나 좋은 약이 많은데, 이렇게 쉽게 포기하려고 하세요. 용기 내세요. 끝까지 포기하시면 안 됩니다.”라며 가증스러운 말로 설득하려고 들었다. ‘아~! 이놈이 이토록 고약한 놈이었구나!’ 하는 생각이 들었다. 그제야 알았다. 주치의에게 엄마가 어떤 환자인지를. 주치의에게 엄마는 하나의 케이스 스터디였던 거다. 흔치 않은 수술을 하며 경험을 쌓을 수 있는 좋은 기회였던 것이다. 인조인간 만들 듯한 어려운 수술을 따져보지도 않고 한 것을 후회했다. 수술에 대해 아무것도 모른 채 인간성 없는 주치의를 철석같이 믿고 엄마를 내던지듯이 맡겼다는 생각에 울분이 치솟았지만 주먹만 부르르 떨 뿐이었다. 주치의에게 치료 그만 받겠다고 하고선 돌아섰다. 그날 밤, 엄마를 혼자 두고 병원을 나왔다. 마땅히 갈 곳이 없어 거리를 헤맸다. 세상에 혼자 던져진 심정이었다. 누군가를 붙잡고 하소연하고 싶었으나 그럴 사람이 없어 혼자서 술을 마셨다. 취하고 싶었다. 맨정신으로 엄마를 볼 용기가 없었다. 늦은 밤 술에 취한 채 병실로 갔다. 6인실 병실은 모두 잠들어 있었지만, 엄마는 안 자고 아들을 기다리고 있었다. 나를 올려다보던 엄마가 인상을 찡그리셨다. 술 냄새가 난다며 왜 그렇게 술을 많이 마셨냐는 표정이었다. 말을 못 하니 표정을 일그러뜨리며 자꾸 뭐라고 하시는데, 그런 엄마의 모습이 너무 안쓰럽게 보여 그만 엄마 품에 풀썩 무너져 내렸다. 소리를 삼키며 울컥울컥 울었다. 엄마가 손으로 등을 툭툭 때리듯이 내리치더니 이내 어루만지며 쓰다듬었다. 그날 밤, 엄마에게 마지막 불효를 하였다.

다음날 아침, 일어나자마자 화장실로 갔다. 술 냄새가 가시지 않은 얼굴에 찬물을 끼얹으며 정신을 차렸다. 다시 병실로 들어가자 엄마가 손짓으로 불렀다. 가까이 다가가니 희미한 목소리로 "동한아, 시골로 내려가자."고 하셨다. 그 말의 의미를 엄마도 알고 나도 알았다. 더이상 이 병원에 있을 이유가 없었다. 간호사에게 퇴원을 하겠다고 알리고, 곧바로 시골까지 엄마를 모실 앰뷸런스를 예약하고, 홀로 계신 아버지에게 연락했다. 아버지가 상주에 있는 병원을 알아보고는 상주○○병원으로 옮기자고 연락이 왔다. 짐을 챙기며 퇴원수속을 하는데 고약한 주치의가 약 처방을 해 놓았단다. 수납을 한 뒤 약을 받았는데 큰 비닐봉지 세 개가 가득할 만큼의 약을 주었다. 주치의에게 달려가 무슨 약을 이렇게 많이 주느냐고 했더니 시골에 가면 약이 없을 수 있으니 챙겨 가라고 한다. 약봉지를 얼굴에 확 던져 버리고 싶은 심정이었으나 꾹 참으며 돌아섰다. 앰뷸런스 뒷 칸에 엄마를 태우고 옆은 간호사가 지켰다. 운전기사 옆자리에 타고는 사이렌을 울리며 시내를 빠져나와 고속도로를 달리기 시작했다. 6개월 전, 고속버스를 타고 엄마가 올라온 길이다. 그 길을 지금 앰뷸런스를 타고 내려가고 있었다.

앰뷸런스가 상주에 접어들었다. 병원에 도착하니 아버지가 미리 수속을 밟아 놓으셨다. 곧장 중환자실로 입원을 시킨 뒤, 의사를 만났다. 방사선과 의사 말을 전하며 엄마에게 고통이 없도록 부탁을 드렸다. 그리곤 주치의가 처방해 준 약봉지를 보여주었더니 의아한 표정을 지으며 약은 필요 없을 것 같단다. 허탈함에 쓴웃음이 나왔다. '아~' 소리 없는 탄식을 하며 울분을 삼켰다. 누나들과 누이들이 속속 병원으로 모여들었다. 의사는 엄마가 며칠 못 견디실 것 같다며, 마지막 임종 순간을 병원에서 맞을 건지, 아니면 집으로 모실 건지 미리 정해서 알려 달라고 했다. 아버지가 임종은 집에서 맞게 해달라고 해서 아버지 뜻에 따르기로 했다. 모든 일 처리를 마치고 엄마를 다시 보러 갔다. 엄마를 가운데 두고 형제들이 양옆으로 모였다. 엄마는 딸 넷과 아들의 손을 모두 모으더니 두 손으로 꼭 감쌌다. 그러고는 두 번 세 번 우리들 손을 움켜쥐며 눈빛으로 말씀하셨다. "싸우지 말고 사이좋게 지내."라며 자식들 한 명 한 명 돌아가며 눈빛으로 약속을 받으셨다. 자식들에게 남기신 마지막 유언이었다. 그런 다음, 아버지를 부르시더니 두 분 만의 시간을 보내셨다. 한참 뒤

아버지가 나오셨다. 가족들은 엄마가 며칠은 버틸 수 있을 것이라 생각하였다. 그래서 자식들은 각자 집으로 돌아가서 마음의 준비를 하고 있고 엄마 옆은 아버지와 근방에 살고 있는 여동생이 지키기로 하였다.

몇 시간 뒤, 집으로 올라오는 도중에 여동생에게서 전화가 왔다. 엄마를 시골집으로 모신다고 했다. 그리고 얼마 뒤, 다시 전화가 왔다. 여동생은 아무 말 없이 울고 있었다. 흐느끼며 우는소리가 모든 걸 말하고 있었다. 엄마는 고향으로 돌아와서 가족들을 모두 보고 난 뒤, 그동안 힘들게 붙잡고 있던 명줄을 슬그머니 놓으신 듯했다. 2001 년 1 월 1 일 새벽, 엄마는 고통이 없는 극락세계를 찾아 떠나셨다. 예순넷, 생을 마감하기엔 너무 이른 나이였다. 한평생 고생만 하시다가 마지막 6 개월은 음식 하나 제대로 못 드시고 뼈만 앙상히 남은 모습으로 가셨다. 그 모습을 생각하면 지금도 마음이 아려 온다. 엄마의 장례는 아버지의 뜻에 따라 시골집에서 치렀다. 그리고는 할아버지 할머니가 잠들어 계신 곳 옆에 고이 모셨다.

홀로 남겨진 아버지

엄마가 없는 세상을 사는 것은 공허한 가슴을 안고 사는 세월이었다. 많은 시간 엄마의 온기가 그리웠다. 그리움과 공허는 시도 때도 없이 불쑥불쑥 밀려와서는 눈물을 떨구게 만들었다. 엄마의 빈자리가 메워지기까지는 많은 시간이 흘러야 했다. 시간이 약이라는 말의 의미를 그제야 알게 되었다. 그러나 그리움만은 여전히 남았다. 그리움을 달래보고자 많은 날들, 엄마에게 텔레파시를 보내며 빌었다. “엄마! 아들이 보고 싶어요. 꿈 속이라도 한번 나타나 주세요. 제발! 응?” 아들의 부름에 엄마는 잘 응답을 하지 않았다. 떠나신 지 23년째, 그동안 두 번 꿈에 나타나시고는 더이상 안 나타나셨다. 어느 해 추석날, 아버지에게 하소연하듯이 그 얘기를 했더니 죽은 사람이 자꾸 꿈에 나타나면 안 좋은 거라고 하셨다. 그러면서 “네 엄마가 너를 얼마나 애지중지했는데 너한테 뭐가 좋다고 꿈에 나타나겠냐. 네 엄마가 너를 생각한다면 꿈에 절대 안 나타나지! 번보라(바보냐!), 그것도 모르고!”라며 투덜투덜 화를 내는 듯한 목소리로 잔소리를 하셨다. “아! 그래서 안 나타나시는 거구나. 꿈에 자꾸 나타나면 아들이 괜한 걱정을 할까 봐.”라고 댓구하니 아버지가 쓴 표정을 지으며 소파에서 일어나시더니 습관처럼 애꿎은 바지를 툭툭 터시며 방으로 들어가셨다.

엄마가 떠나시고 홀로 남으신 아버지는 오랫동안 혼자 사셨다. 노년에 혼자서 얼마나 외로우셨을까? 아버지의 외로움을 아들은 애써 외면했다. 한 아주머니와 같이 살겠다며 아들에게 허락을 구해왔을 때 급구 만류했다. 얼마 뒤, 후회를 했지만 이미 때는 늦은 뒤였다. 그 이후 아버지는 뜻을 접으시고 돌아가실 때까지 혼자서 사셨다. 아버지는 엄마가 돌아가시고 십여 년이 지난 뒤에 국가유공자가 되셨다. 6.25 때 국군으로 참전하여 큰 부상을 입고 제대한 아버지는 전쟁이 끝난 뒤, 곧바로 유공자가 되었어야 했다. 하지만 아버지 인생은 쉽게 풀리는 인생이 아니었다. 운명의 신은 아버지에게 절대로 그런 순탄한 길을 내어주지 않았다. 아버지 운명 앞에는 얽힌 실타래처럼 어렵고 힘든 길만 놓여 있었다. 열살, 어린 나이에 할머니를 여의면서 엄마의 사랑이 뭔지도 모르며 평생을 어렵게 살았다. 한때는 잘 풀릴 수도 있었지만 할아버지의 선택과 아버지의 선택들이 서로 엇갈리며 힘든 길을 걸으셨다. 그런 아버지를 신이 지켜보다가 한 번쯤 행운을 주자고 마음을 먹었던 모양이다. 우여곡절 끝에 칠순이 넘은 나이에 국가 유공자가 되셨다. 아버지 말에 의하면 어느 날 꿈에 엄마가 나타났단다. 꿈자리가 뒤숭숭하여 행여나 하고 보훈청을 찾아갔더니 일사천리로 유공자가 되었단다. 유공자가 되신 이후 아버지는 “나 죽으면 할아버지 할머니 옆에 묻지 말고 대전 현충원에 갖다 묻으라.”라고 늘 말씀하셨다. 그러면서 한 마디 덧붙여 엄마랑 같이 묻어 달라고 하셨다. 그 말을 듣고는 형제들이

짐짓 발끈하며 "아버지! 엄마는 아버지랑 같이 묻히시기를 원하지 않을걸요. 아버지 혼자 국립묘지 가세요. 엄마는 가만히 두세요. 잘 계신 분을 왜 건드려요. 그렇게 엄마가 좋으셨으면 살아 계실 때 좀 잘 하시지 그러셨어요."라며 아버지 아픈 곳을 찔렀다.

2014년 여름, 아버지가 86세를 일기로 생을 마감하셨다. 아버지는 환갑 때부터 부정맥이 나타나서 두 차례나 위험한 순간을 맞기도 했지만 그때마다 응급실로 후송되어 절체절명의 순간에 깨어나셨다. 심장충격기를 통해 오뚜기처럼 일어서시더니 오래 사셨다. 험난했던 인생 행로와는 달리 운명의 여신은 아버지 편이었던 모양이다. 장례를 치르며 형제들과 엄마를 어떻게 할 것인가로 고민했다. 아버지의 뜻에 따라 엄마를 합장할 것인지 아니면 아버지만 국립묘지에 안장할 것인지를 두고 의논했다. 어렵지 않게 엄마를 아버지와 합장하는 것으로 뜻을 모았다. 그러기 위해선 아버지 안장일에 맞춰 산소에 묻혀 있는 엄마를 먼저 장례식장으로 모셔와야 했다. 가족 중에 누군가 엄마를 모시러 가야 했지만 상주(喪主)인 나는 장례식장을 떠나면 안 된다고 하여 매형들이 나섰다. 장례 이틀째, 장례식장은 삼삼오오 둘러앉은 조문객들의 이야기꽃으로 떠들썩했다. 조문객들 대부분은 고향을 떠난 사람들이었고, 나머지는 고향에 남아 계신 어른들이나 동년배의 친구들이었다. 그런 사람들이 만났으니 반가움은 더했고 할 말도 많아 보였다. 고향 마을에서 같이 보냈던 시절을 추억삼아 웃음소리가 떠나지 않았다.

그들과 벽 하나를 사이에 두고 떨어져 있는 빈소엔 한동안 조문하는 사람의 발길이 끊겼다. 혼자서 빈소를 지키며 멍하니 아버지 영정을 바라보고 있을 때였다. 입구 쪽에서 두 매형이 걸어 들어오고 있었다. 앞서 들어오는 큰 매형의 손에는 네모난 상자 하나가 들려 있었다. 흰 장갑을 낀 손으로 조심스럽게 들고 오는 것은 다름 아닌 엄마였다. 꿈에나 그리던 엄마가 지금 내게로 걸어오고 있었다. 순간, 온몸에 전기가 흐르는 듯 전율이 일었다. 큰 매형이 점점 다가오고 있었다. 엉거주춤 일어서자 매형이 분골함을 내 품에 안겨주었다. 두 손으로 조심스럽게 받아 들었다. 눈가엔 벌써 닭 똥 같은 눈물이 뚝뚝 떨어지고 있었다. 입술이 떨리며 엄마를 불렀지만 목이 메여 입안에서만 맴돌 뿐 목소리가 나오질 않았다. 흐느끼며 다시 엄마를 부른다. 여전히 울먹일 뿐 목소리가 터져 나오질 않았다. 흐느끼는 소리만 점점 커지더니 급기야 폭포수처럼 터지고 말았다. 엄마를 두 팔로 안은 채 웅크리자 다리가 떨리며 무릎이 바닥으로 꺾였다. 그제야 목이 터지며 엄마를 부르는 소리가 터져 나왔다. 응어리져 있던 그리움이 한꺼번에 터지는 듯했다. 넋이 나간 사람처럼 엄마를 부르고 또 부르며 절규를 했다. 장례식장은 일순간 찬물을 끼얹은 양 조용했다. 돌아가신 지 14년, 엄마는 분골이 되어 다시 내

품으로 돌아왔다. 아들은 울음소리가 잦아들 때까지 엄마를 놓아주지 않았다.

이틀날, 아버지 어머니를 나란히 모시고 대전 현충원으로 향했다. 아버지가 그토록 묻히고 싶었던 곳이었다. 묏자리는 사망소식이 접수되는 순서대로 정해지게 되어 있었다. 장례버스를 타고 두 분이 묻힐 묘역까지 올라갔다. 현충원의 가장 높은 곳에 새로 단장된 곳이었다. 버스에서 내려 산 아래쪽을 바라보니 대전 시내가 한눈에 들어왔다. 수만 개의 비석들이 줄지어 늘어선 묘역의 양쪽 끝으로는 나지막한 산들이 병풍처럼 둘러싸며 국립묘지를 품고 있었다. 마치 엄마 품속에 들어온 듯했다. 아버지가 이곳에 묻히시기 원했던 이유를 알 것 같았다. 엄마와 같이 묻히시기 원했던 이유도 알 것 같았다. 아버지는 분명 이곳에 몇 번이고 와서 보셨던 것 같다. 아버지가 산 아래를 내려다보며 흡족해 했을 경치가 내 눈앞에서 펼쳐지고 있었다.

안장식은 간소했다. 두 개의 분골함이 안장될 만큼 흙은 이미 직사각형으로 파 놓여 있었다. 장례도우미의 진행에 따라 술을 올린 뒤 절을 하고 분골함 두 개를 하관했다. 그런 다음 흙을 덮기 전, 마지막으로 할 일이 있었다. 아버지 어머니 사이에 한 뼘의 공간을 떼어놓는 것이다. 그 한 뼘의 의미는 엄마가 아버지 잔소리로부터 언제든 벗어날 수 있는 거리였으며, 아버지가 아무리 잔소리를 하여도 엄마에게는 안 들릴 거리였다. 한 뼘 떨어져 있는 두 개의 분골함을 쳐다보며 형제들은 싱긋 미소를 날렸다. 엄마를 위한 거라고는 했지만, 어찌 보면 내 마음의 안도를 위한 행동이었다. 안장이 끝난 뒤, 아버지 어머니 이름이 나란히 새겨진 임시 묘비가 세워졌다. 두 분의 영면을 기원하며 마지막 절을 올렸다. 안장을 끝내고 내려오는 길, 그제야 7월의 태양이 뜨겁게 느껴지기 시작했다.

미신을 믿지 않는다. 그러나 간혹 엄마의 영혼이 내 주위를 감돌고 있다는 느낌을 받을 때가 있다. 말로 표현할 수 없는 느낌이다. 딸아이들이 위험한 순간을 넘기거나, 하는 일이 모두 잘 풀리거나, 뜻밖의 행운이 찾아올 때면 엄마가 옆에서 지켜주고 있는 것처럼 느껴질 때가 있다. 그런 느낌이 들 때면 거실 벽에 걸려 있는 엄마의 사진을 보며 '엄마 가족들 잘 지켜 줘서 고마워요.'라며 혼잣말을 하기도 한다. 어린 시절, 정화수 한 사발을 떠놓고 빌었던 엄마의 주문(呪文)은 아직 내게 걸려 있다. 엄마가 남기고 간 유산이다.

엄마의 삶에 엄마의 선택권은 없었다

권혜영

엄마의 삶에 엄마의 선택권은 없었다.

권혜영

엄마의 삶에 엄마의 선택권은 없었다.

외할머니는 엄마가 10살 때 돌아가셨다. 어린 나이에 엄마는 여동생 두 명과 부모 없는 세상에 버려졌다. 외할머니는 중풍을 앓으셨다고 했다. 옛날에도 젊은 나이에 중풍이라는 병을 앓기도 했나 보다. 외할아버지에 대해서는 전혀 아는 바가 없다. 처음부터 존재하지 않았던 것처럼 엄마는 외할아버지에 대해서는 한 번도 말하지 않았다. 나도 물어보지도 않았다. 엄마는 외할머니 대신해서 온갖 심부름과 집안일을 도와야 했다. 한창 부모의 사랑을 받고 어리광부리며 보호를 받아야 할 나이에 엄마는 되레 할머니를 보호해야 했다. 학교에도 가지 못했다. 엄마는 학교에 가고 싶었다. 잠시라도 시간이 나면 학교로 달려간다. 학교 복도로 들어가면 각 교실 창문에는 교실을 들여다볼 수 있는 조그만 창문이 있었다고 한다.

창문에 눈을 바짝 대고는 깨끔발로 뒷꿈치 바짝 들어서 엄마는 시간이 나는 대로 교실 밖 공부를 했다. 선생님이 칠판에 글씨를 써놓으면 엄마는 연필에 침을 묻혀가면서 또박또박 써가며 한 글자 한 글자씩 한글을 배웠다. 구구단도 걸어 다니면서 외우고 또 외웠다. 밭에 가면 밭 바닥이 공책이었고 잠을 잘 때는 방바닥이 공책이었다.

부모님이 다 돌아가시고 엄마의 세 자매는 먼 친척뻘 되는 사촌오빠네에서 살게 되었다. 말이 살게 된 것이지 식모로 들어간 것이나 다름없었다. 두 동생과 함께 사촌오빠 집에서 더부살이가 시작되었다. 한 명도 아닌 세 명을 떠안게 된 사촌오빠네 식구들은 차츰차츰 세 자매에게 작은 심부름부터 시작해서 밭일까지 돕게 했다. 나중에는 설거지, 마당청소, 집안 청소, 빨래까지 온갖 궂은일을 도맡아 하며 살았다.

그렇게 10년이 흘렀다. 10년의 세월은 엄마에게는 창살 없는 감옥 같은 생활이었다. 깔깔거리며 친구와 재잘거리는 일도 없었고, 엄마에게 투정 부려 본 적도 없었다. 여느 집 아이들처럼 명절이 되어도 예쁜 옷도 한 번 못 입어 보았다. 예쁜 신발 운동화나 구두는 커녕 고무신이 엄마의 신발 전부였다.

얼마나 예쁜 옷을 입고 싶었을까. 얼마나 예쁜 구두를 신고 싶었을까. 할머니가 해준 따뜻한 밥이 얼마나 그리웠을까. 밖에서 뛰어놀고 있을 때 할머니가 "두연아 밥 먹자"라고 다정하게 부르는 행복을 엄마는 얼마나 느껴보고 싶었을까. 그렇게 엄마는 감정이 메말라 갔다. 감성을 지닐 수 없을 만큼 엄마는 정신과 육체가 지쳐가고 있었다.

그러던 어느 날 사촌오빠가 엄마를 불렀다.
"두연아! 이제 20살이 되었으니 좋은 사람 있으니 시집가거라" 사촌오빠가 말했다. 엄마는 한편으로는 두렵고 한편으로는 이 집에서 해방된다는 생각이 들었다. 엄마는 고민하기 시작했다. 엄마의 가슴속에 다른 사랑이 싹트고 있었다. 같은 동네에 사는 해군 총각이었다. 나는 엄마의 사진 몇 개 중에 그 해군 총각의 사진을 본 적이 있다. 해군 복장을 하고 있어서 멋져 보였다. 그 사진을 보면서 "이 남자와 엄마가 결혼했으면 ...." 하는 생각을 했다. 증명사진처럼 작은 사진이었다. 엄마의 외모는 키는 작은 편이었고 얼굴형은 계란형이었고 오똑한 코에 가지런한 치아, 눈은 쌍꺼풀이 없는 전형적인 미인의 눈매를 가지고 있었다. 어느 누가 봐도 엄마에게 호감을 가질 수밖에 없는 얼굴이다. 그런 예쁜 엄마에게서 태어난 나는 엄마를 닮지 않았다. 아버지를 닮았다. 그게 너무 싫었다.

이렇게 고민을 하고 있는 와중에 엄마의 혼인 날짜가 잡혔다.

사촌오빠의 일방적인 결정이었다.

엄마에게는 선택권이 없었다.

결혼 첫날 밤 엄마는 처음 외간남자였던 아버지 얼굴을 보았다. 너무 못생겨서 엄마는 속으로 실망했다고 했다. 내가 아버지를 닮아서 싫었던 이유다.

그래도 살아야만 했다. 엄마의 결혼과 동시에 두 동생도 엄마를 따라서 사촌오빠 집에서 나왔다. 엄마의 어깨에 올려져 있는 짐은 감당해 내기가 너무나도 무거웠다. 좋은 남자라고 했는데 아버지 쪽에도 부모님이 없었다. 강제결혼이었다. 오갈 데 없는 남자와 오갈 데 없는 여자가 가정을 가졌다. 엄마는 해군 총각을 가슴에 품은 채 결혼 생활이 시작되었다. 엄마의 사랑이 저만치 떠나갔다.

신혼살림은 그야말로 처참했다. 밥그릇 4개, 국그릇 4개, 수저세트 4벌, 냄비 하나, 이불 2채가 전부였다. 사촌오빠가 마련해준 혼수품이었다. 엄마는 몇 날 며칠을 울었다. "왜 나는 이렇게 살아야 하냐고, 내가 무슨 죄를 지었냐고." 동생들도 따라 울었다. 첩첩산중이라고 아버지는 게으른 사람이었다. 결국 두 동생은 제 갈 길을 가겠노라고 집을 나가버렸다. 엄마의 가슴은 천 갈래 만 갈래 찢어졌다. 그 예쁜 얼굴에 삶의 어두운 그림자가 생기기 시작했다. 엄마는 웃음을 잃어갔다. 생계를 위해서 무슨 일이든 해야만 했다.

점점 일하는 기계가 되어갔다.

열 달 후 내가 태어났다. 먹는 것이 부실해서 엄마는 산통이 왔을 때도 힘이 없어서 힘을 쓸 수가 없었다고 했다. 죽을 힘을 다해 나를 낳았다. 그 힘없고 가련한 여인의 자궁을 뚫고 내가 태어났다. 아기 울음소리가 나자 옆집에서 미역국을 끓여 왔다고 했다. 얼마 만에 남이 해주는 밥상을 받아보았던가. 엄마는 또 울었다. 아이를 낳아서 기뻐야 하는데 나를 안고 왜 그렇게 울어야 했을까.

먹은 게 없어서 젖도 잘 나오지 않았다. 나는 배고프다고 보채고 울었다. 젖을 먹이다가 모자라면 식은 밥을 끓여서 밥물을 나한테 먹였다. 그렇게 가난은 가난 낳았다. 내가 백일이 다가올 무렵 엄마는 집을 나갔다. 사촌오빠에게 갔다. 도저히 못 살겠다고 다시 이 집으로 들어오게 해달라고 했다. 사촌오빠는 자기 목젖에 칼을 들이대고 말했다." 그 사람하고 안 산다고 하면 내가 죽는다. 어떻게 할 거냐" 고 협박을 했다. 나는 엄마의 이야기가 픽션일 거라고 생각했다. 사람에게 있을 수 있는 일이 아니라고 생각했다. 그렇게 엄마는 다시 지옥같은 집으로 돌아올 수 밖에 없었다. 다시 돌아온 엄마는 나에게 젖을 물렸지만 나는 그 날부터 엄마의 젖꼭지를 물지 않았다고 했다. 백일 밖에 되지 않은 아기가 뭘 안다고? 엄마가 그렇게 돌아오지 않았더라면 내 인생은 어떻게 되었을까. 그 후로 엄마는 3명의 남동생을 더 낳게 되었다.
아무짝에도 쓸모없는 남자아이들을.

엄마도 한때 소녀였고,

내가 알지 못하는 꽃다운 시절에 누군가와 사랑도 했을 테고,

꿈도 있었고, 가보고 싶은 곳도 많았을 것입니다.

좋아하고 사랑하던 그 모든 것들 뒤로하고 삶의 지난함과

괴로움을 참고 견디며 고생스럽게 살고 싶어 하는 사람은

엄마뿐 아니라 이 세상에 누구도 없을 것입니다.

<박광수님의 "엄마 죽지마"> 중에서

엄마는 일만 하는 사람이었다.

마치 일을 안 하면 누가 죽인다고 했을 정도로 일에 몰입했다. 게으른 아버지의 가장 몫이 오롯이 엄마의 몫이 되었다. 밤이면 피곤하다 못해 지쳐있는 엄마에게 아버지는 자기의 욕정을 풀려고 엄마를 짓눌렀다. 임신중절 수술도 여러 번 했다. 피임을 할 줄 몰랐던 엄마는 그렇게 엄마의 몸을 혹사시켰다. 아기를 낳고도, 중절 수술을 하고 나서도 몸조리라는 것은 엄마에게 사치였다. 게으른 남편과 4명의 자식들의 입에 밥을 넣어주기 위해서 엄마는 자신의 육체와 정신을 조금씩 갈아 넣고 있었다.

내가 국민학교 3학년 되던 해이다. 만의 10살. 외할머니가 엄마를 세상에 던져놓고 돌아가신 나이이다. 나는 엄마가 세상에 던져진 나이에 엄마의 전철을 밟게 되었다. 비록 엄마처럼 고아는 아니었지만 내 또래 아이들처럼 엄마의 보살핌이 끊어진 시기이다. 부엌으로 들어가기 시작했다. 엄마는 밥을 먹고 나면 밥상을 치우지 않았다. 밥먹고 돌아앉으면 바로 일이 시작되었다. 집에서 하는 일이었기에 직장처럼 쉬는 시간 잠자는 시간이 따로 없었다. 엄마가 하는 일은 노란 서류봉투를 만드는 밑작업이었다. 방바닥에 큰 비닐을 깔아놓고 그 위에 노란 큰 종이를 놓고 풀칠하고 그 위에 한 장을 덧붙여서 수건으로 문질러서 붙이는 작업이었다. 집안일은 서서히 내 몫으로 한가지씩 늘어났다.

나는 엄마를 도와드려야겠다는 생각이 들었다. 엄마의 수족이 되기 시작했다. 엄마는 어린 내가 도와주는 것이 비록 소소한 일이지만 큰 도움이 되었던 모양이었다. 남동생들은 천지도 모르고 때가 되면 배고프다고 아우성이다. 그럴 때마다 엄마가 해 놓은 밥과 반찬을 챙겨서 동생들을 챙기기 시작했다. 엄마는 자식들의 입에 밥만 넣어주면 엄마의 도리를 다했다고 생각한 것일까?

어느 날 내 바로 밑에 동생이 집에 들어오지 않았다. 며칠 후 직장을 잡았다며 걱정하지 말라고 연락이 왔다. 그 후로 몇 년에 한 번씩 얼굴 비추고 가곤 했다. 돈을 벌러 간다더니 돈은 한 푼도 주지 않았다. 오히려 돈을 가져가려고 했다. 그렇게 이방인처럼 왔다 갔다 하다가 하더니 어느 날 여자를 데리고 왔다. 마치 혼자 태어나서 혼자 살아가는 사람처럼 모든 일을 혼자 결정하고 통보하는 것이었다. 여자를 데리고 온 날 며칠을 집에 머물다가 간 뒤로는 영영 소식이 끊어졌다. 엄마는 아들이 소식이 없어도 찾지도 않았다. 걱정도 하지 않는 것처럼 보였다. 엄마는 무슨 생각을 하면서 살았을까? 요즘처럼 휴대폰이 없는 시절이었으므로 어떻게 찾을 방법도 몰랐을 것이다.

지금 생각하니 엄마의 마음은 얼마나 새까맣게 타들어 가고 있었을까 하는 생각이 든다. 오직 돈을 벌어야 한다는 생각 외에는 아무 생각도 하지 않는 사람 같았다. 나는 엄마를 거들면서 이젠 아예 부엌일은 완전히 내 몫이 되었다. 모든 게 서툴러서 엄마에게 물어가면서 부엌일을 했다. 내가 엄마에게 도움이 된다고 생각하니 더 많이 도와드려야겠다고 생각이 들었다.

그러면서 점점 삼식이 아버지가 미워지기 시작했다. 아버지 때문에 엄마와 내가 이 고생을 한다고 생각하니 아버지가 없어졌으면 좋겠다고 생각했다.

몇 년이 또 흘렀다.

이제 둘째 동생도 직장생활을 하겠다고 하면서 밖으로 돌기 시작했다. 동생들은 학교에 다니기 싫어했다. 엄마는 공부가 하고 싶어도 학교에 갈 형편이 안 되어서 교실 밖 공부를 혼자서 했던 열정적인 사람이었다. 그런 엄마의 몸에서 태어난 아들들은 아버지를 닮은 것일까?. 아버지는 한글도 모르는 분이었다.

둘째 동생도 점점 집에 들어오지 않는 일이 잦아들었다. 가끔씩 집에 오기도 했지만 역시 돈은 한 푼도 주지 않았다. 엄마에게 도움이 전혀 되지 않는 아들들이었다. 어느 날은 동생이 잘못한 일이 있어서 회초리로 종아리를 때리고 있을 때였다. 당연히 잘못했으니까 매를 맞고 있었는데 갑자기 엄마의 화살이 나한테로 날아왔다.
"동생이 맞고 있는데 누나가 되어서 말리지도 않고 보기만 하나?"

라고 하면서 되레 나를 꾸짖는 것이다. 나는 억울했다. 한쪽 구석에 가서 억울한 눈물을 흘렸던 기억이 있다. 그때도 엄마가 미웠다. 아들과 딸을 차별한다는 생각이 들어서 더 서운했다. 엄마는 둘째가 안 들어오고 소식이 없어도 찾지도 걱정하는 말도 들어본 적이 없었다. 갑자기 온 집안이 텅 비어있는 것 같았다. 삶에 지쳐서일까?

지금 생각해도 엄마를 이해할 수 없다. 엄마는 술을 못 드신다. 술이라도 한 잔 했으면 술김에 하소연이라도 했을까. 나는 언젠가 동생들이 들어올 거라고 믿으며 기다리고 있었지만 두 동생은 끝내 지금까지 돌아오지 않고 있다. 아니 둘째 동생은 돌아올 수 없는 곳으로 가버렸다. 엄마는 아들이 엄마 먼저 저세상으로 간 것을 모르고 돌아가셨다. 엄마가 아플 때 연락이 왔는데 엄마에게 차마 말할 수가 없었다. 더이상 가슴 찢어지는 고통을 드리고 싶지 않았다. 내가 잘한 건지 잘못 한 건지는 모르겠다.

엄마의 결혼 생활이 10여 년이 지나서 아버지는 지인의 소개로 직장을 가지게 되었다. 아버지의 월급을 받기 시작하고 부터는 엄마의 어깨에 지워진 삶의 무게가 조금은 가벼워졌다. 엄마가 밤늦게까지 일하는 모습을 보지 않게 되어서 나도 마음이 한결 가벼웠다. 나는 고등학교를 졸업하고 건설회사의 경리직으로 취직이 되었다. 사회초년생이라 모르는 것 투성인데 같은 사무실에 근무하는 대리님이 자상하게 일을 가르쳐 주었다.

집도 같은 방향이라서 출근 퇴근이 거의 같이하게 되었다. 3년 정도 친하게 지내다 보니 정이 많이 들었다. 남자 쪽에서는 결혼 말이 오고 갔다. 나는 결혼이란 단어를 들으니 두렵고 겁이 났다. 엄마의 결혼 생활을 보면서 '절대로' 결혼을 안하리라고 다짐을 하곤 했다. 옛말에 여자가 시집을 안 간다는 말은 3대 거짓말 중에 하나라는 말이 있었다. 지금 같은 시대에는 얼마든지 있을 수 있는 말이지만 그때는 그랬다.

3년 동안의 정이 무서웠다. 절대로 안 하려고 다짐했던 결혼에 대한 생각이 무너지기 시작했다. 엄마에게 그 사람을 인사를 시키기로 했다. 그런데, 그 사람을 집에 데리고 왔는데 엄마가 안 계신다. 아무리 기다려도 엄마는 끝내 나타나지 않았다. 몇 시간을 기다리다가 우리는 밖으로 나왔다. 나는 미안하고 창피해서 그 사람의 얼굴을 쳐다볼 수가 없었다. 그 사람은 "괜찮아, 다음에 또 뵈러 오면 되지" 라며 너그럽게 웃어주었다. 엄마의 무관심은 나를 외롭게 만들었다. 사랑을 받지 못한 사람은 사랑을 줄 줄도 모른다고 했다. 저녁에 엄마가 집으로 돌아왔다. 엄마에게 물었다. "엄마! 아까 왜 그랬어?" 엄마는 "그냥 보기 싫었다" 이 한마디로 끝났다.

지금 생각하면 참 답답하다. 엄마는 무슨 생각으로 그렇게 행동했을까? 엄마가 싫어하는구나 하고 그 사람과는 헤어졌다. 나도나 혼자 판단해 버렸다. 엄마에 대한 반발심과 거역할 수 없는 무언가가 내 마음을 짓눌렀다. 그렇게 아름답던 세상이 하루아침에 진흙탕 같은 세상으로 변해버렸다. 그 사람도 몹시 괴로워하고 힘들어했다. 아니라는 것은 분명한 사실이지만 혹시 계모가 아닐까 생각도 했다.

아버지가 직장생활을 하고 나도 회사생활을 하면서 엄마는 가장으로서의 무거운 짐을 내려놓게 되었다. 결혼하고 20년 만에 엄마에게 자유가 찾아 왔다. 그 자유도 잠깐이었다. 엄마마저도 이젠 직장생활을 하겠다고 한다. 어릴 때부터 그렇게 일만 해 왔는데 그만 쉬시라고 해도 파편 윤씨의 고집은 황소고집보다 세다. 어느 누구도 엄마의 고집을 이길 재간이 없었다.

두 동생이 없어진 우리 집은 그냥 그대로 평온했다. 다만 겉으로 보기에는 그랬다. 엄마의 속마음도 모르겠고 아버지의 속내는 더욱 더 모르겠다.

엄마는 생활의 여유가 찾아왔어도 보통 주부의 전담이었던 식사준비는 거의 하지 않았다. 나는 항상 엄마의 정에 메말랐다. 우리 남매를 위해 따뜻한 밥을 해놓고 기다리는 정을 느끼고 싶었다. 다른 집에서는 저녁이면 온 가족이 모여서 한 밥상에 둘러앉아 밥을 먹으며 도란도란 이야기꽃이 피었다. 우리 집은 서로 다른 사람이 모여 사는 것 같이 각자가 밥을 챙겨 먹었다. 나는 늘 동생을 챙겼다. 엄마는 퇴근하면 이웃집에 볼일 보러 간다고 나가면 돌아올 줄 몰랐다. 우리를 위해서 엄마를 구속할 생각은 없었다. 다만 엄마의 챙김을 받고 싶었다. 친구 집에 가면 친구 엄마가 딸이 온다고 좋아하는 음식을 해놓고 기다리는 모습을 보면서 친구가 참 부러웠다.

한편으로는 엄마가 웃는 날이 많아지는 것이 좋았다. 무표정한 얼굴에서 웃는 얼굴로 변한 엄마의 모습으로 보면서 내심 엄마가 행복하기를 바랐다.

나는 항상 그런 식이었다. 다른 사람이 좋으면 나는 어떻게 되어도 괜찮다는 식의 생각이 남들에게도 그랬다. 내 인생을 살지 못하고 남의 인생 바라기가 되었었다.

나도 엄마처럼 밖에서 놀고 있으면 "혜영아! 밥 먹자 얼른 들어와 그만 놀고"하는 엄마의 부름을 한 번도 받지 못했다. 딸은 엄마의 인생을 닮을 확률이 많다고 했다. 글을 쓰다 보니 나는 어쩔 수 없는 엄마의 딸인가보다. 천륜을 어떻게 거부할 수 있겠는가.

그래도 엄마는 용기 있는 여성이었음을 자랑스럽게 생각한다.

가장 귀한 것

엄마는 살면서 쉽게 얻은 것이 없단다.
남들처럼 타고난 재능도 없었고,
부모로부터 또한 물려받은 것 또한 없어서
아주 작은 것도 더 많은 노력을
해야만 겨우 내 것이 되었다.

동동구리무를 팔던 젊은 시절에는
몇 푼 안 되는 버스비를 아끼려고
추운 겨울밤에 백 리 길을 걸어서 갔고,
남들이 하기 싫어하는 일을 자진해서 해야
그들이 하찮게 여긴 그 무엇을 겨우 얻었단다.

<엄마 죽지마, 박광수, 알에이치코리아>

엄마가 감옥에 갇혔다.

엄마는 사교성도 좋았다. 똑똑하고 정도 많았다. 언니 동생 하면서 점점 지인들이 많아졌다. 우리 집 형편이 조금 나아지면서 엄마의 지갑에 돈이 모이기 시작했다.

우연히 지인이 돈을 좀 빌려달라고 해서 빌려주었는데 이자를 주었다. 이자를 받으려고 빌려준 것이 아닌데 지인이 급할 때 빌려줘서 잘 썼다고 웃돈을 더 준 것이다. 엄마는 사양했지만 감사의 마음이니 받으라고 했다. 그 뒤로도 몇 번이고 돈이 오고 가고 했다. 이런 경우가 한사람이 아니라 점점 수가 늘어나고 있었다.

엄마의 지갑이 순식간에 두툼해졌다. 엄마는 신기해 했다. 너무 쉽게 돈이 불어나니 욕심이 생겼다. 욕심이 화를 부른다고 했다. 엄마에게 돈을 빌려 쓰는 사람들 중에는 장사를 하는 사람도 있었다. 소위 "일수"라는 이름으로 돈을 빌려 갔다. 목돈을 빌려 가고 매일매일 장사를 해서 갚아나가는 형식이었다. 나중에 안 사실이지만 이렇게 자기 돈을 불려 나가는 사람이 제법 있었던 걸로 기억한다. 점점 늘어나는 가게 채무자들로 인해 급기야 나에게까지 수금 요청이 들어왔다. 나는 정말 가기 싫었다. 엄마의 말이라면 한 번도 거역한 적이 없는데 이 일만은 죽어도 하기 싫었다. 엄마의 언성이 높아진다. 나 혼자 여기저기 가야 해서 바쁜데 "그게 뭐가 어렵다고 안 갈라카노."라며 일침을 놓았다. 나는 아무 대꾸도 못했다. "자기가 다 벌려놓고 나한테 왜 그래?" 속으로 볼멘 대꾸를 한다

졸지에 내가 가게를 돌아다니면서 수금쟁이가 되었다. 파편 윤씨의 고집은 절대로 꺾을 수가 없었다. 엄마에게 반항할 생각은 엄두도 못 냈다. 연신 입은 씰룩거리고 얼굴은 굳어 있고 몸으로 행동으로 반항했다. 엄마를 등지고 째려본다. 일부러 발소리를 퍽퍽 내면서 수금하러 집을 나선다. 그것도 보통 밤 9시에. 이 밤중에 딸을 그런 곳에 보내고 싶었을까. 나가면서 생각한다. '집 말고 어디 갈 데 없을까.' 이대로 어디론가 도망치고 싶었다. 가게 앞에 가서 들어가지 않고 문 앞에 서 있으면 사람들이 그날의 일수를 준다. 그렇게 터덜터덜 걸으며 집으로 간다. 엄마에게 돈을 준다. 나는 돈을 주면서 마음속으로 말한다.' 인정머리도 없는 엄마'라고.

엄마가 빌려주는 액수는 점점 커지고 있었다. 그 이자에 재미를 붙인 엄마는 조금만 더 조금만 더 하면서 멈출 줄을 몰랐다. 나도 덩달아 바빠졌다. 엄마가 선택권 없이 살아왔듯이 나도 나의 선택권이 없었다. 나중에 엄마가 친구분에게 말했다고 한다. 내 딸 혜영이는 입안의 혀 같은 아이라고. 나는 복종이었는데.

결혼해서 집을 나가기 전까지 나는 또 엄마의 대리인이 되었다.

세월이 흘렀다.

엄마의 사업은 다양하게 바빠지기 시작했다. 계중이 시작되었다. 여러 사람이 보통 10명이 모여서 일정 금액을 각출해서 한 사람에게 몰아주는 방법이었다. 순서는 뽑기를 해서 정하는 것이다. 뽑기를 잘하면 제일 1순위로 목돈을 가지고 간다. 물론 다달이 토해내야 하는 돈이라서 부작용이 따랐다.

엄마는 그 위험한 계주가 되었다. 이런 경우 첫 달은 계주가 가져가는 규칙이 있었다. 계주는 계원 한 명이라도 돈을 안 내면 자기 돈을 대신 넣어서라고 다른 계원한테 돈을 주어야 한다. 몇 번의 계중을 하던 중 드디어 일이 터지고 말았다.

먼저 계금을 타서 가져간 사람들이 하나씩 소식이 끊어지기 시작했다. 수소문을 해보지만 소식을 알 길이 없었다. 사람들은 엄마에게 돈을 내놓으라고 닦달했다. 엄마는 사람들에게 받아서 주겠다고 했지만 그들은 기다려 주지 않았다. 사태가 벌어졌다. 파출소에 엄마를 고소했다. 죄명은 '사기죄', ' 횡령죄' 엄마가 감옥에 들어갔다. 엄마가 감옥엘 가다니 나는 도저히 믿기지가 않았다. 그러나 현실이었다. 어른들이 무섭고 두려웠다.

면회를 갔다. 엄마는 두꺼운 창살 안에서 엄마가 초췌한 모습으로 나왔다. 억울하고 후회하는 눈빛이었다. 나는 할 말이 없었다.

그냥 울었다. 울면서 말했다. 엄마! 엄마가 왜 거기 있냐고, 무슨 죄를 졌냐고 빨리 나오라고 했다. 집으로 돌아와서 엄마하고 제일 친한 친구분에게 울면서 부탁했다. 엄마가 나오게 해달라고 애원했다. 그 친구분은 고소하는 데 일조를 하지 않았다. 며칠 뒤 엄마는 풀려났다. 그리고 피해를 본 사람들의 돈을 엄마의 피 같은 돈으로 다 해결해주었다.

엎친 데 겹친 격이라고 했던가. 개인적으로 돈을 빌려 간 사람들도 하나, 둘씩 야간도주를 하기 시작했다. 때는 1997년 후반에 대한민국은 대기업의 연쇄 도산으로 외환위기를 맞이했을 때다. IMF 사태가 터진 것이었다. 한국의 경제가 무너지고 있었다. 자연스럽게 소상공인들에게도 타격이 왔다. 그 여파가 엄마에게 고스란히 넘어왔다. 엄마는 또 한 번 개인금융 위기를 맞게 되었다. 공들여 쌓아온 탑이 와르르 무너졌다. 나는 깨달았다. 쉽게 버는 돈도 없지만 욕심부리지 말자고.

얼굴 예쁜 게 무슨 죄냐?

산 넘어 산이다. 육체적인 고통이 지나가자 이젠 정신적 고통이 시작되었다.

우리 집 바로 위에 엄마의 시고모가 살았다. 친고모가 아닌 걸로 기억된다. 나이 차가 부모격이었다. 그 할머니는 빼빼 마른 체형에 낮은 코에 찢어진 눈매를 가졌다. 인상이 썩 좋아 보이지는 않았다. 엄마가 시장에 갔다가 조금이라도 늦게 오면 아버지의 심기를 건드려 놓는다.

"무슨 장을 이렇게 늦게 봐, 혹시 바람이 난 거 아닌가 잘 살펴봐" 아버지는 가정에 조금도 관심이 없었고 월급 받아오면 그때 돈으로 15만원만 생활비로 내놓고 나머지는 당신이 챙겼다. 한 집 안의 가장이 아니라 하숙생 같았다. 아버지는 할머니의 그런 말을 자꾸 들으니 의심을 하기 시작했다. 다정한 대화는 커녕 사람 사는 훈기마저 없이 냉냉하던 우리 집에 큰소리가 나기 시작했다. 엄마는 어이가 없어 할 말을 잃었다. 더이상 이 집에서 못 살겠다고 다짐을 하는 듯한 표정이었다.

나는 윗집 할머니를 매일 째려보고 다녔다. 엄마도 시집 어른이라서 말도 함부로 못 하고 억울해했지만 다른 방도가 없었다. 그러나 그 수위가 점점 높아지자 엄마는 드디어 폭발하기 시작했다. 이판사판인 상황이었다. 엄마도 단호박 같은 여자였다. 긴말이 필요 없다. 단 한마디로 결론을 내리는 스타일이었다.

"내가 이 집에서 더 살아 무슨 부귀영화를 누리겠노." "인자는 더이상 못 참겠다." 고 하더니 아버지와 할머니를 앉혀놓고 말했다.

엄마는 비장한 표정으로 두 사람을 번갈아 쳐다보며 한동안 말이 없었다. 숨도 크게 쉬면 안 될 것 같은 살벌한 분위기가 조성되었다. 나는 방문 뒤에 숨어서 그 상황을 보았다. 물론 숨소리도 내지 않으려고 조심했다. 드디어 엄마가 입을 열었다.

"긴말 필요 없고 나는 결백합니더, 내가 이 집에서 더 살까요, 나갈까요?"

"한마디씩만 하이소." 이 말은 들은 아버지와 할머니는 서로 얼굴을 쳐다볼 뿐 말이 없었다. 유구무언이었다. 나는 두 사람이 어떤 대답을 할지 몹시 궁금했다. 한 편으로는 통쾌했다. 엄마가 너무 멋져 보였다.

잠시 후...

아버지는 담배를 한 대 피워 물더니 담배연기를 길게 내뿜으면서 한숨을 쉬었다. 할머니는 이 상황이 너무 황당한지 "음, 음 .. 아이구 다리야," 하면서 몸을 이리저리 뒤척이고 있었다. 그러는 순간 엄마는 "뭣들하는교, 와 갑자기 벙어리가 됐는교, 빨리 결단 내립시더." 라고 재촉했다.

"긴 말은 늘어놓지 말고 답만 말하이소." 엄마의 독촉이 방 안의 공기를 가로질렀다. 잠시 후 할머니가 더듬더듬 말을 하려고 했다.

"아니, 그기 아이라 니가 얼굴이 반반하니까 혹시나 해서 한 말이지이." 라고 말해놓고 엄마의 눈치를 살폈다.

엄마는 그동안 살아오면서 받은 설움이 복받쳐 통곡을 하기 시작했다. "아이구, 내가 전생에 무슨 죄가 많아서 이래 살아야 하노 엉?" 하면서 땅바닥을 치며 한없이 울었다. 나도 덩달아 울었다. 엄마의 눈물샘이 나하고 연결되어 있나보다. 엄마가 울면 나도 자동으로 같이 울게 된다. 한참을 울고 있으니 아버지가 입을 열었다. "흠흠... 미안하다. 고모가 하도 그래싸서 나도 모르게 그래됐다, 다시는 의심 안 하께."

사태는 엄마의 승리로 끝났다. 그 일이 있은 후로는 우리 집에도 평화가 찾아왔다. 할머니도 엄마에게 더이상 간섭하지 않았다. 아버지는 여전히 하숙생이었다.

엄마의 삶에 쉼표가 찾아왔다.

나는 엄마에게 말했다. "엄마 이제 여행도 좀 다니고, 친구분들과 맛있는 거도 사드시고, 그렇게 사시라고." 이제 엄마 손길을 필요로 하는 자식이 없으니 엄마만의 인생을 사시라고.

내 엄마는 일에 지쳐서 살림을 놓고 살았지만 반찬 솜씨도 좋았다. 집안 청소도 하면 어느 누구보다 깔끔하게 했다. 바느질도 잘했다. 천상여자였다.

단 한 가지 말투가 단호박이었다. 나는 늘 다른 엄마들처럼 부드러운 눈길과 말씨를 듣는 게 소원이었다. 모전여전이다. 나도 단호박이라는 말을 많이 듣는다. 내 딸들은 나보고 엄마는 교련선생님 같다고 한다. 딸들에게서 그런 말을 듣고 부드럽게 말하는 연습을 많이 했다. 독서를 하면서도 말투도 많이 달라졌다. 단호박 말투는 글쓰기에도 마이너스다. 글 몇 줄을 쓰고 나면 쓸 말이 없다.

엄마의 쉼표가 영원하길 바랬다. 하지만 신은 엄마의 쉼표에 마침표를 찍으려고 했다.

남자 네 명이 꽃가마를 들고 간다. 화려하게 치장된 꽃가마 속에 누가 있을까? 궁금했다. 나는 종종걸음으로 달려가서 꽃가마 안을 들여다 보았다.
'엄마? 엄마가 시집을 간다?'
"이야! 우리 엄마 너무 예쁘다"
양볼에는 연지 곤지로 볼그레하게 물들여 놓았고 입술은 빠알간 앵두같은 입술이다. 머리에는 족두리가 씌워져 있어 꽃가마가 흔들릴 때마다 반짝이며 빛을 발한다. 엄마는 수줍은 듯 고개를 약간 숙이고 있었다. 그런데 왜 말을 타고 있는 멋진 신랑은 왜 안 보이지? 궁금해하면서 다시 꽃가마 속의 엄마의 얼굴을 보았다. 방금 수줍어 하던 엄마의 얼굴이 굳어 있다.

"엄마, 엄마? 엄마 왜 신랑이 없어? 엄마 혼자 어디가?" 하면서 엄마를 붙잡고 마구 흔들어댔다.

"엄마"라고 소리치며 놀라면서 일어났다. 꿈이었다. 악몽이었다.
옛 속담에 시집가는 꿈을 꾸면 그 시집간 사람이 죽는 꿈이라고 했다. 그 꿈을 꾸고 나서 한동안 불안했다. 엄마에게 무슨 일이 일어날 것 같은 불길한 예감 때문에 매일매일이 불안했다. 집에 들어오면 제일 먼저 엄마를 찾는다. 집에 없으면 이웃집에 찾아가서라도 엄마의 얼굴을 확인해야만 안심한다.

무관심한 엄마는 딸의 미세한 표정은 보이지 않았나 보다. 역시 무관심한 엄마. 퇴근해서 돌아온 딸에게 '밥 먹자' 가 아니고 '밥 챙겨 먹어라' 라는 엄마표 한마디면 끝이다. 어쩌면 무관심한 엄마가 아니라 ' 철없는 엄마' 였을지도. 지금 이순간에도 엄마의 다정한 말이 그립다. 그 불길한 꿈 이야기는 끝까지 엄마에게 하지 않았다. 나는 엄마에게 무조건 좋은 이야기만 하기로 늘 생각했다. 아픈 이야기, 슬픈 이야기, 힘든 말, 이런 말로 엄마의 심기를 다치게 하고 싶지 않았다.

내가 태어나서 엄마의 발목이 잡힌 것 같아서 늘 죄스러운 마음이 있었기 때문이다.
악몽이라고 하는 꿈을 꾼 뒤에도 우리 집에는 평화스러웠다. 평화스럽다는 표현이 안 맞지만 별일 없으면 평화스러운 거다.

내가 성인이 되고부터는 엄마의 유년 시절 이야기를 한 번씩 들을 때가 있다. 딸은 자라면 엄마와 친구가 되고 같은 여자가 된다. 딸은 아버지 전생의 애인이었다고 한다. 그래서 보통의 아버지들이 딸바보가 되는 건가. 내가 아버지 전생의 애인이었다는 설은 생각만 해도 끔찍하다. 아니, 기정사실이라고 해도 나는 절대로 거부한다. 엄마는 낮에는 회사 다니고 퇴근 후에는 늘 이웃집에서 수다로 보낸다. 내가 해야 할 일을 엄마가 하고 있다. 집에 와서 저녁을 챙기는 일은 이제 내 몫이 된 지 오래다. 엄마와 딸의 역할이 바뀌었다.

"고장 난 벽시계는 멈추었는데 저 세월은 고장도 없네"라는 유행가 가사처럼 세월은 야속하리만큼 빨리 흘러갔다.

이웃집을 전전하던 엄마는 그림책 공부를 시작했다. 야심한 밤이 되어도 엄마가 오지 않아 찾아 나선다. 불이 환하게 켜진 동네 이웃집으로 가서 엄마를 부른다. 대답이 없어서 문을 열고 들어가 보니 동네 아줌마들 대여섯 명이 동그랗게 둘러앉아서 화투를 치고 있었다. 그 광경을 보자 내 표정이 일그러졌다. 내가 제일 싫어하는 일이었다. 처음으로 엄마 하는 일에 짜증을 냈다." 돈 걸고 하는 거 아니다. 그냥 재미로 하는 거지, 조금만 놀다 올게." 엄마는 어느새 내 허락을 받기 시작한다. 엄마는 전생에 남자였으리라. 아니 남자로 태어났어야 했다. 여자로 태어나서 인생이 엉키고 설킨 실타래처럼 꼬이고 꼬였다. 그 시대 때만 해도 여자로서 남자로서의 할 임무가 있었는데 엄마는 여자이면서 남자의 역할을 해왔었다. 졸지에 하숙생이었던 아버지 대신 내가 여자 역할을 하게 되었고.

나는 엄마에게 잔소리를 하다가 " 그래, 화투 치는 일이 엄마의 유일한 낙이라면 굳이 반대하지 말자."라고 결론내렸다. 아버지는 퇴근하면 바보상자 텔레비전 앞에서 졸다가 잠이 든다. 엄마가 있는지 없는지 관심도 없다. 텔레비전에 밀려난 엄마는 자연스럽게 친구들이 더 좋았으리라.

그때 나는 사내 연애를 하고 있었다. 연애 감정인지 몰랐다. 그냥 나한테 잘해주었고 나도 잘해주는 그 대리님이 좋았다. 나에게 관심을 가져주고 예쁘다고 해주었다. 태어나서 이렇게 관심을 받아보긴 처음이었다. 행복했다. 소풍가는 날을 기다리며 들떠 있는 아이처럼 퇴근하면 출근하는 아침이 기다려졌다.

또 꿈을 꾼다. 내 윗니가 몽땅 빠지는 꿈, 꿈에 어린아이가 나오는 꿈. 윗니가 빠지는 꿈은 부모님에게 안 좋은 일이 생긴다는 징조이고, 어린아이가 보이는 꿈은 근심이 생긴다는 꿈해몽이 있다. 또다시 근심이 스멀스멀 내 마음에 자리 잡는다. 하지만 근심은 잠시뿐이었다. 앞전에 나쁜 꿈을 꾸어도 별일이 없었고, 나 혼자만의 행복한 나날들 보내고 있었으니까. 틀에 박힌 일상은 계속되고 엄마의 화투 치는 일은 오래 계속되지 않았다. 다행이었다. 이 세상 자식들의 염원은 같으리라 생각한다. 내 엄마는 절대로 늙지 않을 거라고. 웃음이 적었던 엄마가 한 번씩 웃을 때마다 함박꽃이 피는 것 같았다. 나쁜 예지몽은 까마득하게 잊어버리고 살았다. 미신을 절대적으로 믿는 건 아니지만 무시하지도 않는 편이다.

엄마의 탯줄을 끊고 세상에 나오게 되면서부터 우리는 인생 수업을 하면서 더 커지고 넓어지며 살아가게 된다. 아이를 낳으면서 엄마라는 자리도 준비 없이, 경험 없이 맞이하게 된다. 자라면서 모든 자식들은 엄마는 척척박사였다. 엄마! 하고 부르면 무엇이든 해결되었으니까.

유난히도 내 엄마의 삶은 슬픔이 길었다고 생각한다. 긴 슬픈 삶 중 기쁨은 반짝반짝 비추다가 지나갔다. 기쁨을 채 느끼지도 못할 만큼 아주 잠깐.

마치 긴 장마철에 잠깐잠깐 비추어주는 햇살처럼. 지금 생각해보면 엄마는 여자로서 대담했던 분이었다. 미래를 미리 걱정하지도 않으셨다. 요즘, 자기계발서에서 한약방의 감초처럼 등장하는 지금, 현재, 여기에 충실했던 분이었다. 나는 자라면서 "엄마가 공부를 좀 했더라면....." 하는 말을 혼자 자주 되뇌였다. 한 사람으로서의 인생을 생각하면 너무도 아깝고 아까운 여자였다.

엄마가 66세 되던 해였다.

보통의 하루하루를 즐기며 엄마는 소확행의 나날을 보내고 있었다. 그날도 이웃들과 사담을 나누며 여러 명이 둘러앉아 간식을 먹고 있었다. 내일 절에서 방생을 위한 관광이 예약되어 있었다. 엄마는 가지 않고 나만 가기로 되어있었다. 그때까지만 해도 나는 관광이란 걸 한 번도 못 가봤다. 엄마는 여러 차례 다녀왔었다.

다들 들떠서 재미있게 시간을 보내고 있던 와중에 한 사람이 엄마를 가리키며 말했다.
"어? 엄마 입에서 침이 흘러." 모든 사람의 이목이 엄마에게 집중되었다. 엄마의 입꼬리 한쪽에서 약간의 침이 흐르고 있었다.
"구안와사?"
"그거 입이 돌아가는 것 아니가?" 각자 자기들이 알고 있는 대로 한마디씩 했다. 이렇게 되기 1년 전에 엄마는 왼쪽 팔이 갑자기 힘이 빠지면서 축 늘어진 적이 있었다. 일시적인 현상이라고 생각했던 엄마는 팔을 주물렀다. 병원에 가는 걸 심하게 싫어하셨다. 그래서 매일 반신욕을 하고 온몸을 주무르고 휴식을 많이 하다 보니 팔이 정상으로 돌아왔다. 이때 내가 강하게 엄마를 병원에 모셔야 했다.

엄마의 입을 보니 별 이상은 없어 보였다. 저녁 시간이 다 되어가고 있어서 모두들 집으로 돌아갔다. 나도 엄마와 함께 집으로 돌아와서 저녁을 먹고 일찍 잠자리에 들었다. 다음 날 새벽 나는 방생을 가기 위해 관광차에 올랐다. 어제 저녁에 엄마의 상태 때문에 별로 가고 싶지 않았는데 주위 사람들이 자꾸 보챘다.
"오늘 저녁에 올 텐데 그동안 무슨 일이 있겠나 그냥 갔다 오자."

하면서 나를 관광차 속으로 밀어 넣었다. 이렇듯 나는 다른 사람의 말에 좌지우지 바보처럼 살아왔다.

관광차는 출발하고 사람들은 모두 들떠 있었다. 나도 잠시나마 엄마를 잊고 그들과 어울렸다. 목적지에 도착해서 물고기와 거북이를 방생하고 점심을 먹고 가을낙엽의 매력에 심취해있었다. 해가 질 무렵 출발해서 집으로 돌아오는 도중에 엄마에게서 전화가 왔다. 순간 불길한 예감이 엄습했다.
"혜영아! 내 몸이 이상하다. 어디고, 빨리 좀 올 수 없나...."
"엄마! 몸이 어떤데? 어떻게 이상한데? 많이 아파?"
"그냥 힘이 없다."
순간 나는 아무 말도 할 수가 없고, 차 안에 있는 사람들이 아무도 보이지 않았다.

집에 도착하려면 2시간이나 남았다. 아무것도 할 수 없는 상태로 묶여 있었다. 그 순간부터 차 안에는 관광차 특유의 음악이 꺼지고 정막이 흘렀다. 엄마의 전화 한 통으로 모든 사람이 죄인이 된 것 같이 속죄하는 표정들이었다. 나는 양쪽으로 죄를 지은 죄인이 되었다. 엄마는 혼자서 아픔과 사투를 벌이고 있고, 차 안에 있는 사람들의 신명을 잠재웠다. 그 2시간이 차 안에 있던 모든 사람들의 2시간까지 보태어져서 무겁게 나를 짓눌렀다.

밤 10시가 되어서야 집에 도착했다. 황급히 집으로 들어가 엄마를 보았다. 엄마와 나는 안도의 한숨을 쉬었다. 엄마의 손을 잡았다. 내 손을 잡는 엄마의 손에 힘이 들어가지 않았다. 한쪽 입꼬리가 살짝 올라가 있다. 엄마를 모시고 병원을 찾았다. 구안와사에는 침을 맞으면 좋다고 해서 한방병원 응급실로 갔다. 응급절차를 끝내고 병실로 옮겨졌다. 다음 날 아침 담당 의사가 와서 세밀하게 검사하자고 했다. 사진 찍고, 혈액검사, 등등 몇 가지 검사를 했다.

오후에 검사결과가 나왔다. 병명은 '뇌경색'으로 나왔다. 의사가 물었다. "언제부터 증상이 있었습니까."

"네, 작년에 왼쪽 팔에 힘이 없어진 적이 있었어요, 그리고 어제 저녁에 한쪽 입꼬리에서 침이 흘렀고요." 내가 말했다.
"골든타임을 놓쳤네요, 작년에 그 때 병원에 왔었어야 했는데..." 라고 안타까운 표정으로 의사가 말했다. 뇌졸증(뇌경색, 뇌출혈) 증세가 나타나면 골든타임 3시간 안에 병원을 찾아야 한다고 했다. 그렇게 하면 신체에 오는 장애를 막을 수 있다고 했다. 나와 엄마는 의사의 말에 충격을 받았다. 의사 선생님도 잠시 생각에 잠겼다.
"너무 절망하시진 마세요. 저희가 최선을 다 해보겠습니다."라고 의사가 말했다.
나는 지푸라기라도 잡는 심정으로 말했다. "선생님 잘 부탁드립니다." 어떤 말도 떠오르지 않았다. 내가 할 수 있는 일이 아무것도 없었다.

엄마를 빨리 병원에 모시지 못한 나는 죄책감에 시달리기 시작했다. '만약 신체에 장애가 생기면 어떡하지?' 내 작은 주먹으로 애궂은 가슴팍을 마구 쳐대었다.
"그래, 치료 잘하면 괜찮을 거야! 엄마는 원래 강한 분이시니까"
나는 나에게 괜찮을 거라는 확신을 심고 있었다.
그렇게 병원 생활이 시작되었다. 한방병원에서 차도가 없어서 대학병원으로 갔다. 지금은 의술도 많이 발전하여 막힌 뇌혈관을 뚫을 수 있다고 하는데 그때는 그렇게 할 수가 없었다. 외할머니의 중풍이 엄마에게도 덮쳤다. 이 병도 유전성이 있는 걸까?
그래서 나는 건강검진을 하면 반드시 뇌혈관검사를 한다. 집안의 내력이라면 혹시나 '나에게도' 하는 불안이 늘 있기 때문이다. 다행이도 60대 허리를 꺾어가는 지금까지도 건강하다. 늘 감사하게 생각하며 살고 있다. 엄마가 발병했을 때의 나이를 내가 가고 있다.

더이상 병원에서 해줄 수 있는 게 없다고 하여 퇴원했다. 이제 남은 일은 엄마와 내가 장애를 극복할 수밖에 없었다. 엄마의 왼팔에 장애가 오기 시작했다. 지인이 나에게 말한다. 편마비로 지팡이 없이는 걸음을 걸을 수 없던 머리카락이 백발이었던 할아버지가 매일 반신욕으로 땀을 흘리고 하루도 빠지지 않고 제대로 걸어지지 않는 걸음을 걸었다고 했다. 다리를 매일 주물렀다. 얼마나 걸렸는지는 모르겠지만 할아버지는 검은 머리가 다시 나기 시작했고, 지팡이 없이 걸을 수 있게 되었다고 했다. 나는 그 말을 듣고 엄마가 더 심해지기 전에 반신욕을 시작했다. 냉체질이었던 엄마가 뜨거운 욕조에서 땀을 흘리면 노폐물도 빠지고 혈관도 확장되어서 뇌혈관에 효과가 있을 것만 같았다. 엄마와 나의 신경전은 이때부터 시작되었다.

며칠 하더니 안 하겠다는 것이었다. 건강한 사람도 며칠 동안 아무것도 안 하고 누워 있으면 다리에 힘이 빠지기 마련이다. '뇌졸증'이라는 병이 오면 '게으름병'도 같이 온다고 했다. 엄마는 이때부터 아무것도 안 하려고 했다. 정말 손가락 하나 움직이기 싫어하셨다. 두 다리가 멀쩡하고 왼쪽팔만 조금 불편한데도 엄마는 모든 삶을 놓아버렸다. 그렇게 부지런하고 악착같았던 사람은 어디 갔을까? 그때만 해도 나는 내가 엄마의 입장이 되어 생각해 보지 않았다. 오직 엄마의 몸이 더이상 굳어지는 것을 막아야 한다는 생각뿐이었다. 누구도 대신해 줄 수 없는 오롯이 엄마의 몫이었다. 워낙에 부지런하셨으니 틀림없이 엄마는 이겨낼 것이라고 생각했다. 나는 엄마만 돌보고 있을 상황이 아니었다. 직장에도 나가야 했다. 이사라도 하고 나면 며칠을 몸살을 앓는 약한 체질인 나는 아버지를 닮았다.

나약한 몸으로 엄마 간병, 직장생활, 집안 살림, 이 모두가 내 몫이 되었다. 거기다가 엄마의 분노, 원망, 짜증, 투정까지 감당해야 했다. 어떡하든 엄마를 움직이게 하려고 방법을 고민했다. 평소에 강아지를 좋아하셨다. 마침 지인이 강아지가 새끼를 낳았다고 했다. 2달쯤 되었을 때 털이 하얗고 복슬복슬한 강아지를 데리고 왔다. 말티즈 종이었는데 눈이 새까맣고 예뻤다. 내가 집에 없을 때 엄마가 적적하지 않고 몸도 움직일 거라 생각했다.

내 예감은 빗나갔다. 길거리에 있는 개도 데리고 와서 키웠던 엄마가 강아지를 보더니 "강아지는 왜 데꼬 왔노?" 하며 퉁명스럽게 말한다.

"아니, 엄마 혼자 집에 있을 때 심심할까봐, 예쁘잖아" 엄마 눈치를 보면서 대답했다. 엄마는 강아지를 안아보지도 않고 방으로 들어가셨다.

나는 혼자말로 했다. '나 없으면 강아지를 예뻐하며 잘 돌봐주겠지' 강아지에게 사랑을 주고 돌보던 노인이 건강이 좋아졌다는 말도 들은 터라 엄마도 그러기를 내심 간절히 바랬다. 강아지는 며칠이 지나도 엄마의 사랑을 받지 못했다. 오히려 미움의 대상이 되었다. 강아지는 엄마에게 반항이라도 하듯 여기저기에 배변과 오줌을 싸기 시작했다. 내가 집에 오는 발걸음이 들리면 달려와서 나에게 안긴다. 그리고는 엄마를 보고 몇 번 짖어댄다. 마치 엄마를 혼내주라고 일러바치듯이. 강아지를 어루만져주고 있으면 엄마의 눈빛이 싸늘하다.

"내를 그렇게 예뻐해 봐라" 라고 한 마디 쏘아 붙친다. 엄마의 말이 예리한 칼날이 되어 내 가슴에 날아와 꽂힌다. 아프고 힘들다. 외할머니도 힘들었을 텐데 엄마에게 이렇게 하셨을까? 나도 점점 신경이 날카로워진다.

왼쪽 다리에도 점점 힘이 빠지기 시작한다. 엄마는 밥 먹고 텔레비전 보고 누워있는 일이 하루일과였다. 내가 퇴근하고 집안일을 하고 있으면 엄마의 눈길은 나에게 집중되어 있다. 무슨 꼬투리라도 잡아서 잔소리를 하려는 심술궂은 표정이다. 마치 '니때문에 내가 아파'라는 원망이 서려 있는 눈길이다. 엄마는 아프면서 심술보가 생겼다. 엄마의 뒷바라지보다 신경전을 벌이는 게 더 힘들었다. 전생에 내가 엄마의 엄마였을까?

또 후회한다. 엄마가 처음 신호가 왔을 때 빨리 병원으로 모시지 못함을. 하지만 이제 되돌릴 수 없는 일. 엄마도 그 일 때문에 나를 원망하는 걸까?

출근하면서 엄마에게 조심스레 부탁한다.
"엄마, 나중에 심심하면 빨래 좀 개어줘" 엄마는 대답이 없다. 어떻하든 몸을 움직이게 하고 싶어서 엄마가 싫어하는 줄 알면서도 말을 건네 보지만 역시나 통하지 않는다. 요지부동이다. 평소에 친하게 지내던 엄마 친구들은 한두 번 들여다보고 발길이 뜸해지더니 완전히 끊어졌다. 긴병에 효자 없다더니 긴병에 친구도 없구나. 엄마는 점점 소외되고 있다. 친구들의 빈자리들이 오롯이 나에게로 집중되었다. 어느덧 엄마의 입안에는 내 이름이 녹음되었다.
혜영아! 밥 줘, 혜영아! 물 줘, 혜영아! 뭐 먹을 거 없나, 어디 가노, 뭐 사왔노? 혜영아! 혜영아! 혜영아!.......... 내가 집에 있는 시간에는 엄마의 입안에 있는 녹음기는 멈출 줄 몰랐다. 삶을 송두리째

놓아버리고 나에게만 집중되어 있는 엄마가 나는 버거웠다. 세상의 모든 짐들이 내 어깨에 다 올려져 있는 것만 같았다.

신체의 장애를 더이상 심해지지 않게 막으려고 했던 나의 노력은 물거품이 되었다. 움직이지 않고 누워만 있으니 몸은 점점 무거워졌다. 엄마 자신이 노력해야 하는데 모든 걸 포기하고 있는 모습에 나는 짜증이 나기 시작했다. 마치 딸을 혼내듯 엄마를 혼내는 말투가 자도 모르게 한 번씩 튀어나온다.
″엄마, 좀 움직여봐, 왜 그렇게 누워만 있어?″
″그렇게 씩씩하던 내 엄마 어디 갔어.?″
″건강한 사람도 자꾸 누워만 있으면 온몸에 힘이 다 빠져.″
″힘들겠지만 힘 좀 내서 움직이자 엄마!″
이렇게 폭풍 잔소리를 하면 순한 양처럼 천천히 일어나서 아주 짧은 순간 움직여 보려고 애를 쓴다. 그러나 10분을 못 넘기고 다시 침대에 걸터앉는다.

엄마에게나 나에게나 더이상 힘듦이 넘치지 않았으면 하는 바램이다. 지금 여기에서만이라도 더 심해지지 않기를 간절히 마음을 담아 기도해본다. 이 기도가 엄마에게 닿아서 엄마손에 지팡이를 쥐어주는 일이 없기를 ......

″엄마, 제발 힘을 좀 내주세요“

내가 가진 희망이
당신의 희망이기도 했다는
사실을 깨달았다.

그 후로는 이전처럼 쉽게
나의 희망을 꺼뜨리지 않는다.

어떤 고난에도, 어떤 어려움에도
나의 희망을 빌는다.

희망이 희망으로 끝나지 않도록
나의 희망이 나에게 기쁨이 되고
나를 위해 고생한 당신의 입가에도
미소가 되도록 나의 희망을 지켜낸다.

<모든 날에 모든 순간에 위로를 보낸다, 글배우, 강한별>

겨울 날씨가 지구 온난화로 20도를 치솟더니 이번 주말에는 제대로 겨울날씨를 체감하게 만드는 영하의 날씨가 계속되고 있다.
'그래 겨울이면 이 정도는 추워줘야지'
추위가 스며들지 못하게 외투와 털모자 부츠를 신고 걷는다. 매서운 겨울바람이 귀때기와 얼굴에 따끔따끔하게 침을 놓는다. 뭔가 풀리지 않는 답답함에 길을 나섰다. 칼날같은 겨울바람에 온몸의 세포가 몸 구석구석으로 숨어드는 것 같다. 머릿속이 시원해진다. 느슨하고 힘이 없던 몸과 마음이 돌덩이처럼 단단해지면서 선명해진다.

엄마의 불편한 손을 만지는 느낌이다. 혈액이 잘 통하지 않아 편마비가 된 손은 산 사람의 손이 아니다. 하루에 몇 번이고 손과 다리를 주물러 드린다. 엄마에게 시킨다. 오른손으로 왼손을 주물러라고. 지팡이가 필요한 시기가 그리 멀지 않았다. 나의 희망과 바람은 점점 멀어져만 가고 있다.

내가 집에 없는 동안 하루 4시간은 요양보호사의 도움을 받기로 했다. 점심을 챙겨드릴 수 있는 시간에 맞추었다. 걸음이 자꾸 불편해진 엄마는 팬티를 적시는 일이 잦아들었다. 침대 매트리스에도 비닐로 한 번 감싸야 했다. 내가 해야 할 일은 빚더미의 이자처럼 늘어 난다. 평소에 몸을 돌보지 않았던 엄마는 치아도 점점 망가져서 틀니를 끼게 되었다. 잇몸이 자꾸 내려앉으니 맞춘 틀니도 자꾸 헐렁해지고 맞지 않았다. 엄마는 내가 볼 때는 틀니를 끼고 내가 보지 않을 때는 끼지 않았다. 틀니를 끼고 음식을 드시면 따그락따그락 소리가 나서 많이 불편해 보였다. 몇 번의 수선을 해보았지만 잇몸이 약해져 더이상 틀니를 낄 수가 없었다. 어느 날 엄마는 나 몰래 틀니를 버려버렸다. 불편해도 자꾸 끼고 먹는 습관을 들이자는 내 잔소리에 급기야 틀니를 버렸다. 이젠 엄마의 식사는 죽을 끓여야 했다. 치아가 없으니 음식을 씹을 수도 자를 수도 없다.

죽 가게 이상으로 죽을 그렇게 많이 쑤어 본 사람이 없다고 생각한다. 죽의 종류도 다양했다. 자꾸 끓이다 보니 영양죽을 생각하게 되었다. 매일 죽의 재료는 달랐다. 죽 하나로 엄마는 하루의 식사가 전부였다. 흔히들 먹는 전복죽, 소고기죽, 야채죽, 팥죽, 호박죽은 물론이고, 고등어죽, 게살죽, 두부죽, 고구마 감자죽, 당근죽, 등등......수없이 많았다. 재료를 갈 수만 있다면 모든 재료를 갈아서 죽을 쑤었다. 끈기도 있으라고 되직한 밥 비슷한 죽으로 쑤었다. 손질하기 제일 힘들었던 재료는 늙은 호박을 쪼개는 일과 게를 쪄서 게다리 하나하나에 들어있는 게살을 파내는 일이었다. 죽 하나로 하루 식사를 대신하는 엄마의 모습을 보니 가슴이 아팠다. 아무리 영양죽이라도 어찌 잡곡밥과 다양한 반찬에 비할까...

그러던 어느 날 나는 동네 사람들에게 이상한 소리를 듣는다.
엄마가 이상한 행동과 말을 했다고 했다.
"느그 엄마 오늘 낮에 돼지고기도 씹어먹고 평소에 먹는 건 다 먹었어, 그리고 우리 혜영이한테는 내가 먹었다고 말하지 마래이."

나는 놀라지 않을 수 없었다. 심지어 지팡이를 짚고 바깥에도 나왔다는 것이다. 집에서 엄마가 나한테 보이는 행동은 화장실도 겨우 가는 정도인데, 엄마가 외출을 했단다. 나는 못 들은 척했다. 순간 서운한 마음에 가슴이 먹먹했다. '왜 나에게 엄살을 부리는 걸까? 왜 나를 이렇게 힘들게 하는 걸까? 나한테 하는 행동이 엄마 자신에게 얼마나 치명적인 일인지 왜 모를까? 그 후로도 몇 번이나 이런 똑같은 말을 들었다.

"오늘도 느그 엄마 뭐 먹었다. 잘 먹던데?"

"치아가 없는 사람 같지 않게 잘 먹어"

"니 엄마는 니한테 엄살 부린다아이가" "어휴! 딸 하나 있는 거 불쌍하지도 않나 몰라! 저 고생을 하고 있는데 무슨 엄살이고 엄살은"

요양보호사도 말한다. 어머님이 "우리 딸은 집에 오면 아무것도 안 한다" 고 말씀하셨다고. 믿기지 않는 엄마의 말에 요양보호사님도 의아한 표정으로 나에게 말을 건넨다. 죽을 힘을 다해서 정성과 노력을 하고 있었던 나는 눈물이 활칵 쏟아졌다. 평생 고생만 하다가 이제 조금 편하게 사시길 바랬는데 몸이 저렇게 되었으니 나는 엄마가 한없이 불쌍했다. 그래서 최대한 엄마에게 맞추려고 했다. 내 방에 들어가서 소리 죽여 한참을 울었다. 어디 누구에게도 말 못 하는 내 심정을 눈물에 실어서 내보냈다. 거의 울음을 그칠 무렵 엄마가 내 방문을 살며시 연다.

"배고프다"

하면서 평소답지 않은 나를 쳐다보며 엄마는 내 눈치를 살피다가 방문을 살며시 닫는다.

이 글을 쓰면서 흐르는 이 눈물은 회한의 눈물인가!

엄마에게 표시 내지 않으려고 "음음" 목소리와 얼굴 표정을 가다듬었다. 죽을 데워서 엄마에게 가져갔다. 엄마는 내 눈치를 살폈다. 순간 하지 말아야 할 말을 해버렸다. "내가 집에 오면 아무것도 안 한다면서 왜 나한테 죽 달라노" 이 죽은 누가 끓였는데, 어디 우렁 각시라도 있나 보지?" 순간 엄마는 놀란 토끼눈으로 나를 쳐다봤다. 그러면서 모기 만한 소리로 말한다.
"내가 언제 그랬노! 나 그런말 안 했다! 누가 그라드노."
나는 엄마를 쳐다보았다. 그러는 도중에 또 서러운 눈물이 하염없이 흘렀다. 그날은 눈물보가 제대로 터졌다. 나는 내 방으로 도로 돌아왔다. 엄마가 왜 사람들에게 그렇게 말하고 행동했는지 아무리 생각해도 이해가 되지 않았다. 한바탕 울고 나니 머리가 아팠다. 엄마방으로 가보았다. 그 와중에도 엄마는 죽 한 그릇을 다 비웠다. 얄미우면서도 고마웠다. 죽을 안 드시면 어쩌나 했는데 빈 죽 그릇을 보니 안심이 되었다.

그 일이 있은 뒤로 엄마의 말투가 달라졌다. 부드러운 말투로 바꼈다. 그 모습을 보니 또 안쓰럽고 괜시리 내가 미안했다. 지팡이 짚고 다니는 것이 불편하고 위험해 보여서 바우처의 도움으로 휠체어를 들이게 되었다. 집안에서는 지팡이로 걸어 다니시고 밖에 나갈 때는 내가 휠체어에 태워서 바깥나들이를 했다. 평지를 다닐 때는 괜찮은데 오르막길을 올라갈 때는 밀어 올리기가 정말 힘들었다. 엄마는 불편한 몸으로 지팡이를 짚고 다니는 자신의 모습을 다른 사람들에게 보이는 것이 자존심이 상하셨을 것이다. 내가 당해보지 않았으니 나는 그때 엄마의 심정을 몰랐다. 왜 자꾸 휠체어만 타려고 하는지 그 마음을 헤아리지 못했다. 걸을 수 있을 때 자꾸 걸으라고만 했다. 그런 내가 얼마나 야속했을까?

투병생활을 한 지 10년쯤 지나자 엄마는 다리 힘이 없어서 화장실에서 자꾸 넘어졌다. 몇 번을 그러고 나더니 이젠 아예 화장실도 못 가게 되었다. 이젠 꼼짝없이 누워서 지내게 되었다. 나는 퇴근하고 집에 오면 새로운 일과가 기다린다. 맨 먼저 엄마의 기저귀 상태를 보고 침대가 젖었는지 살펴보고 정리한다. 그리고 엄마와 내가 같이 밥을 먹는다. 그다음은 내일 드실 죽을 끓인다. 이것저것 집안일을 하고 나면 보통 밤 12시가 된다. 몸이 파김치가 되어 잠자리에 든다. 잠깐 잔 것 같은데 아침이다. 젖은 솜처럼 무거운 몸을 일으킨다. 엄마 얼굴을 닦고 아침을 챙겨드리고 출근한다.

엄마의 독박간호가 길어지자 강하지 못한 내 몸이 고장이 나기 시작한다. 방광염이 찾아왔다. 밤에 자다가 응급실을 찾는 일이 잦아졌다. 방광염을 앓아보지 않은 사람은 그 고통을 모른다. 앉을 수도 누울 수도 없다. 6개월 정도를 앓고 나니 이젠 약의 내성이 생겨서 진통제도 듣지 않았다. 엄마는 전혀 이 사실을 모른다. 옆구리가 팽창하여 곧 터질 것 같은 고통이 온다. 좀 있으면 멈추려니 하고 이를 악물며 고통을 참고 있었다. 하지만 더이상 참을 수가 없어서 결국 119 구급차를 부른 적도 있었다. '요로결석' 얼굴은 하얗게 질려 있었다. 더이상 내가 엄마를 케어할 수가 없었다. 병원에 누워 있으면서 오만가지 생각이 들었다.
'이제 엄마를 어떡하지? ' , '차라리 엄마와 내가 같이 죽어버릴까?' , ' 죽으면 또 어떻게 죽지?' 비관적인 생각밖에 들지 않았다. 나와 비슷한 처지에 놓여 있던 사람이 결국 죽음을 선택했던 뉴스가 생각났다.

병원에서 집에 오니 엄마가 많이 놀래서 걱정을 하고 있었다. "괜찮나" 엄마가 미안하고 안쓰러운 표정으로 나를 쳐다보며 묻는다.
"응, 괜찮다 엄마, 엄마 죽은 먹었어?"
"응 먹었다. 요양보호사가 주고 갔다." 엄마의 목소리가 미세하게 떨렸다.
엄마가 내 손을 살며시 잡았다. " 니가 내 때문에 고생이 많다." , "괜찮다 무슨, 내가 원래 시원찮아서 그렇치."
엄마와 나는 부둥켜 안았다. 서로의 어깨너머에서 눈물을 삼켰다.

요양센터장과 의논했다. 엄마를 요양병원에 모셔야 했다. 독박간호를 하기에는 무리수가 너무 많았다. 엄마에게 자세히 설명을 하고 이해를 구했다. 엄마는 별로 내키지 않는지 대답이 없다. "요양병원에 가면 빨리 죽는다던데...." 엄마가 말했다. 그때만 해도 요양병원 하면 부모를 버린다는 인식이 있었다. 센터장에게 괜찮은 요양병원을 알아봐달라고 했다. 며칠 후 센터장에게 연락이 왔다. 몇몇 교회에서 운영하는 요양병원이 있다는 것이다.

사실 나도 엄마를 거기에 보낸다는 것이 좋지만은 않았다. 하지만 혼자 엄마를 감당하기에는 내 체력이 따라주지 않았다. 엄마 목욕을 시키고 나면 거의 기진맥진이다. 그렇다고 내가 직장을 그만둘 수도 없는 형편이었다. 엄마와 나는 구급차에 몸을 실었다. 어쩔 수 없는 현실에 떠밀려 결국 엄마를 요양병원에 모셨다. 마음이 아팠다. 가슴에 돌덩이 하나를 올려놓는 것 같았다. 입원수속이 끝나고 엄마곁에서 밤까지 있었다. 엄마는 대화할 수 있는 어르신들이 계신 병실로 왔다. 엄마는 말하는 걸 무척 좋아하셨다.
밤이 되어 엄마하고 헤어져야 했다. 차마 발길이 떨어지지 않았다. 하지만 나는 가야 한다. 엄마에게 자주 오겠다고 말하고 손을 흔들었다. 엄마도 서운한 눈길로 손을 흔든다. 그 순간 엄마는 버림받았다는 생각을 했다고 했다. '인자 나를 버리고 가는 구나!'라고.

집에 도착해서 엄마 침대에 걸터 앉았다. "엄마, 미안해...." "이 길만이 우리 둘이 살길이야, 엄마를 버린 게 아니라 엄마는 내 가슴에 담고 왔어..." 병실에 있는 엄마를 상상하니 미칠 것 같았다. 다음 날 엄마가 있는 곳으로 바로 퇴근했다. "엄마" 하고 병실로 들어가니 " 피곤한데 집에 가서 쉬지 왜 이 밤에 왔노" 하신다.
"우리 엄마 밤에 잘 잤나 보러 왔지이"
"옆에 사람들이 많아서 좋다." 라고 하신다.
그때 간호사가 들어온다. "어르신 말씀을 너무 잘하세요 ㅎㅎ" 간호사가 말한다. 엄마의 표정이 웃는다. 엄마는 원래 어지간해서는 소리내어서 웃지 않는다.

표정으로 웃는 경우가 많다. 다행스럽게 엄마의 표정이 집에서보다 밝아보여서 한시름 놓았다. 매일 혼자 집에 있다가 여러 사람들이 있으니 오히려 엄마에게는 다행이었다. 그리고 옆에 사람들이 다양하게 간식을 먹는 걸 보며 입맛이 돌아 간식을 사오라고 한다. 나는 즐겁게 간식을 사다 날랐다. 병원에서 미처 손이 가지 않는 부분을 주무르고 등 마사지를 한다. 엄마는 등 마사지를 제일 좋아하고 시원해했다.

4년이 뒤...

사람들을 공포에 떨게 했고 전 세계를 마비시켰던 코로나가 덮쳤다. 면회를 자주 할 수 없게 되었다. 내가 자주 오지 않자 엄마는 간호사들에게 계속 재촉했다. 뉴스를 보여주고 상황설명에도 엄마는 계속 간호사들을 귀찮게 했다. 다른 사람들은 안 그르는데 엄마만 유독 딸이 오게 해달라고 졸라댔다. 늦은 밤에만 면회를 갔다. 다른 보호자가 혹시 보면 일이 커지기 때문이다. 건강할 때도 엄마는 자기가 하고 싶은 게 있으면 끝까지 하고야 마는 고집쟁이었다. 그 고집에 두 손 두 발 다 들게 만든다.

코로나로 인해 면역이 약하신 환자들이 죽어 나가기 시작했다. 드디어 면회가 봉쇄되었다. 1년이 넘도록 엄마를 보지 못했다. 전화로 매일 체크하지만 늘 조바심이 났다. 혹시라도 엄마가 코로나에 걸리면 어떡하지? 엄마가 이 세상에 없다는 건 생각만 해도 태산이 무너진다. 비록 저렇게 누워있지만 오래오래 살아서 내가 마음 기댈 곳이 영원하기를 바랬다. 1년을 넘게 딸의 얼굴을 보지 못한 엄마는 코로나는 피해 갔지만 버림받았다는 상실감이 컸으리라.

그러던 어느 날 초저녁 병원에서 전화가 왔다.
"윤두연 어르신께서 위급하십니다. 뇌에서 산소가 급격히 떨어지고 있어요. 빨리 오셔야 되겠어요." 라는 간호사의 다급한 목소리였다. 택시를 타고 병원으로 달려갔다. 엄마는 중환자실에 누워있었다. 침대 옆에는 대형 산소통이 있고 기계에서는 엄마뇌로 산소를 빠르게 주입하고 있었다. 산소량이 들어가는 양만큼 이상의 산소가 떨어지고 있었다. 산소압을 올린다. 엄마는 계속 춥다고 했다. 의식은 있었다. 엄마의 이마에는 이미 푸른색으로 죽음의 그림자가 드리워져 있었다.

"엄마! 엄마!!!" 엄마를 흔들며 불렀다. 엄마가 눈을 떴다. " 엄마! 내가 누구야? 나 알아보겠어?"
"엄마는 무겁게 눈을 뜨고 나를 쳐다본다. "왔나! 춥다" 엄마는 계속 춥다고 했다. 엄마가 춥다고 하는데 병원에서는 계속 이불을 덮지 말라고 한다. 뇌에 산소공급이 안 되면 몸이 춥다고 하는 걸 몇 번 봤었다. 예감이 좋지 않았다. 휴대폰으로 연락할 수 있는 모든 사람들에게 영상통화를 했다. 엄마는 지인들을 다 알아보고 말을 했다. 영상통화를 하면서 모두가 울음바다가 되었다. 간호사들도 같이 울었다. 엄마가 이렇게 말을 하고 정신이 맑으니 금방 돌아가실거라곤 상상도 못했다. 그래도 강했던 엄마는 그 상태로도 삶의 끈을 놓지 않을 거라 생각했다.

엄마가 잠이 들자 간호사가 밤에 집에 갔다가 아침에 오라고 했다. 집으로 돌아와서도 잠이 오지 않았다. 잠깐 잠이 들었다. 아침 7시 휴대폰이 울린다. "어머니 어르신이 어르신이, 빨리 오세요 어르신이 곧 돌 가실 것 같아요...." 택시를 타고 가는 도중에 또 전화가 왔다. "어머니 ,이런 말씀 드려서 죄송합니다.... 어르신이 방금 운명하셨습니다......"
"아.......... 네..........."
태산이 무너져 내렸다. 내 엄마가 운명 했다구? 나는 믿어지지가 않았다. 병원에 도착해서 엄마를 봤다. 엄마의 몸이 따뜻했다. 간호사에게 물었다.

"우리 엄마 지금 주무시는 거죠? 어제 저녁에 말을 했는데 밤사이에 어떻게 죽을 수 있어요?" 아니죠? 아니죠? 아무리 흔들어도 엄마는 눈을 뜨지 않았다.

83년의 모진 세월 앞에 엄마가 무너졌다. 내 마음의 등대가 꺼졌다. "엄마! 엄마! 그 무섭고 어두운 길 혼자 가게 해서 죄송합니다. 엄마...........
엄마는 생신 다음날 돌아가셨다. 나와 다른 세상에서 살게 된지 3년이 되어간다. 엄마를 잃은 슬픔은 세월이 흐를수록 더욱더 짙어진다. 엄마에 대한 글을 쓰면서 내가 엄마 때문에 고생했다는 생각조차도 죄스럽다. 엄마이기 이전에 같은 여자였다. 여러모로 내가 엄마를 닮은 부분이 많다. 세월이 갈수록 더욱더 닮아간다.

엄마! 다음 생이 있다면 아프지 않은 부모 만나서, 엄마가 사랑하는 사람하고 결혼도 하고, 엄마도 아프지 말고, 엄마를 떠나는 아들 낳지 말고 영원히 함께하는 자식 낳고 효도 받으며 사세요. 아니, 내가 엄마의 엄마로 태어나서 세상에서 가장 행복한 여자로 살게 해줄께요.

엄마! 보고 싶고 많이 많이 사랑해!!!!

바보의 후회

사랑하는 이와 헤어지고 나서
'그런 사람 다시 없을 거야' 라고 추억하는 것

방전이 된 차에 앉아서
'가끔 시동을 걸어줄걸' 후회하는 것

너무 짠 국 앞에서
'간을 좀 볼 걸' 한탄하는 것.

아들에게 멱살 잡히고 나서야
'어릴 때 교육 잘 시킬 것' 발등을 찍는 것

부모님의 영정 사진 앞에서
'사랑한다고 자주 말할걸' 아파하는 것

<엄마, 죽지마, 박광수, RHK>

나의 아픈 손가락

김세희

나의 아픈 손가락

김세희

없는 듯, 있는 그 이름

지이이잉, 지이이잉

그저 검은색이던 핸드폰에 불빛이 반짝인다.
그 빛 속에서 4글자가 보인다.

'어무이요'

내가 저장한 엄마의 번호이다. 오랜만에 걸려 온 전화이지만, 1초 정도 전화를 받을지 말지 고민한다. 항상 시답지 않은 안부를 주고받으며, 그 안에 불편한 물음들이 간혹 있기 때문이다.

"엄마, 병원에 입원했어."

갑자기 심장이 쿵 흔들린다. 왜냐고 물었다. 나는 어떤 대답을 바라는 걸까? 알 수 없었다. 엄마의 대답은 예상하지 못했던 말이었다. 갑자기 숨이 차고 가슴이 아파서 병원에 갔다고 했다. 외할머니가 신부전이 있으셨던 터라, 유전일 수 있겠다는 예상을 했단다. 그런데 웬걸. 원인은 심장에 있었다. 내 기억이 맞는다면 심장막이 얇아져서 수술해야 한다고 했다. 계속 숨이 차서 통화를 하는 중에도 말을 편하게 이어가지를 못했다. 다행히 수술일은 빨리 잡혔고, 날짜를 물어본 후 전화를 끊었다. 코로나로 인해 면회는 금지였고 보호자도 등록한 1명만 들어올 수 있다고 했다. 가야 할지 말아야 할지 고민하는 수고가 줄었다고 생각했다. 동생에게 이 소식을 전했다. 전화를 해보겠다고 했다. 그리고 수술 전날이 되었다.

엄마에게 전화를 걸었다. 수술 준비는 잘하고 있는지, 내일이 맞는지 재차 확인하는 데 수술을 할 수 없다고 한다. 나는 또 왜냐고 물었다. 수술 전에 이런저런 검사를 했는데, 뇌 쪽에서 무엇이 발견되었다고 한다. 종양이었던 것 같다. 시한폭탄처럼 언제 터져도 이상하지 않을 상황이라고 한다. 그래서 뇌 수술부터 한 후에, 심장 수술을 해야 한다고 했다. 그 말을 듣는 순간 망치로 맞은 듯 머리가 띵 했다. 어쩌면 엄마가 죽을 수도 있다고 생각했다. 하지만 내 입에서는 다른 말이 나왔다.

"엄마, 어떻게든 살라고 일이 이렇게 됐나 보다."

숨이 가쁘고, 가슴이 아파서 병원에 가니 심장병인 것을 알았고, 검사를 하니 뇌의 문제를 알았다. 말하다 보니 나쁜 일이 아니라 좋은 일일 수도 있다고 생각했다. 그 와중에 지금 하는 식당을 걱정하는 엄마. 몇 년을 힘들게 운영하시다가 이제야 사람을 고용해서 쓸 만큼이 되어 더 아쉽다. 병원 생활인 것이다. 뇌에 시한폭탄이라 했다. 물론, 수술은 잘될 거고 식당을 걱정할 일이 아니라고 엄마를 다그쳤다. 순간 수술이 잘못되는 못된 상상이 잠시 머리를 스치기는 했지만, 이번엔 그런 나 자신을 다그쳤다. 전화를 끊고 나니 갑자기 생각이 많아졌다. 뇌에 종양이라니... 그동안의 엄마의 삶을 돌이켜봤다. 내가 모르는 순간도 있지만 알고 있는 삶만 보아도 험난했다. 고단했다. 즐거운 순간도 있었을 테지만 버거웠다. 그랬던 그녀의 삶을 대변해 주듯 몸은 여기저기 문제투성이였다.

나에게 엄마라는 의미는 '신기루' 같은 것이다. 때론 환상이었나 싶을 때가 있다. 분명 기억 속에 선명하게 있는 사람인데 지금은 내 곁에 없는 것이 당연하다. 그러다 가끔 전화벨이 울리면 '아.. 나에게 엄마라는 사람이 있었지.'라는 생각을 한다. 어쩌면 이런 생각과 감정이 지금 내가 두 아이의 곁에 항상 있겠노라 다짐했던 계기가 되었을지도 모른다. 나는 내 안에 애틋함이 당연히 있을 줄 알았다. 엄마는 나에게 나쁜 것을 준 적이 없었다. 못되게 군적도 없었다. 가끔 사는 것이 버거워 하소연하고, 도움을 요청했다. 엄마에게 나는 여전히 의지하고픈 큰딸이었다. 하지만 나는 그 의지가 버거웠다. 그 마음을 밀어내고 싶었다. 그래서 내 안에 애틋함이란 것도 밀어내듯 사라졌나 보다. 엄마의 전화를 받았을 때, 입원을 하고 수술한다고 전해 들었을 때 나란 사람은 생각보다 이성적이었다. 거기에 차갑기까지 했다.

내 나이 17살, 고등학교 1학년 때 엄마는 집을 나갔다. 정확하게 말하자면 '나갔다' 보다는 '나갈 수밖에 없었다'가 맞을 것이다. 안 그런 척하시지만 소심한 아버지. 내가 성인이 된 후 느낀 아버지는 그런 사람이다. 밖에서 속상한 일이 있으면 술과 함께 마음에 담아서 오셨다. 그리고 주정이란 이름으로 집에 그 마음을 풀곤 하셨다. 내가 어렸을 적 봤던 그런 모습들이 모두 주정인지는 알 수 없지만, 그런 일이 있을 때마다 엄마는 그저 가만히 있었다. 내가 철이 들어가는 그 어느 순간부터는 그런 엄마의 모습이 싫었다. 아버지는 술을 드셔도 나와 동생에게 신체적인 위협을 가하는 건 단 한 번 빼고는 없었다. 그 단 한 번도 직접적으로 하신 것은 아니었다. 나는 위협을 느꼈지만 지금 생각하면 아버지는 그 당시 정말 힘들고 절박했다.

가만히 있는 엄마가 싫어 아빠의 언성이 높아질 때면 나는 나서서 대들었다. 그리고 엄마 편을 들었다. 엄마가 집에 있을 때도, 집을 나간 후에도 나는 엄마 편이었다. 아버지보다 엄마를 더 좋아했기도 했지만, 엄마 없이 못 살 정도는 아니었다. 하지만, 딸이라서 그랬을까? 왠지 엄마의 심정이 이해되는 기분이었다. 이유도 없이 엄마가 혼나는 모양새로 앉아 있는 것이 싫었다. 그래서 나는 엄마

편이었다. 그래서 아버지에게 대들었다. 아버지는 집에 본인 편이 없다는 것에 무척 속상해했다.

그리고 지금은 손녀들이 온전한 할아버지 편이 되어주어 내가 보기에 매우 즐거운 나날을 보내고 있다. 엄마가 집을 '나갈 수밖에 없던' 그날 이후에도 나는 아버지와 함께하고 있다. 그리고 손녀들에게는 할머니가 없다.

기억 속의 그 이름

가장 어린 시절을 떠올리면 나는 7살의 내가 생각난다. 간간이 기억나는 유치원에서의 기억, 그리고 우리 집의 기억. 나는 7살에 교통사고를 당했다. 어린아이의 장난에 일어난 일이었다. 유치원 선생님 손을 잡고 찻길을 건너려고 기다리던 나는 왜인지 눈을 감고 싶어졌다. 그래서 눈을 감았는데, 뒤로 가라는 선생님의 목소리가 들려왔다. 그래서 한 발짝, 두 발짝 뒤로 물러섰다. 그런데 손의 위치가 더 뒤로 가 있길래 눈을 떠서 옆을 보니 선생님과 친구들은 나보다 두 발짝 더 뒤에 있었다. 더 갈까 하는 순간 반대편에서 달려오던 오토바이가 내 앞으로 왔다. 내가 기억하는 것은 거기까지. 그다음 기억은 발목부터 허벅지까지 깁스하고 집에서 친구와 놀고 있는 장면이다.

아버지는 소식을 듣고 작은아버지와 집으로 달려온 모양이었다. 아무렇지 않게 놀고 있는 나를 쳐다보며 괜찮냐고 물었다. 나는 '응'이라고 대답했다. 그때 엄마의 표정은 슬프지도, 화내지도, 웃지도 않았다. 알 수 없는 표정을 지으며 놀고 있는 나를 향해 화난 투로 말했던 것 같다. 내 기억 속의 엄마는 그랬다. 결혼 전에는 그때 엄마의 심정이 어땠을지 한 번도 생각해 본 적이 없었다. 그런데, 두 아이의 엄마가 된 후 지금 우리 아이들이 그때의 나처럼 다쳤다면 나는 어땠을지 생각해 봤다. 그제야 알 수 없던 엄마의 표정이 이해되었다. 엄청 속상했을 것이다. 그 속상함에 왜 그랬냐고 화를 내고 싶었겠지만, 아픈 아이에게 그럴 수는 없었을 것이다. (화를 냈는데 내가 기억을 못하는 것일 수도) 놀랬을 아이에게 괜찮다고 토닥여 주지만 엄마 마음은 전혀 괜찮지 않았을 것이다.

엄마는 내가 초등학교 3학년이 될 때까지(그 당시는 초등학교였다. 나는 초등학교와 초등학교를 모두 겪은 세대이다.) 집에서 일을 했다. 양말 만드는 기계를 들여와 집에서 양말을 만들었다. 집안에는 온통 천과 실밥, 그리고 먼지가 날아다녔다. 나는 천, 실밥, 먼지가 싫지 않았다. 오히려 재미있었다. 그래서 엄마가 천을 꿰매고 나면, 뒤집어서 가지런히 모아 한데 묶는 것은 일을 도와주는 나와 동생의 몫이었다. 가끔 괜한 경쟁심에 혼자 숫자를 세어가며 일을 했다. 그리고 많이 한 날은 그렇게 뿌듯했다. 일을 하지만 집에 가면 항상 엄마가 있는 것이 좋았다. 그래서였을까? 나는 결혼을 하고 아이를 갖게 되면 언제나 집에 있는 엄마를 꿈꾸었다. 아마 이 시절이 좋아서였나보다. 어린 시절을 생각하면 엄청 즐거웠다 싶은 기억은 없다. 남아있는 것은 매우 소소한 일상이었다. 이 안 닦는다고 다그치고, 용돈을 어디에 다 썼냐고 묻고, 같이 TV를 보는 그저 일상에 녹아 있는 모습만 떠오른다.

엄마는 내가 부엌에서 알짱거리는 것을 허락하지 않았다. 크면 하기 싫어도 해야 한다는 것이 이유였다. 요리를 좋아하는 아이는 아니었지만, 나의 요리 실력이 궁금했다. 당연히 할 수 있을 거라는 생각에 초등학교 때 처음으로 라면을 끓여보았다. 어렵지는 않았다. 넣을 것 다 넣고 이제 뚜껑 덮고 몇 분 끓이기만 하면 되었다. 그런데 내 옆에는 냄비 뚜껑 대신 플라스틱 접시가 있었고, 나는 아무 의심 없이 그 접시를 뚜껑 삼아 덮었다. 예상하다시피 접시는 열에 녹았고, 나는 이상한 냄새에 얼른 불을 껐다. 그때는 그 접시가 왜 녹았는지 인지하지 못했다. 그래도 이 라면은 먹으면 안 될 것 같아 모조리 버렸다. 그 이후로 몇 년 동안은 라면을 먹지 못했다. 그렇게 요리라는 것은 나에게 어렵다는 인상을 주었는데, 어느 날 계란샌드위치 만드는 방법을 보았다. 이거라면 할 수 있을 것 같았다. 그래서, 빵을 사 오고 집에 있는 재료를 이용해 부엌을 난장판을 만들며 결국 샌드위치를 완성했다. 일을 저지른 후에 그 모습을 보게 된 엄마는 어이구 소리가 절로 나왔다. 그리고 이걸 다 언제 치우냐는 표정을 지었다. 나는 너무 뿌듯해서 얼른 먹어보라고 재촉했다. 그리고 마지못해 샌드위치를 드신 엄마에게 맛있냐고 물었다. 그저 '응'이라는 말 한마디에 내심 서운했었다. 그래서 그 이후에 웬만하면 요리는 하지 않았다.

엄마는 전라도 분이라 그러는지 음식솜씨가 좋다. 하지만, 나는 생각보다 엄마의 맛을 많이 기억하지 못한다. 어렸을 적에도, 성인이 된 후에도 분명 자주 먹었을 텐데 '엄마의 맛'이란 것이 딱히 없었다. 하지만 딱 하나 이야기할 수 있는 음식이 있다. 바로 떡볶이다. 나는 매운 것을 잘 못 먹는다. 선천적인지 후천적인지는 알 수 없다. 다만 엄마의 떡볶이는 어묵이 잔뜩 들어가 있고, 맵지 않으며 달았다. 나는 지금도 이런 떡볶이를 좋아한다.

엄마는 기운이 그리 넘치지는 않았지만, 우리 자매에게 해줄 것은 다 해주는 사람이었다. 웃음이 크지는 않지만 자주 웃는 사람. 그리고 신앙심이 깊은 사람이었다. 초등학교 때까지는 교회에 열심히 나갔다. 엄마가 다니고 있었기에 자연스레 다닌 교회였다. 아빠는 무교였고, 교회는 좋아하지 않았는지 한번도 같이 가본 적이 없다. 하지만 중학생이 된 이후에는 교회에 나가지 않았다. 물론 엄마도 강요하지 않으셨다. 엄마 본인도 교회에 잘 가지 않던 시절이었다. 그리고 몇 년 후, 아니 어쩌면 십몇 년 후 다시 교회를 다니기 시작한 엄마는 아이가 있는 나에게 교회 다니기를 권유한 적이 있다. 하지만 그뿐이었다. 엄마는 일생 나에게 그 어떤 것도 '강요'를 하지 않았다. 모든 것을 나의 선택에 맡겼다. 그런 점이 때론 고맙기도 했고, 때론 야속하기도 했다. 생각해 보면 나는 그다지 요구하는 딸이 아니었다. 그랬기에 엄마 본인도 요구가 없었을지도 모르겠다.

하지만, 이런 호들갑스럽지 않은 엄마의 모습이 서운하기도 했다. 초등학교 6학년 때, 학원에 너무 가기 싫은 날이었다. 마침 이빨에 충치도 있고 해서 치과에 가야 한다는 핑계로 학원에 가지 않았다. 엄마는 그럼 치과에 가라고 했지만, 함께 가주지는 않았다. 나는 치과에서 치료받으며 학원에 가지 않은 것을 후회했다. 치료받은 부위가 너무 아파서 집에 와서도 울며 뒹굴거렸다. 가루약을 잘 못 먹는 나이기에 최대한 약을 안 먹고 버텨보려고 했지만, 결국 견딜 수가 없었다. 약을 먹고 한숨 자고 나서야 진정이 되었다. 엄마는 울며 난리 치는 나를 그냥 보기만 하며 옆에 있는 동생에게 왜 저러냐고 물어볼 뿐이었다. 어디가 그렇게 아픈지, 괜찮은지 물어봐 주고 살펴봐 주기를 원했다. 그런데 한심하다는 듯 나를 보는 엄마의 모습에 무척 서운했었다.

엄마는 나의 롤모델까지는 아니었지만 어느 부분에서는 선망의 대상이었다. 몇몇 가지는 엄마처럼 하고 싶다, 되고 싶다는 정도였다. 엄마에게는 빨간색 체크무늬 블라우스가 있었다. 이 옷을 입은 엄마는 내 눈에 너무 예뻐 보였다. 그 이후로 나는 빨간색 체크무늬를 좋아하게 되었다. 잠옷을 사러 간 내복 가게에서 나는 빨간색 체크무늬의 원피스 잠옷을 샀다. 그때나 지금이나 원피스 잠옷을 불편해서 잘 입지 않지만, 무늬가 너무 좋아 매일 입었던 기억이 난다. 어느 집 딸이든 해봤을 엄마 화장품으로 화장 놀이하기, 엄마 구두 신고 또각또각하는 소리가 좋아서 말 타는 느낌이라며 뛰어다녔던 일들도 있었다.

엄마는 하지 말아야 할 것을 가르쳐 주었다. 초등학교 시절 태어나서 단 한 번의 도둑질을 했었다. 엄마의 심부름으로 동네 구멍 슈퍼에 갔는데 과자가 너무 먹고 싶었다. 그래서 나는 옷 안에 숨겨서 집으로 왔다. 불룩한 옷을 보며 엄마는 모를 리가 없었고, 그것이 뭐냐고 추궁했다. 내 딴에는 기질을 발휘해 아무렇지 않게 과자를 옷 속에서 꺼내며 "슈퍼 아줌마가 먹으라고 줬어."라고 말했다. 당연히 믿지 않았던 엄마는 당장 슈퍼로 갔다. 그리고 슈퍼 아줌마가 경찰에 신고해야겠다고 한 이야기에 잘못했다며 펑펑 울었다. 집을 나가라는 엄마의 이야기에 울면서 책가방을 쌌다. 그 와중에 학교에는 갈 생각이 있었나 보다. 나중에 들었는데, 슈퍼 아줌마께서는 그냥 넘어가려 했는데 엄마가 경찰에 신고한다고 얘기해 달라고 했단다. 지금 생각해도 슈퍼 아주머니는 너무 선한 분이셨다. 그 가게가 몇 년 후 없어져서 속상하다.

내 기억 속에서는 다행히 행복한 기억이 많다. 그리 풍족하지는 않았어도, 남들만큼 산다고 생각했다. 가끔 아파트에 사는 친구 집에 놀러 가면 괜히 기가 죽었고, 집에 있는 친구의 엄마를 보면 부럽기도 했지만 내색하지는 않았다. 오히려 다른 부분에서 미안한 일이 있다. 한번은 엄마가 생일파티를 해주겠다며 친구들을 부르라고 했다. 그런데 엄마가 일이 끝나고 나서야 해줄 수 있어 저녁 8시에나 생일파티를 할 수 있었다. 초등학생에게 저녁 8시는 늦은 시간이라 생각되어 친구들에게 말 꺼내기에 망설여졌다. 결국 나는 짝꿍 1명과 친한 친구 1명에게 뿐이 말하지 못했다. 다행히 친한 친구의 친구까지 총 3명이 와주었다. 그런데, 엄마는 적어도 10명 정도는 올 거라 예상했는지 큰 상 두 개를 붙여 그 위에 음식을 잔뜩 해두었다. 오든 안 오든 반 친구 모두에게 말이나 꺼내볼 걸.. 지금도 참 후회되는 일이다.

딸의 기도 살려주고 엄마로서 얼마나 해주고 싶으셨을까. 그때는 몰랐지만, 지금은 생생히 상상할 수 있는 엄마의 모습. 일이 끝나자마자 부랴부랴 와서 음식 준비했을 모습이 아른거린다.

곁에서 사라져 버린 그 이름

유치원 시절부터 초등학교 3학년 때까지 살던 집은 언덕 위에 있는 마당 있는 집이었다. 이 말만 들으면 잘 살았나 보다, 할 테지만 대문을 열고 들어가면 2층의 집주인 집이 있었고, 그 옆에 골목으로 들어가 집주인 집 뒤편으로 가면 원룸이 두 개 있었다. 그리고 그 두 집이 작은 마당을 끼고 있었으며 화장실은 마당 한 구석에 있는 재래식 화장실이었다. 참고로 이 화장실 덕분에 나는 어렸을 적부터 변비를 끼고 살았다. 각종 벌레가 기어다니는 화장실이 싫었다. 그래서 참다 참다 변을 보러 갔기에 생긴 변비였다. 참고로 나는 19살에 처음으로 집안에 수세식 화장실이 있는 집으로 이사를 했다. 원룸이 두 개 있던 집에서는 처음에는 한 집만 우리 가족이 쓰다가 옆집이 이사하면서 집 두 개를 우리 가족이 월세로 살았다. 집주인분은 착하시고 인정이 많은 분이셔서 나와 동생은 자주 그 집에 놀러 갔던 기억이 난다.

엄마는 집에서 일을 하시기에 학교 끝나면 항상 집에 계셨다. 다른 집으로 이사를 간 후에는 직장을 구하셔서 일을 나가셨고 학교 끝나고 집에 오면 아무도 없었다. 혼자서도 잘 놀고, 동생하고도 나름 잘 지냈기에 큰 불만은 없었다. 하지만 엄마가 저녁 시간이 지나서 오는 날이 많아 이에 대한 불만은 있었던 것 같다. 아마 엄마가 일을 나가면서부터 집안에 큰소리가 더 많았던 것도 같다.

중학생 때 우리 집은 다시 이사했다. 이번 집은 전의 집과 사뭇 달랐다. 원룸으로 봐도 무방한 방 두 개의 집이었다. 부엌 겸 욕실은 한사람이 겨우 있을 정도였고, 화장실은 여전히 밖에 있었다. 거실은 안방이 되었고 방은 우리 차지였지만 그 크기가 전 집에 비해 1/5로 줄었다. 왜 이런 집으로 이사를 왔는지 이해를 할 수 없었다. 하지만 이사 후 생활들로 우리 집 사정이 전보다 안 좋아 졌다는 것을 짐작할 수 있었다. 부모님은 두 분 다 우리에게 큰 요구가 없으셨다. 당연히 공부에 대해서도 알아서 하라는 식이었다. 공부에 큰 뜻이 없었던 나는 이런 우리 집 상황에 내가 빨리 돈을 벌어야겠다고 생각했다. 참 기특한 생각을 한 것 같다. 오히려 성인이 된 후의 나는 이런 기특한 생각을 하지 않았다. 낮에는 일하고 밤에는 공부하는 그런 고등학교가 있었다. 친구와 나는 이곳으로 진학하려 했다. 하지만 선생님은 나의 성적이 그렇게 나쁘지만은 않다며 충분히 다른 고등학교로 갈 수 있다고 토닥여 주셨다. 그래서 실업고로 진학했다. 그리고 이런 중요한 과정들은 우리 집에서는 상의할 사람이 없었다. 의견을 물어볼 생각조차 하지 않았다. 나는 그동안의 교육 방침으로 나 혼자 알아서 결정했다. 부모님은 여전히 이런 것에 딴지 한마디 걸지 않으셨다.

여느 때처럼 아버지는 술에 거나하게 취해 오셨다. 그런데 평소와 달리 아버지 손에 예쁘게 포장된 무엇인가 있었다. 엄마의 선물이었다. 며칠 동안 두 분 사이가 냉랭했던 것으로 보아 나와 동생이 모르는 무슨 일이 있으셨던 모양이었다. 아버지는 헤실거리시며 뿌듯한 얼굴로 선물을 내밀었는데 엄마의 반응은 탐탁지 않았다. 고맙다는 말도 좋아하는 표정도 없었다. 그 모습에 아버지도 실망해서 바로 얼굴에 그늘이 졌다. 실망감에 모진 말을 내뱉기 시작했다. 나는 또 엄마가 가만히 듣고 있을까 봐 나서려고 했는데 엄마가 갑자기 소리를 지르며 아버지를 향해 달려들었다. 아버지는 놀라서 엄마에게 같이 달려들었고 나는 행여 때리기라도 할까 봐 둘 사이에 비집고 들어가 떼어놓았다. 그리고 엄마에게 말했다. "엄마! 나가!"

그날 밤 엄마가 어디에서 잠을 청했는지는 모른다. 하지만 다음날이면 올 줄 알았던 엄마는 오지 않았다. 어디냐고 전화해서 물었더니 돌아온 한마디는 '갈 수 없어'였다. 그날부터 지금까지 단 한 번도 엄마에게 다시 돌아오라는 말을 하지 않았다. 처음에는 돌아와도 엄마가 행복하지 않을 것 같아서 말하지 않았다. 이런 일이 벌어지기 몇 달 전부터 행복해하는 모습을 보지 못했기 때문이었을 것이다. 시일이 지난 후에는 다른 곳에서 행복을 찾은 것 같아서 돌아오라 말하지 않았다. 그리고 지금은 돌아오기에는 너무 멀어졌기 때문에 말하지 않는다. 혈연으로 이어져 있지만, 어떻게 보면 남이라 봐도 무방할 사이라 생각된다. 가끔 이런 나는 내가 봐도 차갑다.

엄마가 없는 빈자리 때문에 몸이 고단했고, 힘들어하는 아버지 때문에 정신이 어지러웠다. 아버지는 새벽같이 나가서 저녁 늦게야 오시기 때문에 집에 신경 쓸 겨를이 없었다. 지금은 술은 거의 입에도 대지 않으시지만, 이때만 해도 술을 먹지 않은 날이 손에 꼽

힐 만큼 늘 취해계셨다. 지금 생각하면 마시지 않고 못 견딜 만큼 힘든 나날이었겠지. 덕분에 아버지 월급부터 공과금, 월세 등등 돈 관리를 내가 하기 시작하면서 경제관념은 일찍 깨우칠 수 있었다. 나와 동생이 밥을 차려야 했고 메뉴는 늘 비슷했다. 이 당시 아버지는 "너희가 해야지, 누가하냐."라는 말을 달고 살았다. 아직 보살핌을 받아야 할 나이라는 생각에 이 말이 너무 억울했다. "아빠가 알아서 할게"라는 말을 듣고 싶었다. 물론 그 말을 믿지는 못했을 테지만.

엄마가 그립지는 않았다. 애석하게도. 그저 엄마의 자리가 그리웠다. 엄마라는 사람이 해주는 것들이 그리웠다. 우리 아이들이 나를 그런 사람으로 본다면 엄청 서운하겠지. 속상하겠지. 우리 엄마도 이 사실을 안다면 그러겠지... 그래서 말할 수 없었다. 당신이 돌아올 줄 알았다고, 이렇게 쉽게 우리를 내버릴 줄 몰랐다고, 그래서 나는 당신이 그립지 않다고 말이다. 입을 떼는 순간 그 안에서 나오는 말이라는 가시가 엄마를 무자비하게 찌를 것을 알았다. 그 가시를 하나라도 내뱉으면 휘청대던 엄마는 풀썩 쓰러질 것만 같았다. 그래서 아파도 가시를 삼켰다. 적어도 나는 휘청대지 않으니까, 그 가시가 나를 찔러도 쓰러지지 않을 거라 자신했다. 그런데, 그 가시는 없어지지도 부러지지도 않았다. 계속 내 안 어딘가에 자리 잡아 뾰족함을 드러내고 있었다. 언제든 입 밖으로 나갈 수 있다고 협박하는 듯 보이기도 했다. 장미는 아름다운 꽃이라도 있지, 내 가시는 무엇을 믿고 이리 버티고 있는지 싶다.

얼마 전 아버지와 동생의 아들, 그러니까 나의 첫 조카가 사춘기가 왔다는 이야기를 하고 있었다. 요즘에는 아이들 사춘기가 오면 건들지 말아야 한다고 내가 아버지에게 일장 연설을 하며 아직 5살, 2살인 우리 아이들이 사춘기가 오면 어떨지 걱정된다고 말했다. 그리고 물었다. "아빠, 우리는 사춘기 때 어땠어?" 아버지는 "너네는 사춘기가 온지도 몰랐어."라고 말했다. 나는 아버지에게 "나는 만약 사춘기가 왔다면 고등학생 때 일거야. 그때가 맞는 것 같아." 엄마가 없기 시작할 때. 이 뒷말은 하지 않았다. 20년이 지났지만, 아직 우리 가족에게는 안주 삼아 꺼내기는 힘든 말들이다. 앞으로 20년이 더 지나면 그때는 술 한잔에 안줏거리로 말할 수 있으려나 싶다.

아버지는 술을 드셔도 일은 쉬지 않으셨다. 아버지는 월급을 반토막 내도 일은 쉬지 않으셨다. 그런 모습은 걱정이 되면서도 대단하다고 생각했다. 이렇게 일은 열심히 하는데, 왜 집은 어렵기만 하지? 문제는 술이라는 결론에 도달하고 나니, 나는 아버지가 술만 먹고 오면 싸움을 해댔다. 엄마를 찾으며 주정을 부리면 가만히 볼 수가 없었다. 처음엔 아이 다루듯 조곤조곤 이야기하다가도 술 먹은 사람은 정상적으로 대할 수 없다는 생각이 들면 화를 주체하지 못하고 큰 소리를 냈다. 그러면 아버지도 덩달아 큰 소리를 냈다. 그리고, 동생은 제발 가만히 있으라며 나를 말렸다. 가만히 있지 못한 걸 보니 나는 아버지 딸이 맞는가 보다. 둘이 서로 너 잘났네, 나 잘났네, 싸웠다. 그렇게 몇 년을 지지고 볶으니, 아버지도 조금씩 달라졌다. 지금의 모습이 되시기까지는 오래 걸렸지만, 나 혼자서는 나의 공이 크다며 스스로 대견해했다. 엄마도 힘들지만 싸웠으면 어땠을까? 내가 딸이라서 이 정도인 거고 엄마였다면 정말 큰일들이 벌어졌을까? 가만히 있는 엄마가 싫었던 것은 이렇게 싸워서라도 해결하려는 의지를 보고 싶어서였을까. 그렇게 생각하니 엄마는 그것이 최선이라 생각했던 건지 아니면 의지가 없었던 것인지 헷갈린다.

나의 아픈 손가락

여자로서의 몸가짐은 어떻게 해야 하는지, 속옷은 어떻게 고르는지, 집안일은 무엇을 해야 하는지 아무도 가르쳐 주지 않았다. 그저 스스로 터득해야 했다. 내 동생도 마찬가지였다. 엄마가 없지만 언니가 있었다. 동생은 언니에게 이런 것들을 가르침 받아도 되었다. 하지만 그 언니는 사춘기라 겉돌기 바빴다. 학교 수업이 끝나면 친구들과 놀고 밤 10시, 11시는 되어야 집에 왔다. 중학생인 아이는 혼자 밥을 해 먹고, 간혹 아버지가 일찍 오면 아버지 밥도 차려야 했다. 할 수 있는 요리는 많지 않았기에 반찬가게를 이용하기도 했다. 반찬은 언니가 사놓아야 차려 먹을 수 있었다.

나의 아픔만을 보느라 나보다 두 살 어린 동생의 아픔과 힘듦을 들여다보지 못했다. 오히려 일찍 오라고 하는 동생의 말을 잔소리로 듣곤 했다. 아버지와 싸울 때면 가만히 있으라는 동생의 말을 '네가 뭘 안다고'를 외치며 내가 나만 좋자고 이러는 거냐고 되레 화를 냈다. 알아서 독서실에 가서 공부하고, 고등학생이 되자 본인 용돈 벌겠다고 아르바이트를 하던 동생. 성적도 좋고, 공부하고 싶은 것이 분명히 있었을 텐데 취업하겠다고 했던 내 동생. 그런 동생에게 미안한 마음뿐인 것은 나뿐만이 아닐 것이다. 우리가 모두 결혼하고 아버지에게 손주, 손녀가 여럿 있었던 어느 날, 저녁 식사 때 아버지는 술김에 이야기했다. 그때 대학교에 보내지 않은 것이 마음에 남아있다고. 아버지 돈으로 대학에 가서 1년을 공부하고 나와 맞지 않는다는 이유로 중퇴한 나는 동생 앞에서는 대역죄인이다.

이런 환경 탓이었을까? 아니면 나의 철없음이 문제였을까? 우리는 애틋하지도, 그렇다고 원수 같은 사이도 아니었다. 그저 적당히 각자 할 일만 하는 그런 자매였다. 거기에 더해 동생은 너무 이쁠 나이 24살에 결혼을 했다. 모두 너무 빨리 가는 거 아니냐, 말했고 나 역시 그랬지만 나보다는 빨리 결혼하기를 바랐기에 반대는 하지 않았다. 나 없이 동생 혼자서 아버지의 주정을 견디기를 원하지 않았기 때문이다. 그래서, 우리는 사이좋고 의좋은, 친구 같은 자매는 적어도 동생 결혼 전에는 하지 못했다. 오히려 내가 결혼하고 아이를 낳고 난 후 더 돈독해졌다. 그런 후에야 우리는 술집에서

술 한잔 기울이며 마음속 이야기를 나눌 수 있었다.

그날 동생에게 들은 이야기는 너무 마음이 아팠다. 왜 진작 이 이야기를 들으려 하지 않았을까? 나에게 화가 났다. 울고 있는 동생을 보며 철없던 나를 꾸짖었다. 그러면서 지금 곁에 없는 엄마를 원망했다. 엄마는 혼자가 된 후에 친구와 함께 가게를 차렸었다가 3년 후에 지방으로 내려갔다. 나와 동생은 종종 그 가게에 놀러 갔었다. 엄마는 그곳에서 새로운 가정을 꾸렸고, 나와 동생은 그래도 '딸'이라는 명목으로 가게를 드나들었다. 엄마가 지방으로 내려간다고 했을 때, 나는 그러려니 했었다. 이미 나에게는 엄마의 빈자리가 무색했고 애틋함은 없었다. 그저 '엄마'라는 이름만 남아 있는 그 자리는 아무 의미 없었다. 하지만, 동생에게는 그러지 않았나 보다. 그날 술자리에서 동생은 엄마를 따라가려 했었다고 했다. 하지만 갈 수 없었다고, 그날 많이... 울었다고 했다.

마음이 아려왔다. 울고 있던 17살 여자아이가 보였다. 가는 사람을 붙잡지 못해 따라가려 달렸지만 닿지 못했다. 아이는 주저앉아 울었다. 그 아이를 생각하니 마음이 아프다고 소리쳤다. 도대체 누가 그 아이를 울렸냐며, 가만두지 않겠다고 성을 냈다. 하지만 나는 화를 낼 자격이 없었다. 나 역시 그 아이를 울린 사람 중의 하나였으리.
"언니, 내가 아이를 낳고 기르며 든 생각이, 엄마는 우리를 놓고 어떻게 갈 수 있었을까? 나는 우리 아이들 보면 절대 못 그럴 거

같거든. 그런데 우리 엄마는 어떻게 그럴 수 있었을까. 이해할 수 가 없어."

그때의 나는 이미 마음 비운 지 오래라는 등, 넌 왜 그리 엄마에게 마음을 주었냐는 둥 온갖 잘난 체를 하며 말했지만, 동생의 이 말이 마음에 박혀서 떠나지를 않았다. 그 말을 하기까지 혼자서 얼마나 많은 속앓이를 했을지... 친구들에게는 터놓았을까? 혼자서 끙끙대지는 않았을까? 이제와서 걱정하는 내가 간사하게 느껴졌다. 이날 나의 아픔도 동생에게 터놓았는지 기억나지 않는다. 분위기에 휩쓸려 했었을 수도 있고, 동생이 더 상처받을까, 입 밖에 내지 않았던 것도 같다. 나는 엄마에게 입은 상처를 친한 친구에게만 터놓았다. 술 한잔 기울이며 시시콜콜한 이야기부터 가족에게도 할 수 없는 이야기를 아무렇지 않게 늘어놓을 수 있는 벗. 그 벗에게 내 상처를 맡겼다.

22살인지 27살인지 모를 20대의 어느 밤. 일을 마치고 집으로 걸어가는 길이었다. 막 덥지도 춥지도 않은 계절에 나는 횡단보도에 서 있었다. 간판 조명, 신호등, 차들의 헤드라이트 온갖 조명들에 밤이어도 환한 대로변에서 나는 전화로 엄마에게 이야기했다. "엄마, 이제 우리는 신경 쓰지 마." 전화 너머로 엄마의 울먹이는 소리가 들렸다.

"너희는, 평생 엄마가 가슴에 안고 갈 거야. 그러니까 그런 말 하지 마."

엄마와의 인연을 끊고 싶기도 했다. 한 달에 한 번 정도 오는 이 전화가 그리 반갑지 않았다. 신경 쓰지 말라는 말은 진심이었다. 엄마의 새로운 삶을 응원하고 싶었다. 행복하기를 바랐다. 어차피 다시 돌아오지 않을 거라면 그편이 나았다.

언젠가 집에서 편안하게 나 혼자만의 시간을 보낼 때였다. 햇살도 좋았고 여유로운 시간도 좋았다. 이날은 무엇을 해도 다 기분 좋을 것만 같은 그런 날이었다. 핸드폰이 울렸고 발신인은 엄마였다. 다행히 집에는 나 혼자 있었고 편안하게 엄마의 전화를 받았다. 이런저런 근황을 주고받을 때 아버지 이야기는 빠지지 않는다. 엄마는 항상 물어봤다. '너희 아빠 요즘에도 술 많이 먹냐?' 그저 말뿐인 안부로 느껴졌다. 정말 걱정이 되었다면 지금 내 옆에 있어야 할 사람이니까. '뭐 매번 똑같지. 그래도 요즘엔 많이 줄었어.' 시시콜콜 이야기하다 보면 어쩌다 아버지의 뒷담화가 되어버린다. 여느 때처럼 그러다 끝날 전화 통화라고 생각했다. 그런데 엄마의 입에서 나온 그 이야기는 내 평생의 상처가 되어버렸다.
"너는 엄마 덕에 세상에 나올 수 있었어. 너희 아빠가 너 지우라고 난리였는데 엄마가 끝까지 버텼다!"
엄마의 공을 이야기하고 싶었던 걸까. 엄마는 고등학생이었던 아이가 부모의 다툼과 별거, 이혼으로 인해 받을 상처는 전혀 고려치 않았던 걸까. 이 이야기를 들은 나는 내가 태어나지 않았다면, 엄마는 다른 인생을 살았을까... 하는 생각이 들었다. 내가 태어난 것이 자랑스러운 일이 아니라, 그랬으면 안 되었던 일이 된 것 같았다. 머리가 띵했다. 가슴이 답답했다. 하지만 내색할 수 없었다. 화를 내야 할 것 같은데 화를 낼 수 없었다. 그저 "그래..." 한 마디만 했을 뿐이다.

그런 말을 했던 사람이 평생 가슴에 품어준다, 해봤자 그다지 고맙지 않았다. 부모의 이혼에 아무 감정이 없다고 생각했다. 생각보다 덤덤하게 받아들이고 덤덤하게 살아가고 있다고 생각했다. 그런데 내 안에 생각보다 많은 미움이 자리를 차지하고 있었다. 분노와 슬픔이 함께 있었다. 하지만 정작 나는 그걸 외면했다. 외면해 놓고 나는 아무렇지 않다고 씩씩한 척하고 있었다. 그걸 나이 40이 다 되어 갈 때 알게 되었다.

부모님의 이혼에 대한 나의 감정을 알게 된 후 내가 느낀 감정은 다행히 당혹감은 아니었다. 아마 무의식으로는 알고 있었을 것이다. 그것이 수면 위로 오르는 데 시간이 걸린 것뿐이었다. 나의 내면 아이는 이 마음을 꼭꼭 숨겼던 것 같다. 언제가 터트릴 폭탄은 아니었다. 소중하게 간직했다. 그랬을 거란 생각이 들었다. 왜냐하면 이혼에 대한 나의 감정이 미움, 분노, 슬픔이었지만 난 좌절하지 않았다. 분명 상처를 입었지만, 더 큰 상처를 만들지 않았다. 그리고 상처는 점점 아물어 가고 있었다. 나의 내면 아이가 부지런히 약을 발라주고, 괜찮다고 쓰다듬어 주며 품어주었다. 그래서 나는 씩씩한 척도 할 수 있었다. 상처에 바른 약은 사랑이었다. 그리고 결국 가족이었다.

부모님은 우리 자매에게 가족은 언제든 깨질 수 있다는 걸 알려주었고, 미워할 수도 있다는 것을 깨우쳐주었다. 그리고 가족에게 받은 상처는 가족으로 치유할 수 있다는 것도 알게 되었다. 내가 아이였을 때 받은 상처는 품 안의 아이로부터 아물어 가고 오히려 가족에 대한 정의를 확실하게 해주었다.

나는 모든 경험은 나의 살이 되고 피가 된다는 말을 믿는다. 지금까지 살아오면서 좋은 일, 좋지 않은 일 비율을 따지자면 반반 정도 되는 것 같다. 그 반의 좋지 않았던 일은 나에게 교훈 하나씩은 남겨주었다. 20대 초에 친구 손에 이끌려 다단계를 경험했을 때도 사람과의 관계와 소통에 대한 교훈을 얻었다. 대학교를 1년만 다니고 중퇴했을 때도 내가 진정으로 원하는 것이 무엇인지 생각할 수 있는 기회를 얻었다. 10년 가까이 만났던 남자친구와 결국 헤어졌을 때는 사랑은 시간에 비례하지 않는다는 것을 깨달았다. 두 번의 강도를 만났던 날 나는 아무 상처도 입지 않았고, 어떤 해코지도 당하지 않았다. 나는 세상에 그래도 날 지켜주는 수호천사가 있지 않을까? 하는 희망을 갖게 되었다. 엄마가 나의 곁에 있었다고 해도 겪을 수 있었던 일들이다. 그래서 '나는 어떠한 일이 있어도 아이들 곁을 떠나지 않으리'라는 나의 신념을 만든 계기 정도로 여길 수 있었다. 이혼이라는 것을 말이다.

나는 모르는 엄마의 아픈 손가락

나는 한 번도 엄마의 행복을 바라지 않았던 적이 없다. 나는 엄마가 정말 행복하기를 원한다. 나와 동생이 곁에 없어도 자신의 행복을 충분히 누렸으면 했다. 그래서 엄마의 행방을 묻는 아버지의 물음에도 절대 답하지 않았다. 그것이 엄마가 행복해지는 길이 아니라고 생각했다. 때론 자기편이 없다고 너네는 엄마 편만 든다고 서운해하는 아버지가 불쌍하기도 했다. 엄마가 집을 나가고 몇 개월 뒤에 엄마가 사는 곳에 오라고 해서 동생과 갔었다. 전철을 타고 1시간쯤 갔을까? 엄마는 반지하 방에서 지내고 있었다. 막 쌀쌀해지는 가을이었는데 방바닥은 차가웠다. 동생과 나는 자동으로 펼쳐져 있는 이불 속으로 다리를 넣었다. 반지하라 그랬을까, 방바닥이 차가워서 그랬을까? 몇 달 만에 만난 세 모녀는 그다지 즐거운 분위기는 아니었다. 엄마가 차려준 밥을 먹고 텔레비전을 보며 몸이 이 방에 점점 적응되어 갈 때쯤 우리는 집으로 가기 위해 다시 그 집을 나왔다.

고등학교 3학년 때 엄마의 소개로 마트에서 계산원으로 일하게 되었다. 나의 첫 직장이었다. 엄마는 그 마트에서 점심, 저녁밥을 해주고 있었다. 약 6개월 정도 일을 했는데 엄마를 거의 매일 볼 수 있었다. 물론 밥 먹을 때만 보았다. 우리가 모녀 사이인 걸 마트 직원들은 다 알았지만, 그렇게 살갑지 않은 모녀라는 건 다들 알았을 거다. 내 기억에는 밥을 먹을 때도 엄마와 사적인 대화를 했던 기억이 없다. 이 당시 엄마는 마트에서 걸어서 10분 정도 되는 곳에서 지내고 있었다. 작디작은 원룸에 여전히 이불이 깔려있었다. 10시, 11시에 끝나는 날도 허다했는데 일하는 6개월 동안 한 번도 엄마 집에서 잔 적이 없다. 아니 생각조차 안 했다. 어쩌면 이미 나에게는 엄마라는 존재가 퇴색되어가고 있었을지도 모른다.

엄마가 지방으로 내려가기 전, 친구분과 가게를 차리셨다. 그때의 엄마는 그래도 좀 더 행복해 보였다. 집이 환해졌고, 내 것이라 부를 수 있는 것들이 생겼다. 엄마는 엄마의 또 다른 가족을 나와 동생에게 굳이 숨기지 않았다. 동생은 모르겠지만 나는 받아들일 수 있었다. 그것이 엄마의 행복처럼 보였다. 그리고 함께 가게를 운영하는 이모는 어렸을 적부터 보아왔던 분이기에 그 공간은 엄마의 공간이 맞았다. 그 공간에서 나와 동생은 가끔 자고 가기도 하고, 친구들을 데려가기도 했다. 월드컵을 할 때는 엄마의 가게에서 친구들과 가볍게 맥주 한잔하며 축구를 보기도 했다. 우리 집의 이 상황이 숨길 만한 일은 아니라고 생각했었다. 나는 상황을 있는 그대로 받아들였다. 그냥 이성적인 행동이었다. 일부러 그 안에 감성과 감정을 넣지 않았다. 지금은 그때의 나에게 묻고 싶다. 너는 어떤 마음이었니?

아주 훗날 깨달았다. 그 시절의 나는 감정을 누르고 살았다는 것을. 오래 사귀었던 남자친구에게도 감정표현이 그다지 없었다.

그건 지금도 크게 달라지지는 않았다. 하지만 지금은 내가 어떤 마음인지, 어떤 감정인지 알아차릴 수 있고, 표현할지 말지를 정할 수 있다. 그때의 나는 그러지 못했다. 차라리 엄마에게 울면서 속상함을 내비치고 엄마의 행복 따위 필요 없으니 다시 돌아오라 막무가내로 매달렸다면 지금의 나는 조금 더 표현에 인색하지 않을지도 모르겠다. 이렇게 보면 엄마와 나는 많이 닮았다는 생각이 든다. 엄마도 표현이 서툴렀기에 평소에 담아두었던 마음을 터놓지 못했을 것이다. 나는 나와 같음을 무의식적으로 느껴서인지 그런 엄마를 대신해 아버지에게 대들었던 걸지도 모르겠다.

옛일이 하나 떠오른다. 동생과 내가 둘 다 혼나고 있었다. 당시 중학생이었던 우리였는데 무엇 때문인지는 모르겠으나 아마도 별거 아닌 것으로 투덕거리지 않았을까 싶다. 그래서 엄마는 한 손에 파리채를 들고 맞아야겠다고 으름장을 내놓고 있었다. 동생은 잘못했다고 펄쩍펄쩍 뛰며, 울고 소리를 지르고 방으로 도망을 가버렸다. 그 와중에 나는 빨리 혼나고 말자는 생각에 묵묵히 앉아 있었다. 엄마의 사랑의 매를 기다리며 눈물을 글썽였다. 이런 나를 본 엄마는 "으이그~ 너는 왜 또 가만히 있어!" 하며 도망가는 동생도 가만히 기다리는 나도 답답해했다.

엄마가 되고 보니 이런 사소한 기억들이 이해되고 공감이 되었다. 나도 자매의 엄마이기에 앞으로 겪을 일들이라 생각하면 더욱 이해되었다. 아이는 부모의 거울이라는 말이 있다. 육아하다 보면 이해를 할 수 없는 일들이 많다. 그럴 때 전문가들은 나의 어린 시절을 생각해 보라고 한다. 그래서 나는 어땠지? 하고 생각하면 이해가 된다. 아이의 행동과 말투에 내가 보이기 때문이다. 그렇네! 아이는 부모의 거울이었네. 그렇게 어린 시절의 나를 떠올려 본다. 그리고 엄마에 대한 기억도 함께 떠올린다.

엄마는 20살이란 너무 예쁠 나이에 나를 낳았다. 태어난 지 백일도 안된 나를 안고 있는 엄마의 사진을 보면 뽀얀 피부에 참한 아가씨가 한 명 있다. 내가 태어난 지 50일쯤 되었을까? 친구들과 바닷가에 놀러 갔던 사진이란다. 두 분은 누가 봐도 신혼에 갓난아기 엄마, 아빠였다. 나는 집에서 태어났다. 진통이 오자 엄마는 머리를 감고 출산 준비를 했단다. 그리고 동네 할머니께서 엄마를 도와 나를 받아주셨다. 나는 응급으로 출산을 해서 두 아이를 제왕절개수술로 낳았다. 그래서 진통을 겪어보지 못했다. 하지만 듣고, 본 바가 있기에 진통할 때 씻었다는 엄마가 놀라울 따름이다. 나와 동생은 아이 두 명을 출산하면서 각자 두 번의 입덧에 시달렸다. 나는 3개월 정도 쓰러져 있었고, 동생은 더 심해서 몸무게가 10kg 가까이 빠졌었다. 그런데 두 자매의 엄마는 입덧이 없었단다. 왜 이런 것은 유전이 안 된 걸까? 엄마도 입덧 때문에 고생하는 우리를 보며 이해가 안 된다고 말한다.

형편이 넉넉지 않았으니, 엄마는 일을 해야 했다. 하지만 그 당시 어린 나를 맡길 곳이 마땅히 없어 옆집 할머니에게 부탁했다.

나는 다행히 순한 편이라 잘 울지도 않았단다. 옛날 사진을 보면 잘 기억나지 않는 할머니 옆에서 요람에 누워있는 내가 있다. 나는 엄마가 일을 가면 가는가보다~ 했다는데, 내 동생은 가지 말라고 빽빽 울었다, 혼났을 적 상황을 생각하면 아기 때 성격이 결국 그대로 가나 싶다. 그리고 내가 기억하는 7살의 시절에도 엄마는 일을 하고 있었다. 초등학생 때도 중학생 때도 엄마가 집을 나가기 전까지 그리고 나가서도 엄마는 쉴 틈이 없었다.

지금으로 따지면 워킹맘이다. 다들 그렇게 살아간다. 그래서 엄마가 일을 했던 것이 특별한 일이라 생각지 않았다. 적어도 글을 쓰기 전까지는 말이다. 수술을 앞둔 엄마에게 이제 그만 쉬라고 말했다. 엄마는 가게가 잘 되려 하는데 그럴 수 있냐고 말했다. 그전부터 본인은 가만히 쉬지를 못한다고 말하던 사람이었다. 그래서 항상 하던 말이 "가만히 있으면 뭐 하냐, 뭐라도 할 수 있을 때 해야지." 이었다. 내가 여기저기 도전한답시고 쑤시고 다니는 것은 엄마를 닮았고, 한번 늘어질 때는 한없이 늘어지는 것은 아버지를 닮은 듯하다. 이렇게 말하는 엄마이기에 일하는 것이 단순 돈벌이 수단이지만은 아닐 거라는 내 마음만 편한 생각을 했던 것이다. 엄마에게는 일이 생계였다. 그걸 본인은 계속 움직여야 하는 사람으로 포장한 것이 아닐까 하는 생각이 문득 들었다. 그동안 엄마가 했던 일은 공장, 양말 만들기, 청소 등이 있었고 한번 식당에서 일한 이후로는 줄곧 식당에서만 일을 했다. 그 후 차린 가게들도 호프집, 식당이었다.

20살 아가씨에게는 어떤 꿈이 있었을까? 결혼을 하고 아이를 낳은 후 가족의 모습은 그 아가씨가 꿈꾸었던 모습이 아니었을 수도 있다. 아니면 경험조차 해보지 못해 꾸지 못했던 꿈이 있을지도 모르겠다. 나의 20살은 어땠나 생각해 보았다. 내가 하고 싶은 공부를 하기 위해 돈을 벌고, 그 돈으로 공부를 했다. 친구들과 맛있는 것을 먹고 노래방에 가서 원 없이 소리도 지르고 때론 쇼핑도 즐겼다. 내가 평범하게 즐겼던 일상이 엄마에게는 하지 못한 꿈이었을 것이다. 아버지는 엄마와 9살 이란 나이 차이가 있었다. 그리고 보수적인 사람이었다. 무용담을 들으면 아버지 본인은 20대에 열심히 일도 하셨지만 친구들과 영화에서 보던 청춘놀이를 하며 나름 즐겼다. 하지만 엄마에게는 그런 무용담이 없었다.

엄마는 술을 결혼해서 배웠다고 했다. 아버지 쪽 집안은 워낙 술들을 좋아해서 나는 친척모임이 있을 때마다 술 조금만 먹으라고 아버지에게 신신당부를 한다. 그런 환경이니 술을 안 마실레 야 안 마실 수가 없었겠지. 그런데 엄마가 술을 배운 것은 작은어머니, 그러니까 아버지의 막냇동생의 아내에게 배웠다고 했다. 작은어머니는 엄마와 연배는 비슷했지만 서열상 위, 아래였기에 엄마에게 꼬박 존댓말을 하셨다. 하지만 두 분이서만 계실 때는 어땠을지 모르겠다. 또래여서 그랬을까? 엄마는 작은어머니와 함께 있으면 편해 보였다.

10년 전쯤인가, 엄마의 집에 혼자 놀러 갔었다. 엄마는 지방에서 살고 있었기에 한번 가면 여행하는 기분으로 가곤 했다. 그렇게 1년에 한 번 정도는 얼굴을 보던 시절이었다. 엄마는 일이 늦게 끝나서 나 먼저 집에 들어와 있었다. 이불에 누워서 핸드폰을 만지작거리고 있을 때 엄마가 집에 들어왔다. 쌀쌀한 날씨였기에 얼른 이불로 들어가라며 자리를 내어주었다. 오랜만에 만나 근황 이야기를 하던 중에 무심코 엄마의 손목을 보았다. 거기에 낯선 줄이 한 가닥 그어져 있었다. 보자마자 단번에 무엇인지 예감했지만, 아니었길 바라며 물어보았다. 하지만 예상은 빗나가지 않았다.

그 상처를 만들었을 때, 엄마는 너무 힘들었단다. 두 번째로 이룬 가족은 마냥 행복하길 바랬지만 그러지 못했었다. 손을 끝까지 붙잡고 가지 못했던 아이들이 있었기에 이번에는 놓지 않고 있으려 했다. 하지만 혼자서 감당하기에는 너무 벅찬 현실이 엄마를 구석으로 내밀었다. 세상은 무정하게 엄마 편이 되어주질 않았다. 그 당시 아버지와의 이혼도 계속 미뤄지며, 엄마는 받을 수 있는 혜택을 받지 못하고 있었다. 아마 이혼을 미루는 것이 아버지의 마지막 소심한 복수였을 것이다. 돌아오지 않은 엄마에 대한 복수 말이다. 훗날 들은 이야기로는 아버지는 결국 수소문해 엄마를 찾았었다. 그리고 잘못했다고 용서를 빌었다고 했다. 하지만, 엄마는 끝내 그 용서를 받지 않았다. 아버지에게는 그 일이 상처가 되었을 것이다. 누구의 상처가 더 아플까. 부모의 이혼으로 겪고 싶지 않은 일들을 겪은 아이들. 자신의 삶은 없고 엄마의 삶으로만 살아가는 엄마. 가족을 위해 열심히 일을 했지만 인정받지 못하는 아빠. 더 아픈 상처는 없다. 우리 모두 울고 싶을 만큼 쓰라렸고 아팠다.

상처를 본 후, 나의 감정은 복잡해졌다. 지금 생각해도 복잡했다. 충격이면서, 불쌍했다. 안타까우면서 미안했다. 왜 이 지경까지 왔는지 화도 났다. 그러나 내가 할 수 있는 것은 말뿐이었다.
"엄마, 힘든 일 있으면 전화해. 내가 다 들어줄게."
그저 이 말뿐이었다.

남편과 결혼을 약속한 후, 명절에 엄마를 만나러 갔다. 남편은 장모님이라 서슴없이 불렀다. 명절 선물이라며 비싸지 않은 안마기를 사 갔는데, 엄마는 그것이 좋다며 자랑을 하고 갈 때마다 잘 쓰고 있다고 꺼내 보였다. 결혼식에도 오시라고 했다. 아버지와의 이혼도 잘 정리된 후였고 혼주석에 앉겠다는 것도 아니니 문제 될 것이 없다고 생각했다. 엄마는 동생 결혼식에는 가지 못했기에 내 결혼식에는 꼭 참석하고 싶다고 했었다. 그런데 변수는 예상외인 곳에서 나왔다. 바로 동생이었다. 엄마가 결혼식에 참석하면 친가 친척들이 볼 것이고 그러면 이야기가 오르내릴 것이라는 걱정이었다. 동생은 좋은 날 그런 문제를 만들지 말자고 말했다. 남편에게도 물었다. 자신은 오셔도 상관없다고 했다. 선택은 나의 몫이었다. 길가에 쭈그리고 앉아 많은 고민을 했다. 그리고 내가 내린 결론은 엄마에게 상처를 주었다.

엄마는 결혼식 갔다가 바로 내려와야 해서 고민했다며 차라리 잘 됐다는 식으로 말했다. 하지만 느낄 수 있었다. 그 말 안의 서운함과 슬픔 그리고 중간에 나오는 한숨들이 엄마의 심정을 대변해 주었다. 나는 그날 엄마와 통화 후 길바닥에서 혼자 많이 울었다.

나는 엄마에게 아직 두 아이를 보여주지 못했다. 엄마가 사는 곳은 차로 4시간 이상 걸리는 곳이라 아직 아이들이 어리다는 생각에 선불리 가지를 못했다. 그래서 아이들은 외할머니라는 존재를 어렴풋이 알고는 있지만, 체감하지 못했다. 엄마는 뇌 수술을 무사히 마쳤고, 동생은 제부와 둘이 엄마를 만나고 왔다. 병실에서 면회할 수 없었기에 엄마가 로비로 나와 잠깐 만날 수 있었다고 했다. 혼자 걸을 수 있을 정도였지만 힘이 없어 보였단다.

어느 정도 회복하는 대로 바로 심장 수술을 하려고 했다. 하지만, 항암제 때문에 엄마는 식사를 거의 하지 못했고 살은 자꾸 빠졌다. 항암제를 끊고 나서야 조금씩 먹을 수 있었다. 하지만, 이미 체력도 많이 떨어진 상태라 이대로는 수술이 불가하다고 했다. 의사는 일단 퇴원을 해서 체력을 더 키워온 후에 수술 날짜를 잡자고 했다. 그래서 엄마는 집에서 쉬면서 체력을 키우는데 집중했다. 구토를 자주 하기는 했지만 먹는 양을 늘리면서 살도 조금씩 붙어간다고 했다. 그러던 중 엄마의 생일이 다가왔다. 나는 영상통화를 걸었다. 영상으로 본 엄마의 모습은 내가 마지막으로 봤던 모습에서 많이 야위어 있었고, 머리는 하얗게 새어있었다. 아이들에게 할머니를 보여주며 소개를 시켜주었다. 아이들은 처음 보는 외할머니에게 낯설지만 살갑게 인사를 했다. 엄마는 그저 귀엽다는 듯이 웃었다.

남편은 가끔 장모님에게 연락드렸냐며 물어본다. 그제야 나는 생각났다는 듯이 안부전화를 하곤 했다. 엄마는 체력을 어느 정도 회복하고 심장 수술까지 무사히 잘 마쳤다는 소식을 전해주었다. 그리고 현재 이것이 엄마와 나의 마지막 통화였다. 무소식이 희소식이라 생각하며 잘 지내고 있을 거라고 생각한다. 오늘은 전화해야지를 몇 번이나 생각하지만 결국 하지 못한다. 마지막 통화에서 애들 데리고 한번 가겠다고 했더니, 지금은 와도 챙겨 줄 수 없으니 조금 더 괜찮아지면 그때 오라고 했다. 챙겨주지 않아도 되는데, 이럴 때는 챙김을 받아도 되는데, 엄마는 어쩔 수 없는가 보다. 손녀들의 재롱이라도 보면 더 기운을 차리지 않을까 하는 기특한 생각을 오랜만에 하게 되었다.

엄마가 되고 보니 또 다른 엄마의 빈자리가 보였다. 아이들의 할아버지는 아이들과 놀아주고 어린이집 등원 준비를 도와주고 집 청소를 도와주신다. 이것만으로도 큰 힘이 된다. 하지만, 맛있는 음식을 해주는 할머니 손맛은 할머니만이 할 수 있었다. 적어도 우리 집에서는. 주위 엄마들이 친정엄마와 싸운 이야기를 듣고, 엄마가 만든 반찬이라며 나에게 나누어 줄 때면 그 손맛이 참 그리워진다. 부모님의 이혼 전 나에게 엄마의 맛이 떡볶이였다면, 이혼 후에는 장조림이다. 엄마가 갓 만든 따뜻한 장조림은 아직도 생각하면 맛이 느껴지는 듯하다. 내가 우리 할머니의 손맛을 아는 것처럼, 우리 아이들도 알았으면 좋겠다.

이제 나에게 남은 과제는 용기 내어 엄마에게 전화하는 것이다. 아무렇지 않게 안부를 묻고, 할 수 있다면 아이들의 얼굴을 보여주는 것. 그리고 언제 만나러 갈지 약속을 잡는 일이다. 나는 여전히 엄마가 많이 행복했으면 좋겠다. 내가 질투 날만큼. 그래야 나는 엄마가 돌아오지 않은 것을 계속 납득할 수 있으니까.

엄마, 곧 만나러 갈게.

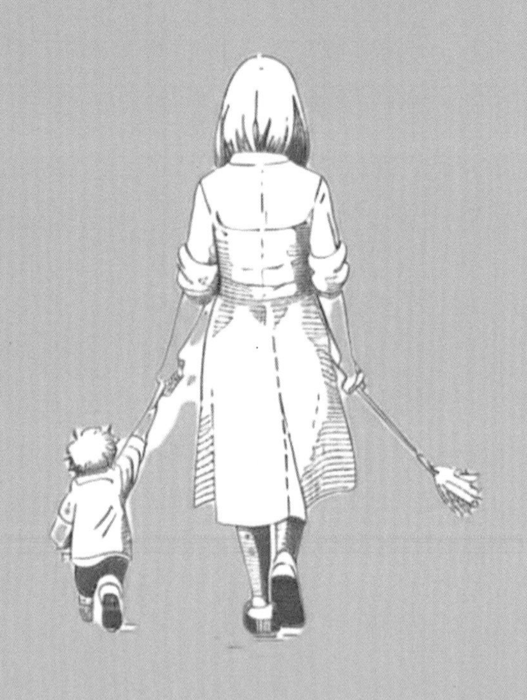

엄마도 엄마가 처음이라서 서툴렀을 뿐인데

문미영

엄마도 엄마가 처음이라서 서툴렀을 뿐인데

문미영

프롤로그

우리 엄마는 1963년에 부산에서 태어나셨다. 4녀 1남 중 장녀로 태어나신 엄마는 부유하지 않은 집안에서 동생들과 부모님을 책임져야 하는 가장이었다. 공부를 잘하고 특히 미술을 잘했던 엄마는 학창시절 성적도 좋았고 상장도 많이 받아와서 부모님의 자랑이었다고 한다.

하지만 가난한 형편 때문에 대학교는 꿈도 꿀 수 없게 되었고 상업고등학교를 진학하게 되었다. 고등학교에서도 공부를 잘해서 금융권에 취업을 하게 되었다.

외조부모님은 우리 엄마가 빨리 결혼하시기를 원했다. 결혼을 하는게 효녀라고 생각했다. 그때 우리 엄마의 나이는 고작 20대 초반이었다. 외할머니 외할아버지 성화에 못 이겨 선을 보았다. 외조부모님 고향이 경상남도 남해였고, 친조부모님이 같은 남해 출신이라는 이유만으로 우리 아빠와 몇 번 데이트하고 결혼을 하였다.

그 당시에는 여자는 결혼을 하면 일을 그만두어야 하는 분위기라 엄마는 은행을 그만두시게 되었다. 그전까지 10원하나 허투루 쓰지 않고 월급 그대로 외조부모님에게 갖다 드렸다고 할 정도로 효녀이고 알뜰한 엄마였다.

결혼을 하게 되면서 우리 엄마는 연고도 없는 허허벌판의 촌인 '포항'으로 시집을 오게 되었다. 이모들이 포항에 와보고 '어떻게 저런 시골에 살려는 거야' 하면서 걱정을 많이 했다고 한다. 18평 정도 되는 조그마한 아파트(빌라)에 신혼집을 꾸리게 되었다.

엄마 아빠는 신혼생활을 오래 못 즐기고 나를 가지게 되셨다. 입덧도 심하고 워낙에 내가 엄마를 힘들게 해서 많이 못 먹었다고 하신다.

그렇게 나는 1989년 1월에 태어나게 되었다. 엄마는 내가 처음이라 그런가 모든 면에서 서툴렀다. 내가 밥도 잘 안 먹으니 더 힘드셨다고 한다.

이런 엄마도 엄마가 처음이라 서툴렀을 뿐인데 나는 이런 엄마를 이해하지 못하고 엄마가 못해주신 것만 생각하고 서운해하고 원망을 많이 했다. 왜 나에게만 칭찬 한마디 안 해주시고, 말을 쏘아붙이시는 건지 모녀 사이는 애정이 넘치고 친구 같다고 하는데 나와 엄마의 관계는 그야말로 '애증'의 관계였다.

오히려 엄마가 없는 날이 나에게는 평화롭고 편안한 나날이었다.

엄마의 구속과 잔소리를 벗어나고 싶어서 반항도 하고 속을 많이 썩였다.

어느덧 엄마가 결혼했을 나이에 나도 결혼을 하게 되었다.
딸만이라도 조금 늦게 결혼하길 원하셨는데 내가 결혼을 한다고 했을 때 많이 속상해하셨다. 이런 내가 결혼을 하고 나서, 임신을 준비하면서 엄마의 마음을 조금이나마 이해하게 되었다.
그런 엄마에게 조금이라도 미안한 마음을 표현하고 싶었다.

엄마를 위한, 엄마에게 하고 싶은 말들을 우연히 '엄마에 관한 글쓰기' 공저에 참여하게 되면서 이렇게 글을 써본다. 엄마에 대한 미안함과 고마움을 책에 다 담을 수는 없겠지만 이렇게나마 엄마에 대한 죄책감을 조금은 덜 수 있겠지. 나만 나이가 드는 줄 알았는데 엄마의 흰머리와 나이 들어감을 보니 마음이 아프다.
이제부터라도 엄마에게 좀 잘하고 싶다.

'엄마도 엄마가 처음이라 서툴렀을 뿐인데'

2023년 11월 추워지기 시작한 날에
문미영

엄마가 원망스러웠다

나는 10~20대 시절 엄마를 많이 원망했다. 1남 1녀 중 장녀인 나에게는 비교될 정도로 잘나고 장점이 많은 남동생이 있다. 나랑 두 살 터울인 남동생. 남자이지만 엄마에게 살갑고 애교가 많고 공부도 잘하고 똑똑해서 중학교 때 상위권 성적을 유지하였다. 이런 동생에게 당연히 부모님의 사랑과 관심이 쏟아지게 되었다.

내가 시험을 치고 성적을 받아와도 '나는 당연히 공부를 못했다'고 생각했던 엄마는 서운할 정도로 관심도 덜 보이시고 그래서 서운함과 반항심에 엄마에게 유독 소리도 지르고 까칠하게 굴었다. 엄마가 무슨 말만 하면 청개구리가 되었다. 뭐든지 반대로 해야 직성이 풀렸다.

좋은 유전자는 동생이 다 가져갔다고 생각이 들 정도로 정말 나와는 반대로 잘하는 것들이 많았다. 운동도 잘하고, 공부도 잘했지만 동생이 몸이 좀 약했다.

안 그래도 동생이 부모님의 사랑과 관심을 많이 받는데 기흉 2번에 어깨 탈골로 인해 수술을 여러 번 하니 엄마의 관심은 남동생에게 더 쏠리게 되었다. 같은 자식인데 엄마는 오로지 동생이었다.

주변 사람들이나 친척들에게 이야기를 해도 동생 자랑만 하였고, 외동 아들을 키우나 싶을 정도로 동생이야기가 자연스러웠다. 호칭은 '미영 엄마' 이지만 동생의 이야기가 대부분이었다. 질투심에 동생에게 괜히 시비도 걸고 많이 싸웠다.

엄마에게 "왜 남동생과 차별했어?"라고 물어보면 "내가 언제? 나는 똑같이 좋아해 줬어. 유독 동생이 막내라 좀 더 예뻐한 거지."라는 대답이 돌아온다. 딸이지만 무뚝뚝하고 애교가 없던 나라 부모님이 동생을 더 이뻐했다는 사실을 어른이 되어서야 조금씩 이해하게 되었다. 결혼을 하기 전에는 나는 정말로 철이 없던 딸이었다.

부모님에게 반항하고, 부모님이 매를 들거나 손찌검을 하면 오히려 더 엇나가기 시작했다. 나의 이야기는 들어주지도 않고 동생과 나와 싸우면 "누나가 되어서 동생하고 싸우고, 누나가 양보하고 해야지"라는 소리만 자주 들었다. 그게 너무나 억울했다. 괜히 2살 터울의 남동생이 얄미워 엄마 아빠가 안 계실 때 동생을 밀치고 때리고 했다. 그럼 동생은 나에게 더 소리를 지르고 욕을 한다. "누나처럼 행동을 해야 누나 대접을 하지." 누나가 아닌 '야'라는 호칭도 사용한다. 필요할 때만 누나라고 공손하게 부른다. 동생과 살벌하게 싸우다가 동생이 내 방문을 발로 차서 문에 구멍이 났다. 이사 오기 전 아파트였는데, 그 집에는 오래도록 구멍이 난 그대로 있었다. 같은 행동을 해도 동생 편만 들어주고, 나를 혼내는 엄마의 행동이 이해가 되지 않았다. 동생이 너무 싫었다. 동생이 없어졌으면 좋겠다는 생각도 많이 했다. 동생만 없으면 나는 이쁨을 많이 받을 텐데라는 생각도 했다.

서로 욕도 하고 때리고 물건을 던지고 소리 지르고 밀치고. 동생은 그러면 바로 엄마에게 쪼르르 달려가서 이르곤 했다. 그럼 항상 엄마는 "너가 누나인데 참아야지, 누나가 되어서 동생을 괴롭히면 되냐. 어휴 진짜. 넌 대체 누굴 닮아서 이렇게 속을 썩이냐. "라는 말로 나만 혼냈다. 동생이 먼저 시비를 걸 때도 많았는데 억울했다.

동생은 매번 "너가 그러고도 누나냐. 누나답게 행동을 하고 모범을 보여야 내가 누나 대접을 하지." 라는 말로 열 받게 하였다. 자기가 필요할 때만 '누나'이고 평소에는 '야'로 부른다.

엄마의 이런 차별적인 행동에 나는 점점 더 엄마에 대한 미움과 증오, 동생에 대한 질투심이 스멀스멀 올라오기 시작했다.

'왜 엄마는 나만 미워하는 것일까. 왜 엄마는 같이 싸워도 나만 혼내는 것일까? 왜 나만 엄마에게 혼나는 것일까. 혹시 다리 밑에서 주워왔나? 친엄마 찾으러 가야하나?'라는 생각이 꼬리에 꼬리를 물기 시작했다.

'엄마는 나만 미워하는 게 분명해. 동생만 예뻐해.' 엄마 때문에 나는 동생이랑 더 자주 싸웠다.

엄마가 동생만 차별한다고 생각하니 동생이 꼴보기 싫었다. 괜히 동생 밥그릇에 밥을 몰래 더 얹고 식탁 밑에서 엄마가 안 볼 때 발로 차고 꼬집기도 했다. 그럴 때면 또 여우 같은 남동생은 엄마에게 이르기 바빴다. 그러면 엄마는 나에게 더 화를 내고 혼내셨다. 나는 너무 억울했다. 같은 행동을 해도 동생은 별로 혼나는 것 같지 않았다. 이렇게 나는 엄마를 원망하며 지내왔다. 동생과 엄마는 나에게 있어 스트레스 같은 존재였다.

그래서 나는 결심을 하였다. 집을 나가기로.

엄마의 속박에서 벗어나고 싶었다

'그래, 결심했어. 가출을 하는 거야.'

고3 때까지는 엄마가 원망스러웠어도 학교 수업도 착실히 안 빠지고 잘 지내려고 노력했다. 학생의 본분은 학교 수업을 잘 듣는 것이라는 생각이 있었다. 몸이 아프거나 홍역으로 결석을 하고 못 간 적은 있었어도 웬만하면 결석을 하지 않았다. 아마 부모님이 '바른 생활 사람'으로 나를 키우셔서 그게 당연한 것인 줄 알았다.

문제는 대학교에 들어가서 터졌다. 곪았던 마음속 상처들이 뒤늦게 터졌던 것이다. 사춘기가 늦게 왔나 싶을 정도로 나에게는 제일 반항기가 심했던 때가 바로 20대이다. 대학교도 집에서 통학을 하고 부모님의 간섭은 성인이 되어서도 심했다. 통학버스도 다니고 자취는 절대 허락을 안 해주실 것 같고 나는 독립을 하고 싶었다. 통금시간도 저녁 9시였던 것 같다. 한창 친구들과 술 마시고 놀러 다니고 연애도 하고 싶은 시절인데 통금시간과 여러 가지로 스트레스를 받았다. 연애를 한다고 하니 간섭도 심해지는 것 같았다. 9시만 넘으면 엄마의 전화와 문자가 많이 왔다. 강압적인 말과 압박하는 목소리 등 엄마의 행동이 너무 싫고 무서웠다. 나도 더 놀고 싶은데, 허락을 해주시지 않았다. 나도 성인인데…

더이상 못 참겠다는 생각이 들었다.
곪은 상처가 터질 대로 터졌다.
결심을 하고 휴대폰을 껐다.
가출을 결심했다.

부모님이 걱정되어서 전화를 수십통을 했고 부재중 전화 목록과 문자로 가득했다. 대구에 사는 친구 집에서 신세를 지고 그 당시 연애를 했던 남자친구집에서도 신세를 졌다. 내가 휴대폰을 꺼놓으니 그 당시에 남동생을 시켜 '싸이월드'에 가입을 시키기도 했다. 그렇게 일주일 정도 방황을 하였다. 그래도 대학교 수업을 빠질 수는 없으니 수업에는 나왔다. 부모님이 대학교 동기에게 전화를 해서 나의 근황을 물어보셨나보다. 수업이 끝나고 나가려고 하는데 부모님이 강의실에 들어오셨다. 그리고는 막 화를 내셨다.
일단 교수님과 동기들이 보기 창피하니 못 들은 척하고 나갔다.
엄마는 걱정되었다는 표정과 말투로 온갖 나쁜 말들을 쏟아내시고 집으로 가자고 하셨다. 집에서 엄청 욕을 많이 먹었다.

나는 억울했다. '무사히 잘 지냈으면 된 거 아닌가. 그러게 누가 숨막히게 간섭하고 그러래'하면서 여전히 엄마를 원망했다. 그 이후로도 나는 약을 털어놓고 죽고 싶다는 행동을 보였다.
'엄마 아빠 간섭 때문에 살 수가 없다고.' 가출 사건은 그렇게 종료가 되었고 그 이후로 엄마는 나에 대한 간섭을 줄이셨다.

그렇게 나는 '내가 속박에서 벗어날 수 있는 건 결혼뿐이다' 라는 생각이 들어 주변 사람들에게 소개팅을 부탁하고 연애를 하였다.

20대 초반에 나랑 1년 정도 연애했던 영국인이 "너랑 결혼하고 싶어"라는 말을 하며 프로포즈를 했었고 엄마는 "너가 너무 어린 나이인데 무슨 결혼이냐"며 반대하셨다. 아마 나이도 어리지만 아마 외국인이라는 이유만으로 반대하신 것 같다. 결혼을 하면 영국에 가서 살아야 하니까.

엄마의 속박에서 벗어나고 싶다는 생각이 어릴 때부터 있었다.
그래서 나는 '결혼'만이 유일하게 내가 벗어날 수 있는 길이라고 생각했다. 남들은 가볍게 소개팅으로 남자를 만나 연애를 하고 데이트를 할 때 나는 '결혼'을 생각하고 소개팅을 하고 연애를 하였다. '이 남자라면 결혼하면 잘 살 수 있을 거 같다'라는 생각을 먼저 하게 되었다. 그래서 동갑내기와 연하도 만나보았지만 결혼할 배우자로는 아니었다는 생각에 헤어졌다.

지금의 남편을 우연히 학교 동기 오빠의 소개로 만나게 되었다. 그 당시 나의 나이는 27살, 남편은 34살이었다. 남편은 결혼할 나이가 되고 하니 부모님과 주변 사람들로부터 중매나 선자리가 많이 들어왔다. 여자들을 많이 만나봤지만 인연이 아니었는지 다 잘 안 되었다고 한다. 나를 만났을 때 조건도 첫인상도 별로였다고 한다. 원하는 조건의 여자가 아니었지만 호기심에 나왔다고 한다. 인연이었는지 그렇게 우리는 3번의 만남에 연애를 시작하였고 1년 4개월의 연애 후 결혼을 하게 되었다.

엄마는 내가 딸인지라 20대에 결혼하는 걸 못마땅해하셨다. 게다가 남편이 7살이나 연상인데다가 시댁 어르신들을 보곤 더 반대를 하셨다. 하지만 나는 엄마의 구속과 속박에서 벗어날 수 있다는 생각에 그저 좋았다. 빨리 결혼을 한다고 했을 때 엄마는 나를 설득하기도 하고 혼내기도 하고 말을 안 하기도 하셨다. 혼수를 준비하는 과정에서 엄마와 감정 싸움도 많았다.

"나 너 혼수 가전 안 사줄 테니까 너 알아서 준비하고 결혼해." 라고 하셨다. 그런 모습을 본 우리 아빠는 이 상황이 답답하고 모녀 관계를 풀어주고 싶었는지 아울렛에 데려가셨다. 아울렛에서 엄마와 나는 쇼핑을 하고 드라이브를 하며 조금씩 관계가 호전되었다. 결혼 준비를 하면서 엄마의 속을 또 썩였고 나는 그렇게 또 엄마의 가슴에 대못을 박았다. 지금 생각해 보면 '남자는 어디서나 또 만날 수 있고 또 있지만, 엄마는 한 명뿐인데 왜 그랬을까'라는 후회가 밀려든다.

결혼을 하니 엄마로부터의 구속과 속박은 벗어나게 되었지만 남편과 또 다른 부모(시부모)의 구속을 받게 되었다.
차라리 내 핏줄인 엄마의 구속을 받는게 훨씬 나았다는 생각이 들었지만 내가 좋아서 한 선택이니 엄마를 원망해봤자 소용없다는 것을 깨달았다.
구속에서 벗어나려고 한 결혼이었는데 또 다른 제약이 있다는 걸 결혼을 하고 깨달았으니 나는 참 어리석고 철없는 사람이다.

지금 와서 생각해보니 엄마는 엄마가 처음이셨고, 방법을 몰라서 더 나에게 서툴고 부족한 점이 많았던 것 같다. 동생을 키우셨을 때는 그나마 나를 키워 본 경험치가 쌓여서 조금 더 능숙했고, 몸이 약하게 태어나서 더 신경이 쓰여 잘했던 것 같은데 나는 그런 엄마의 마음을 몰라줬던 것 같다. 그저 나를 구속하고 미워한다고 생각해서 더 엇나가려 했고, 이런 나의 행동에 엄마는 얼마나 힘들고 마음이 아프셨을까. 엄마의 진심은 그게 아니셨을 건데, 엄마를 몰라주는 나를 얼마나 원망하셨을까. 딸은 엄마에게 든든한 친구이자 정서적인 교감을 주고받는 존재라고 하는데 엄마에게 원수처럼 행동했다.

엄마는 요즘 세상이 흉흉하고 무서우니 딸인 나를 지켜주려는 마음에서 더 구속했던 것 같다. 하지만 엄마가 나만 외박도 허락 안 해주고, 독립은 더더욱 안 된다고 하니 배신감이 들었던 것이다. 동생은 외박하거나 새벽에 들어와도 그렇게 잔소리를 하시지 않았는데 왜 유독 나에게만 구속을 하셨는지 30대가 되고 결혼을 해보니 엄마의 마음이 조금은 이해가 된다. 그래서 나는 결혼을 하고 싶어 하는 사람들에게도 이야기한다.

"부모님의 구속과 속박에서 벗어나고 싶어서 도피처로 결혼을 하는 거면 나는 이 결혼은 다시 한번 생각해 보는 게 좋겠어. 나도 부모의 구속에서 벗어나 자유롭게 살고 싶어서 결혼을 서둘렀는데 그게 정답은 아니더라. 부모에게 벗어나기 위해 결혼을 생각하는 사람들은 결국에 결혼하고서도 불행하게 사는 사람들이 많아. 다시 한번 생각해 보면 좋겠어. 나의 경험이야."

갑상선 암에 걸린 엄마

2015년, 취업을 하고 직장생활을 하느라 울산에서 자취를 할 때였다. 회사에서 일하고 있는데 아빠에게 전화가 왔다.
"왜요? 무슨 일 있어요?"
"엄마가 건강검진을 했는데 갑상선암이란다. 수술을 해야 한다고 하네." 당황했다. 나도 모르게 눈물이 나왔다. 아마 회사만 아니었으면 소리 내어 울었을 것이다. 원래 불효를 저지른 자녀가 더 슬퍼한다고 하는데, 내가 아마 그런 기분이었나보다. 시무룩한 표정으로 통화를 하고 들어오니 직원분이 물어보셨다.

"무슨 일 있어요, 미영씨?"
"아 저 그게 엄마가 갑상선암이라고 하네요."
"아, 어떡해요. 걱정이 많으시겠네요. 갑상선암은 요즘 그나마 암 중에서 고치기 쉽다고 하니 너무 걱정하지 마세요."

나는 바로 동생에게 전화를 걸었다. "엄마, 갑상선암이래." 전화기 건너편에서 나보다 마음이 여린 남동생이 훌쩍이는 목소리가 들린다. "엄마 갑상선암이라고? 어떡해?" 동생의 울음에 나는 또다시 울컥했다. 아마 그때 눈물이 많이 났던 것 같다.

다행히 엄마는 갑상선암 수술을 무사히 끝나고 지금은 1년에 1~2번 서울의 병원에 가서 정기검진을 받고 계신다. 엄마가 갑상선 암 진단을 받았을 때 어떤 생각이 드셨을까? 어떤 기분이셨을까? 동생도 나도 직장생활을 하느라 타지에 나와 있어서 엄마의 곁에 있어 주지 못했다. 만약 내가 그 당시에 그 자리에 함께 있었다면 엄마가 어떤 심정인지 조금이나마 이해를 했을 거고 병원에도 같이 다녔을 건데 …. 엄마가 갑상선 암에 걸렸을 때 함께 있어주지 못한 게 지금 생각해도 너무 아쉽다. 그래서 이 글에 갑상선 암 진단받았을 때의 엄마에 대한 감정을 다 담지 못한다. 아마 이때 엄마에 대한 미안함이 가장 컸던 시기였다.

엄마의 갑상선 암이 완치가 되어 다행이지만 엄마는 갑상선을 제거하셔서 그런가 요즘 체력도 정신력도 많이 약해지셨다고 한다. 그리고 기억력도 안 좋아지셨다. 조금만 움직여도 피곤하고 힘이 들며, 남들이 춥다고 할 때도 혼자 덥다고 하실 정도로 체온 조절 능력도 떨어지셨다. 정신이 없어서 자주 깜빡깜빡하시고, 기억력을 조금이나마 유지하기 위해 요즘 펜 드로잉과 한자수업을 들으러 다니신다. 한때 영어 회화 수업도 열심히 들으러 다니셨다. 그리고 아빠와 단둘이 유럽과 동남아시아 여행을 다녀와 나에게 사진을 보여주며 자랑을 하셨다.

엄마가 갱년기와 갑상선암 후유증을 긍정적으로 회복하기 위해 노력하는 모습을 보니 안심이 되기도 하고 미안한 마음도 든다. 그런 엄마를 볼 때마다'다 내가 속을 많이 썩여서 엄마가 스트레스를 받아서 그런 거다'라며 자책했다. '내가 만약에 가출도 안 하고 모범생처럼 공부를 잘하고 엄마 말을 잘 들었다면 엄마는 지금처럼 아프시지 않았겠지?'라는 생각이 들어 죄책감이 들었다. 그때부터 엄마에게 조금 더 잘하는 딸이 되어야겠다는 다짐을 해보았다.

결혼을 하고 바라본 엄마

엄마가 결혼했을 당시 나이와 내가 결혼했을 때 나이는 비슷했다. 우리 엄마는 딸이라서 고생을 할까봐 항상 결혼을 늦게 하거나 하지말라고 하셨다. 딸이 고생하는 게 싫다는 게 엄마의 마음인가 보다. 하지만 나는 부모님의 속박에서 빨리 벗어나고 싶었다. 안정적이고 든든한 내 남편과 하루라도 빨리 살고 싶었다. 아마 철이 없어서 그런 생각을 했을 것이다.

남편의 나이가 결혼적령기라 나는 생각보다 일찍 결혼을 하게 되었다. 남편이 나이가 35살이었으니 급했다.

엄마는 결혼하기 전 나에게 “꼭 일찍 결혼해야해? 엄마는 너가 가고 싶어했던 대학원 보내주려고 돈도 모아놨는데. 하고 싶은 거 하고 30살 넘어서 결혼 천천히 하면 안 될까?”라는 말을 하셨다. 엄마 때문에 결혼을 빨리 하고 싶었다고 하면 우리 엄마는 아마 놀랄 것이다. 우리 엄마는 내가 결혼하고 나서 “빨리 결혼해서 나가길 잘한 것 같다. 속이 시원하다는 말도 하셨다. 우리 엄마의 진심을 알 수가 없다.

주변에 엄마 친구들 딸은 아직도 결혼을 못하고 있거나 결혼 생각이 없는 딸이 많으니 내가 시집간 것에 대해서 내심 뿌듯하신 눈치다.

그렇게 나는 결혼을 하고 엄마는 제대로 살림을 안 가르치고 시집보낸 것에 대해서 미안함과 답답한 마음을 갖고 계셨고 우리 남편 (사위)의 눈치를 많이 보셨다. 사실 우리 엄마는 첫째가 딸이어서 시어머니(할머니)로부터 온갖 잔소리와 구박을 받으셨다고 한다. 심한 정도는 아니었지만 시댁에 갈 때마다 "얼른 둘째 낳아야지. 둘째는 아들이야."와 말을 들으셨고 나에게도 "미영아, 다음엔 남자 동생으로 부탁해."라고 하시며 나에게도 남동생을 이야기하셨다고 한다. 정작 나는 기억에도 없지만 엄마가 간혹 이야기를 하셨다.

할머니가 내가 어렸을 때 돌아가시고 할아버지까지 돌아가신 이후로는 시댁에도 안가시고 시집살이도 끝나셨다. 남동생을 낳아서 그나마 아들에 대한 잔소리가 없어지셨지만 아들에 대한 압박과 시집살이 때문에 엄마는 스트레스를 받으셨다고 한다. 아빠가 막내아들이라 그나마 큰어머니보다는 시집살이를 덜 당하셨지만 아마 시누이(고모) 때문에 더 스트레스를 받으셨던 걸로 기억한다. 그래서 상견례를 했을 때도 우리 엄마는 사돈어른을 마음에 들어 하지 않으셨다. 시부모님이 나이도 많으신 데다가 말씀도 많으셔서 딸을 가진 부모로서 걱정이 많으셨다. 결혼하기 전에는 콩깍지가 씌여서 남편 하나 보고 결혼을 할 거라고 고집을 피웠다. 자식 이기는 부모 없다고 "나중에 결혼하고 나서 왜 결혼 안 말렸냐고 원망하지 말라"는 엄마의 말도 귀에 들리지 않았다.

그렇게 나는 결혼을 하게 되었고, 결혼식을 하는 내내 나는 웃고 있었다. 엄마는 또 그런 나에게 서운했나 보다. 결혼은 '집안과 집안의 만남'이라는 말을 결혼 전에는 이해하지 못했다. 결혼을 하고 7년째 살면서 시부모님 때문에 스트레스를 많이 받았다. 이래서 엄마가 "결혼할 때는 배우자의 집안도 봐야 한다"고 강조하셨구나. 왜 그렇게 내가 어린 나이에 시집간다고 했을 때 말리셨는지 이해가 되기 시작했다.

결혼을 하고 바라본 우리 엄마는 '시부모님의 잔소리와 시집살이, 남편에 맞춰야 하는 그런 삶을 우리 딸만은 살지 않기를 바라셨겠구나'라는 생각에 우리 엄마가 새삼 더 대단하고 측은하게 느껴졌다. '우리 엄마도 우리 외할머니에게 자랑스러운 첫째 딸이었을 건데 아빠한테 시집와서 고생이 많으셨겠구나.'생각에 엄마를 달리 보게 되었다.

아이를 준비하는 예비 엄마로서 바라보는 엄마

결혼한 지 7년이 되었지만, 아직 아이가 없다. 아니 정확히 말하면 아이를 갖고 싶어도 생기지 않는 '난임부부'이다. 2018년에 한 번 임신이 되었다. 하지만 11주 만에 아이의 심장이 뛰질 않아서 보내주게 되었다.

그렇게 계속 한의원과 산부인과에 다니며 노력하다가 두 번째 아이는 시험관 시술 세 번째 만에 임신에 성공했다. 신혼 3년 차까지 우리 엄마는 "좋은 소식 없어? 왜 아기 안 가져?"라며 닦달하셨다. 아기를 낳기만 하면 엄마 아빠가 봐주겠다고 하시며 첫 손주를 기다리셨다. 나는 "안 낳는 게 아니라 안 생겨서 병원 다니고 있어" 라며 엄마 아빠를 걱정시켰다. 엄마는 "결혼했는데 아이를 안 낳으면 시댁에서 뭐라 안 하냐"며 오히려 내 걱정을 더 하셨다.

첫 임신 소식을 알렸을 때 우리 엄마는 너무 좋아하셨다.
먹고 싶은 거 있으면 챙겨주셨고, 입덧을 한다고 했을 때 걱정을 하셨다. 하지만 아이의 유산 소식을 알리고 몸조리 겸 집에 한 달 정도 와 있었다. 남편이 일부러 휴가를 내서 나를 돌보려고 했는데 엄마가 사위랑 같이 내려오라고 해서 나는 엄마의 관심을 받으며 한 달 정도 몸조리를 했다. 무조건 엄마가 해준 밥 먹고, 찬바람 쐬면 안되서 따뜻한 이불속에 누워있는 시간이 좋았다. 엄마는 "아직 엄마 될 준비도 안 된 어린애 같이 보이는 애가 애기를 가진다고 하니 걱정이 많다."는 말을 늘 하시곤 했다. 엄마가 젊은 나이에 엄마가 되었는데 또 환갑도 안 된 나이에 할머니가 된다고 하니 걱정이 많으셨다.

결혼한 지 5년이 넘어가고 한번 유산 경험이 있어서 점점 임신에 대한 압박은 하지 않으셨다. 오히려 내가 시험관 아기를 한다고 말했을 때 “나는 너가 임신을 안 하길래, 애 낳을 생각이 없는 줄 알고 말 안 했지. 요즘 아기 없이 사는 부부도 많다는데 너도 그냥 힘들게 시험관 하지 말고 그냥 둘이서 잘 살아.”라고 하였다. 나는 나도 아기를 원하지만 남편이 더 아이를 원하고 있다고 말하니 “그럼 진즉에 나이가 한 살이라도 어릴 때 노력하지. 너희 남편 이제 나이가 40이 넘었는데 언제 낳아서 언제 키우려고 그래?”라며 부모의 입장에서 조언을 하였다.

두번째 유산을 했을 때 엄마는 멀리 살아서 더 걱정이 되었는지 미역과 내가 좋아하는 밑반찬들을 잔뜩 만들어서 택배로 보내주셨다. 남편은 엄마에게 전화해서 미역국을 끓이는 방법을 물어보고 열심히 끓여주었다. 엄마가 되진 않았지만 예비 엄마로서 우리 엄마를 바라보니 또 다른 기분과 느낌이 든다.

엄마도 엄마가 처음이라 많이 서툴고 입덧 때문에 더 힘들었을 건데 나는 엄마가 나만 차별한다고 서운해하고 힘들게 했던 것들이 주마등처럼 떠올라 엄마에게 미안한 마음이 많다. 엄마는 내가 첫 자식이라고 오히려 더 애정을 가지고 키웠을 건데…

이번에 다섯번째 시험관 시술에 성공하여 우리 엄마에게 손주를 안겨드리고 싶다. 엄마로서는 많이 서툴렀지만, 나를 키워본 경험이 있으시니 손주는 왠지 애정을 가지고 잘 봐주실 것 같은 기대감이 생긴다. 여자는 결혼하고 아이를 낳아봐야 친정엄마의 마음을 안다고 아이를 낳으면 철들겠지. 내가 아이를 낳고 싶은 이유 중 가장 큰 이유는 조금이라도 엄마의 마음을 이해하고 싶어서이다.

내가 아이를 낳고 키워봐야 엄마의 수고와 노력을 이해할 것 같고 손주를 보는 게 부모님에게는 또 다른 효도라고 생각한다. 엄마가 벌써 올해 환갑이시다. 엄마에게 많은 잘못을 한 만큼 엄마가 살아 계시는 동안 잘 해 드려야겠다.

에필로그

철없을 땐 엄마를 원망하고 엄마에게서 빨리 벗어나고 싶었다.
결혼하고 엄마를 조금씩 이해하기 시작하였다

엄마에 대한 글을 쓰면서 내가 그동안 많이 철없이 굴었던 행동들이 스쳐 지나가면서 눈물이 난다. 엄마가 예전에 "너 닮은 딸 낳아봐야 엄마 마음을 알지."라고 했을 때 엄마는 나에게 왜 저주를 퍼붓는 거냐며 큰소리 쳤는데 진짜 나를 닮은 딸을 낳으면 그 마음을 조금은 알 것 같다.

엄마는 나를 미워하거나 싫어했던 게 아니라 내가 첫 자식이라 어떻게 해야 할 지 방법도 몰랐고 도움을 받을 사람이 없어서 더 힘들어했던 것이다. 내가 태어났던 1980년대는 육아용품도 많이 없었으며 천 기저귀를 사서 빨아서 입힐 정도로 우리 엄마가 나를 키울 당시에는 많은 것들이 부족했다. 그런 상황에서도 우리 엄마는 나를 잘 키우기 위해 노력하셨고, 아는 사람 없는 낯선 포항에 와서 아빠와 나에게 부족함이 없이 가정을 꾸리기 위해 혼자서 애 쓰셨을 것이다.

청소년기에는 사춘기라는 핑계로 엄마를 힘들게 했고, 성인이 되어서는 나도 먹고 살기 바쁘다는 핑계로 엄마의 마음에 못을 박았다. 엄마도 나에게 서운한 감정이 많으셨을 건데 나만 엄마에게 상처를 받았다는 생각으로 이기적으로 굴었다. 엄마의 진심은 그게 아니었을 건데 엄마의 마음을 결혼하고 아이를 임신하려고 준비하는 과정에서 조금이나마 느낄 수 있었다.

인독기 (인스타로 독서습관 기르기)에서 엄마에 대한 글을 공저로 써보자고 했을 때 망설임 없이 신청을 하였다. 하지만 엄마에 대한 글을 쓰는 내내 마음이 아려왔다. 유독 엄마에게 못되게 굴었던 내가 엄마에 대한 글을 쓸 자격이 있을까, 엄마가 이 글을 읽으면 무슨 생각을 하실까 하는 생각에 후회를 했던 순간도 있다. 하지만, '엄마에 대한 헌정글'이라는 생각을 하며 글을 써내려가니 한결 마음이 편해졌다.

아직도 나는 나이에 비해 철이 없는 철부지 딸이다.
아기를 낳고 나면 엄마에 대한 마음가짐과 행동이 달라지겠지 우리 엄마는 내가 손주를 낳으면 어떤 기분이실까? 나에게 했던 것처럼 강하게 키우실까? 아니면 오히려 손주라서 다정하게 키워 주실까? 궁금하다. 얼른 이쁜 손주를 낳아서 엄마의 품에 안겨드리고 싶다. 손주를 통해 못다 한 효도를 하고 싶다.

엄마, 내가 많이 미안했어. 이제라도 내가 잘할게.

엄마에 대한 글을 쓸 수 있도록 자리를 마련해주신 인독기리더 주희님과 공저책 코치님인 유진님에게 지면을 빌어 감사 인사를 드리고 싶다.

감사합니다.

엄마를 추억하고 싶어 기록을 시작했다

박경화

엄마를 추억하고 싶어 기록을 시작했다.

박경화

아름다운 출산

엄마에 대한 로망이 있었다. 젖살이 포동포동 오른 아기를 유모차에 태우고 한가롭게 산책하는 일. 까맣고 고요한 아기 눈동자를 마주 보며 옹알이에 대꾸해주는 일. 뒤집고, 기고, 걸음마를 떼는 모습을 성장일기로 남겨두는 일을 늘 꿈꿔왔다.

자주 다니던 산부인과에서 두 줄로 선명하게 나타난 임신 검사기를 확인했을 때 기분은 정말 대단했다. 마치 하늘을 나는 듯 가슴은 두근거리고, 아무나 잡고 엄마가 된다며 자랑을 하고 싶어 입이 근질근질했다. 임신 소식을 알리니 전화기 너머로 흥분된 남편의 목소리가 기쁘게 전해졌다. 그날 밤 우리는 초음파 사진에 찍힌 작은 점을 밤하늘 빛나는 별처럼 한참 동안 바라보았다. 두 손을 꼭 잡고서 좋은 엄마 아빠가 되자고 약속했다.

임신 초기라 안전하게 착상이 될 때까지 조심하라는 말을 들었지만, 회사에 다닐 때라 절대 안정 상태를 지켜가기란 만만치 않았다. 유난히 몸이 무겁고 피곤했던 날 갑자기 피가 비쳐 급하게 산부인과에 갔었다. 초음파기구로 이리저리 자궁 안을 들여 봤지만, 아이가 보이지 않았다. 듣기에도 생소한 계류유산이었다. 배 속은 다시 정적에 휩싸인 어두운 동굴이 되었다. 산부인과라는 곳은 어쩜 이토록 한순간에 기쁨의 장소에서 절망의 공간으로 변할 수 있는 걸까? 계류유산을 일으키는 원인을 찾아보니 태아의 염색체 이상이며 태아의 기형, 산모의 내, 외과적 질환, 황체호르몬 이상과 같은 내분비 이상일 수 있다고 쓰여있었다. 살다 보면 인력으로는 어쩔 수 없는 일이 있다는데 자연유산도 그러했다. 유산도 출산과 마찬가지로 몸의 회복을 위해 신경을 써야 한다는 이야기를 들었지만, 손주를 기다리던 시부모님과 한없이 기뻐하던 남편을 볼 낯이 없어서 몸을 챙길 생각도 하지 못했다.

하얀 토끼가 품에 안기는 꿈을 꾸고 두 번째 임신 소식을 들었다. 불안과 기쁨이 교차했다. 결혼만 하면 자연스럽게 엄마가 되는 줄 알았지만, 유산의 아픔을 겪으면서 아이를 갖고 낳는 것이 절대 만만치 않은 일임을 깨달았다. 두 번 다시 같은 아픔을 겪고 싶지 않았다. 회사를 그만두고 태교에 전념하기로 했다. 좋은 엄마가 되고 싶어 출산과 육아서적을 읽으면서 공부했다. 도서관에서 예쁜 그림 동화를 빌려다가 아기에게 들려주었다. 임신 초기는 조용하고 평화로웠다. 바람대로 배 속 아기는 건강하게 무럭무럭 자라주었다. 그러던 어느 날 낯선 할머니와 함께 있는 아기를 꿈속에서 만났다. 할머니는 자신이 잘 돌보고 있었다며 아기 얼굴을 보여주는데 신기하게도 태어날 아이 얼굴과 똑같았다. 예지몽인지는 알 수 없었지만 꿈을 꾼 그날부터 불안감은 씻은 듯 사라졌다. 아이가 내 곁에 머물러 줄 것을 느낄 수 있었다.

안정기에 접어들어 고운 빛깔의 임신복을 사고, 주변 지인들에게 소식을 알렸다. 입덧은 심하지 않았지만, 동짓날 친정엄마가 해주신 팥죽이랑 아삭아삭한 복숭아가 먹고 싶었다. 친정은 멀고 노모는 바빴다. 남편이 단팥죽과 황도 복숭아 통조림을 사 왔지만 기대했던 맛이 아니라며 투정을 부렸다. 임신 기간에는 원초적 본능에 충실해지는가 보다. 그때 먹지 못했던 아쉬움이 지금도 생생하게 기억날 만큼 먹는데 진심이었다.

초음파 사진이 쌓이고, 배 속의 아기도 사람의 형체를 다 갖춰갈 무렵 자연분만하겠다며 전문병원으로 옮겼다. 기다렸지만 출산 예정일을 일주일을 넘겨도 아이가 태어날 기미가 보이지 않았다. 더 커지면 출산이 어렵다며 담당의가 입원 후 유도분만을 권유했다. 출산이 처음이라 의사 말을 무조건 믿었다. 산모가 병원에 늦게 갈수록 의사가 개입할 여지가 적어지고, 제왕절개를 할 가능성도 적어진다는 말이 있다. 제왕절개를 할 필요가 없는 산모들이 너무 일찍 병원을 찾았다는 이유만으로 수술할 수밖에 없는 상황이 된다는 뜻이다. 드라마에서 배우들이 출산의 고통을 연기하는 모습을 본 게 고작이었다. 그만큼 출산에 대해 무지했다.

새벽까지 기다려도 진통이 오지 않아 분만 유도 촉진제를 맞고 기다렸는데 갑자기 진통이 훅 밀려왔다. 침대에 가만히 누워있으라는 말 외엔 어떻게 해야 하는지 알려주는 의료진도 없었다. 무엇 때문에 자연분만 전문병원이라고 부르는지 궁금했다. 종합 병원이라 그런지 그날따라 분만실은 산모들로 북새통이었다. 저마다 진행 상태가 다 달라서 여기저기서 비명을 지르는 소리가 아비규환을 방불케 했다. 지나가는 간호사에게 언제 아기가 나오냐고 물으니 아직 멀었다는 말만 되풀이할 뿐이다. 책으로만 읽었던 분만 시 호흡도 고통이 밀려오니 잘되지도 않는다. 산모가 호흡을 제대로 하지 못하니 배 속의 아기가 더 힘들었을 것이다. 진통 간격이 짧아지고 강도는 세지는데도 여전히 출산이 멀었다는 말에 더 버틸 수가 없었다. 아이가 잘 견뎌내지 못하는 것 같다는 말에 아플 건 다 아프고 제왕절개로 출산을 했다. 진통 중 도움이 필요할 땐, 보이지 않던 의료진들이 수술해달라는 말에는 즉시 달려왔다. 담당의도 수술실에서 겨우 볼 수 있었다. 아기를 제일 먼저 안아보겠다고 부분 마취를 선택해 의식이 말똥한 채 누워있는데 그동안 의료진들은 주말에 등산하러 갔던 이야기들을 하며 웃었다. 맞다! 그들은 직업이 의료진일 뿐 산모의 감정 따윈 신경 쓰지 않았다. 세상 밖으로 나오자마자 엉덩이를 한 대 맞은 아기는 자지러지듯 울어 댔는데 가슴에 올려두었더니 금방 울음을 그쳤다. 아기와의 첫 만남은 아주 짧은 순간이었지만 한 번도 경험해보지 못한 벅찬 느낌에 울컥했다. 평온을 찾은 아기를 바라보는 기쁨도 잠시뿐이었다. 간호사가 아기를 안아 신생아실로 데려가려고 하니 다시 울음을 터뜨렸다. 안타까움에 내 눈시울도 함께 붉어졌다.

돌아보면 참 무지했다. 출산에만 신경을 썼고, 한동안 안고 가야 할 문제인 모유 수유에는 미처 관심을 두지 못했다. 시어머님이 돌봐주시는 일주일 동안 출산의 고통과 맞먹는다는 젖몸살을 겪다 보니 엄마 품에 안겨서 모유 수유를 하는 평화로운 아기 사진은 조작이라 의심할 만큼 꿈같은 장면이었다. 돼지족 삶은 미역국을 한 대접씩 먹어서 모유량은 늘었지만, 마사지를 충분히 해주지 못한 탓에 유선이 막히고 벌겋게 부어서 아프기 시작했다. 얼굴이 빨개지도록 애를 써도 양껏 먹지 못해 아기는 배고파 울어댔다. 산후조리는커녕 젖몸살로 밤잠을 설치고 고생을 하다가 한 달이 채 지나기 전에 분유로 바꿨다.

첫 출산의 아쉬웠던 점을 떠올리며 둘째는 계획적으로 준비했다. 첫 아이를 제왕절개로 출산한 후에 둘째 아이를 자연분만하는 것을 브이백(V-bac)이라고 하는데 아이를 가지려 노력할 때 브이백을 준비했었다. 아름다운 출산이라는 인터넷 카페에서 브이백을 경험한 산모의 수기들을 읽으며 첫 출산의 과정을 떠올렸다. 분명 첫 출산은 행복하지 않았었다. 산모가 주인공이 되는 아름다운 출산을 하고 싶었다. 브이백을 결심했을 때 제왕절개 이후 출산은 선택의 여지가 없다는 인식 때문에 걱정하는 사람들이 많았다. 주위에서 그럴수록 자연분만에 대한 갈망은 강해졌고 수소문 끝에 브이백 전문병원으로 옮겼다. 과거에 자연분만한 경험이 있거나 태아가 작은 경우, 37주~40주 사이에 진통이 저절로 생기면 성공할 확률이 높단다. 전 출산에서 아기 머리가 크고, 산모의 골반이 무척 작아서 정상 분만이 어려웠던 경우에는 성공률이 낮아진다고 한다. 브이백은 수술하지 않기 때문에 수술로 인한 감염 · 출혈 · 합병증

• 마취에 대한 위험성이 낮고, 회복시간도 빠르고 심리적으로 만족감도 높다는 장점이 있지만, 자궁파열 경험이 있거나 자궁염증으로 고열이 발생했을 때, 방해되는 합병증이 있을 때는 브이백을 해서는 안 되는 경우라고 한다.

임신 5개월 차에 진입했을 때 담당의는 양수 검사를 하라고 권했다. 간호사 설명을 들으니 양수 검사 부작용의 확률과 다운증후군일 확률이 거의 비슷하고, 정상이 잡혀도 기형아가 태어날 수 있으며, 그 반대일 경우도 있다는 것, 양수를 뽑아낼 때 태아가 엄청나게 스트레스를 받을 수 있다는 이야기가 나왔다. 담당 의사는 아이가 장애를 갖고 태어나면 부모에게나 아이에게나 평생 짐이자 굴레라고 말했지만 만에 하나 아이에게 문제가 있을 가능성이 있다 해도 낳을 생각이라며 양수 검사를 받지 않겠다고 했다.

분만 날짜가 가까워지자 주말마다 남편과 함께 출산 교실을 찾아 분만 시 호흡법을 배웠다. 혼자 있을 때도 머릿속으로 출산의 과정을 상상하면서 진통이 왔을 때 호흡하는 연습을 반복했다. 큰아이를 유치원에 데려다주고 오는 길에는 공원에 돗자리를 깔고 누워서 하늘도 보고 바람도 느끼며 마음을 다스렸다.

출산 당일 새벽에 진통이 시작되어 시부모님께 연락을 드렸다. 평소처럼 집안일을 하면서 출산 가방을 챙겼다. 분만 촉진제를 맞았던 첫 출산 때와 달리 진통은 서서히 일렁이듯 왔다. 미리 익혀둔 호흡에 집중하면서 자연스럽게 진통을 받아들였다. 저녁을 지어먹고 아이를 재운 뒤에 양수가 터져 남편과 병원에 갔다.

출산은 순조롭게 진행됐다. 관장한 뒤에도 침대에만 누워있지 않고 앉아서 몸을 움직일 수 있었다. 분만실에는 미리 준비해 간 김도향의 태교 음악을 틀어 두었다. 진통의 간격이 3분~2분 간격으로 좁혀졌을 때 남편의 부축을 받으며 몸을 일으켜 앉아서 깊게 호흡을 들여 마셨다가 진통이 멎으면 다시 침대에 누워서 쉬기를 반복했다. 잠자리에서 들었던 태교 음악은 진통으로 흔들리는 마음을 안정시켜 주었다. 진통의 강도가 점점 세지고, 간격이 짧아질수록 배 속의 아기에게 힘을 실어주는 호흡에 집중했다. 출산 과정은 남편과 아기와 함께 하는 평화로운 여정이었다. 4시간가량의 진통 끝에 태어난 아기는 건강했고, 태어나자마자 아빠와 눈을 마주치며 교감할 정도로 평온했다. 잠시 후 남편이 탯줄을 자르는 것까지 물 흐르듯 자연스럽게 이루어졌다. 무엇이든 처음이 서툴고 힘든 법이라더니 출산도 예외는 아니었다. 모유 수유도 둘째라 그런지 젖몸살이 심하지 않아 두 돌이 지날 때까지 충분히 먹였다. 겨우 한 달 남짓 수유를 했던 첫째 때의 아쉬움을 달랠 수 있었다. 바닥에 내려놓기만 하면 울어대던 예민한 첫째와는 달리 둘째는 온순하고, 안정적이었다. 두 돌이 지날 때까지 첫째는 밤마다 업고 아파트 공원을 산책하면서 재워야 했는데, 둘째는 곁에 누워 자장가를 부르며 토닥여 주기만 해도 스스로 잠이 들었다. 분만 과정에 참여한 후로 남편도 달라졌다. 아이의 표정만 봐도 무엇을 원하는지 알아차렸다.

우리나라는 세계에서 유래를 찾아보기 힘들 정도로 자연주의 출산율이 매우 낮다고 한다. 출산 고통에 대한 막연한 두려움 때문에 수술을 결정하는 것은 잘못된 생각이다. 첫 출산이 수술일 경우 둘째를 자연분만으로 선택 시 위험이 커지고, 재수술이 갖는 합병증의 위험성도 증가한다. 경험상 출산 시 호흡에 집중하고 두려움을 갖지 않는다면 고통은 충분히 견딜 수 있는 정도다. 의사 주도였던 첫째 출산은 혼자서 오롯이 감당해야 하는 공포로 기억된다. 반면 둘째 때는 산모와 아이가 주인공인 자유롭고 평화스러운 출산이었다. 새벽부터 진통이 시작되었을 때 다가올 출산 과정을 상상하며 마음의 준비를 했다. 충분히 임신과 출산 과정을 공부한 덕분에 진통이 출산을 도와주는 자연스러운 촉진제라 여겼다. 꼼짝없이 병원에 누워서 진통을 견뎠던 첫째 때랑 달리 복식 호흡으로 진통을 조절하면서 청소하고, 시장을 보고, 저녁을 지어 먹고, 큰아이를 재웠다. 양수가 터져서 병원으로 이동할 때도 진통보다는 아기를 만난다는 생각에 집중했다. 출산 과정 역시 남편이 적극적으로 함께 참여해줘서 든든했다. 브이백을 성공하게 한 요인은 남편과 함께 출산 교실을 다니면서 호흡법을 익히고, 진통을 자연스럽게 이해하게 되었기 때문이었다.

추억으로 기억되는 임신과 출산 과정을 통해 내 몸과 마음을 더 깊게 이해할 수 있었다. 누구나 평화롭고 아름다운 출산을 꿈꾸지만 '아름다운 출산'은 산모가 자신의 몸과 마음을 공부하고 가족 모두가 출산 과정에 함께 힘을 모을 때 비로소 가능함을 배웠다.

아이와 함께 자라는 엄마

아이를 품고 있을 때는 일단 낳기만 하면 될 줄 알았다. 출산만 하면 가장 큰 고비를 넘기는 거라 여겼다. 주변 엄마들이 농담 삼아 "아기는 잠들었을 때만 천사야."라고 말해도 어색한 미소만 흘렸을 뿐 공감하지 못했다. 새근새근 잠이 든 아기. 아기를 품고 따스한 미소를 짓고 있는 엄마. 그 둘을 지켜보는 세상을 다 얻은 표정의 듬직한 아빠, 벚꽃이 눈처럼 날리고 개나리가 흐드러진 여의도 벚꽃 길을 유모차를 끌고 산책하고 있는 모습이 내가 상상하던 그림이었다. 아기만 태어나면 그림 속 주인공이 될 줄 알았으나 핑크빛 환상이 깨지는 데는 그리 오랜 시간이 걸리지 않았다.

아기는 매 순간 보호가 필요한 무기력한 존재였고, 엄마의 사정 따윈 아랑곳하지 않는 자기 본능에 너무나도 충실한 에고이스트였다. 시어머님이 일주일간 돌봐주신 덕에 몸을 추스를 수 있었지만 그뿐이었다. 시골로 내려가신 그날부터 홀로 육아를 감당해야만 했다. 친정엄마는 노쇠하고 너무 멀리 계셨고, 남편은 출장과 야근이 잦았다. 태교하며 육아 서적을 탐독했지만, 그때 읽으며 고개를 끄덕이던 문구들을 실제로 적용하려고 보니 간격이 너무 컸다. 이론과 실전은 달랐다. '엄마가 아이의 원초적 욕구와 요구에 반응하는 상태와 방식에 따라 아이의 많은 것이 결정되므로 아이를 위해 모든 것을 쏟아부어야 한다.'라는 말은 이상적인 엄마가 되지 못하고 있다는 죄책감과 부담감으로 다가왔다. 원칙과 일관성이 중요하다며 아기가 보채도 정해진 시간에만 수유하고, 아기가 깨었더라도 바로 안아주지 말고 지켜보라는 말들은 딴 세상 이야기 같았다.

아이는 수시로 깨서 보챘다. 젖을 먹이고 기저귀를 갈아줘도 손을 탔는지 바닥에 등만 닿으면 기겁하듯 울었다. 그래서 늘 안고 있어야만 했다. 아기가 잠든 틈에 밀린 집안일을 했다. 기저귀와 옷을 삶고 빨고 하느라 늘 숨이 턱까지 차 있는 상태였다. 출산 전에는 맛을 음미하며 천천히 밥을 먹어서 미식가란 소리도 듣곤 했는데 아이를 낳은 후에는 미역국에 밥을 말아 후루룩 마실 수만 있어도 감지덕지했다. 그마저도 울음소리가 나면 숟가락을 던지고 뛰어가야 했다. 그때 식사는 기쁨과 동떨어진 별개의 행위였다. 입맛도 없는데 꾸역꾸역 밥을 넘기고 있을 때면 마치 모유 수유를 위한 의식을 치르는 심정이었다. 흡사 젖소가 된 기분이었다.

아기는 우는 것 외에는 자신의 욕구를 전달할 방법이 없다. 기어 다니기 시작해서 걸음마를 배울 때까지가 보호자의 손길이 가장 많이 필요한 시기다. 문제는 그 시기가 출산으로 무너져버린 산모의 몸을 돌볼 회복기이기도 하다는 점이다. 나의 하루는 아기를 중심으로 돌아갔기에 내 몸을 돌볼 시간 따윈 없었다. 결국, 팔과 어깨가 굳어지는 통증 때문에 뼈 주사를 맞고 팔에 압박 붕대를 하는 지경까지 이르렀다. 의사는 출산 후 수유가 칼슘 분비량을 낮춰서 뼈가 약해졌단다. 햇빛을 보며 충분한 운동을 하고, 골밀도를 높일 영양가 있는 식사를 하라는 처방이 내려졌다. 노력이 필요한 건 실감했으나 당시는 그림의 떡이었다. 진통제를 삼키며 버티는 날이 이어지자 산후 우울증까지 앓게 되었다. 마치 스산한 들판에 혼자 바람을 맞고 선 기분이었다.

남편 회식이 있던 날이었다. 그날따라 열도 나지 않고, 아픈 데가 없는데도 초저녁부터 울기 시작한 아기는 안아도 업어도 달래지지 않았다. 기저귀를 확인하고, 젖을 먹이려고 해도 도리질하며 울었다. 툭하면 울컥해지던 걸 애써 삼키며 견디던 중이라 결국엔 나도 함께 목 놓아 울어버렸다. 한번 터진 울음은 그칠 줄을 몰랐다. 두려움 속에 낳은 아이를 혼란 속에 키우며 앓았던 고독감, 힘에 부치는 가사노동 앞에서 느꼈던 무기력과 엄마 역할을 제대로 해내지 못하고 있다는 죄책감까지 더해져 눈물은 통곡이 되어 흘렀다. 한참을 꺽꺽대며 울고 있으니 자기보다 더 큰 소리에 놀랐는지 아기 울음이 뚝 하고 그쳤다. 도대체 무슨 일이냐는 듯 나를 올려다보는 아기의 눈과 마주쳤다. 말똥말똥한 아기의 눈망울을 보고 있노라니 어느새 눈물은 그치었다. 거울 속엔 얼굴이 퉁퉁 부은 초점 잃은 눈빛의 낯선 여자가 나를 바라보고 있었다. 눈물 자국을 급하게 찬물로 씻어낸 후 아기를 둘러업고 바깥으로 나왔다.

어둠이 짙게 내려앉은 적막감마저 감도는 골목길, 행여나 남편 발소리가 들려올까, 귀를 쫑긋거리며 고개를 빼 들고 기다렸지만 차가운 바람만 휑하니 스칠 뿐 그날따라 개미 한 마리 보이지 않았다. 또다시 콧날이 시큰해져 올려다본 하늘에는 아리도록 슬픈 초승달만이 희뿌옇게 어렸다. 등에 업힌 채 잠든 아기를 침대에 눕혔다. 얼마나 시간이 흘렀을까 깜박 졸다가 남편이 돌아오는 소리에 벌떡 몸을 일으켰다. 저 상태로 어떻게 집은 찾아왔을까 싶을 정도로 만취한 남편에게 하소연도 할 수 없었다. 술 냄새를 풍기며 코를 고는 남편이 야속해 또다시 눈앞이 흐려졌던 기나긴 밤이었다.

기분 변화뿐 아니라 출산 후에 일어나는 예기치 않은 몸의 변화들도 만만치 않았다. 본래 머리숱이 적었는데 샴푸를 하면 머리카락이 뭉텅뭉텅 빠졌다. 이러다 큰일 나겠다 싶어 찾아가니 의사는 출산 후 에스트로겐의 분비량이 감소하게 되어 일어난 일시적인 현상이니 걱정하지 말란다. 균형 있는 영양 섭취와 머리 손질에 신경 쓰라는 당부만 돌아왔다. 허겁지겁 허기를 달래는 식사와 아기가 잠든 시간에 집안일을 해치우는 일과 속에서 의사의 당부는 묻혔다. 이후로도 머리카락은 빠지고 메우기를 반복했다. 숨겨둔 우렁이 각시도, 가까운 친정도 없는 초보 엄마가 넘어야 할 고비는 첩첩산중이었다. 출산 후에 마주한 변화를 솔직히 인정하고 받아들이기까지는 오랜 시간이 걸렸다. 엄마 역할에 적응하는 데는 그보다 더 많은 시간이 필요했다. 마냥 행복하기만 할 것 같았던 출산 후 일 년은 혼자 남겨진 듯 아프고, 외롭고, 슬펐다.

아기가 걸음마를 하면서부터 본격적인 세상 나들이를 시작했다. 하루가 다르게 커가는 아기에게 더 넓은 세상을 보여주고 싶었다. 돌쟁이를 업고 백화점 문화센터, 어린이 박물관, 미술관 등을 버스랑 지하철로 돌아다녔다. 잠든 아기는 더 무거워지는지 집으로 돌아오는 길에는 늘 파김치가 되곤 했었다. 겨우 집에 도착하면 손가락 하나 움직일 힘도 남아 있지 않았다. 아기랑 함께하는 외출은 혼자 다닐 때와는 비교가 되지 않게 번거롭고 힘이 들었다. 기저귀부터 간단한 이유식까지 챙겨야 할 짐이 많아 자가용이 절실했다. 사실 결혼 전 운전면허를 땄었다. 결혼한 뒤 직접 연수를 시켜준다던 남편은 운전이 위험하니 평생 전용기사가 돼 주겠다며 말을 바꿨다. 달콤한 사탕발림으로 무산된 도로연수는 2종 보통 운전면허증이 무사고 녹색 1종 보통 면허증으로 바뀐 지금까지도 유보된 상태다. 명목은 아기를 위한 외출이었지만 사실 세상과 단절된 듯한 두려움 때문이었다. 출산 후 늘 사람들이 그리웠다. 또래 엄마들과 수다를 떨다 보면 막연한 불안감이나 고단함이 혼자만의 것이 아니라는 생각에 위로가 되었다.

맘 카페에 가입하면서부터 조기교육 열풍에 휩쓸려 선물 받은 돌 반지를 책으로 바꿨다. 아이 교육이 금보다 귀하다 여겼다. 아이를 위하는 마음이면 다 괜찮은 줄 알았다. 마음이 앞서 선택한 무리한 양육방식은 예기치 못한 부작용으로 나타났다. 당시 엄마들 사이에서는 이중 언어를 가르쳐서 언어 천재를 만드는 게 유행이었다. 마케팅은 이슈를 놓치는 법이 없었다. 때마침 그런 종류의 책과 오디오 세트가 쏟아져 나와서 욕망을 부추겼다. 저자의 조언대로 영어에 자연스럽게 노출 시키고자 어린이 영어 서점을 뻔질나게 드나들며 프로그램에 참여하고, 영어교재를 사들였다. 아이의 장밋빛 미래를 꿈꾸며 부푼 기대로 마음이 콩닥거렸다. 아이를 위한다는 구실이었지만 이면에는 남에게 뒤처질까 하는 불안과 두려움이 있었다.

겨우 말문이 트여서 옹알이를 벗어난 아기에게 영어 동화나 동요를 들려주며 영어로 말을 거느라 열심을 냈었다. 아기들은 스펀지로 물을 빨아들이듯이 환경을 흡수한다는 말이 있다. 처음엔 까만 눈동자를 말똥이며 엄마가 하는 양을 지켜보기만 했었다. 그러다 노래하고, 춤추며, 간식을 건네고, 동화를 들려주며 속삭이는 엄마 영어에 반응을 보이기 시작했다. "역시! 노력은 배신하지 않는 법"이라며 속으로 쾌재를 불렀다. 남편도 신기한지 아기 반응을 즐겼다. 엄마와 보내는 시간이 많다 보니 아기는 영어환경에 자연스럽게 노출되었고 의도대로 따라오는 듯 보였다. 그런데 어느 날인가 남편이 "누구 아들이야?" 하며 장난을 걸었는데 아이는 멀뚱멀뚱한 표정으로 아빠를 올려다보았다. 평소와 다른 반응에 놀라서 바라보다 어느 순간부턴가 아기가 영어에만 반응하게 된 것을 깨닫고 덜컥 겁이 났다. 한국어를 알아듣지 못했던 것이었다. 말이 늦되는 아이로 만들 뻔했다.

책을 찾아보니 영유아들의 뇌는 감각기관으로 입력되는 단순한 감각자극으로도 충분하단다. 영유아기의 학습은 눈으로 보고 손으로 만지며 냄새를 맡고 소리를 듣는 오감을 통해서 자기식의 개념을 만드는 과정이었다. 그 과정을 통해 아기의 뇌는 문자와 상징의 개념을 이해할 수 있을 정도로 성숙해진다. 마음만 앞서는 사랑과 관심 대신 아이 발달의 정확한 이해가 먼저다. 돌이켜보면 아이를 키우면서 받았던 스트레스의 절반은 일어나지 않은 미래를 불안해하는 데서 왔다. 오지 않을 미래를 걱정하느라 아이와의 소중한 현재를 즐기지 못했다. 덕은 흘러내리는 것이지 가르치는 것이 아니듯이 좋은 부모는 그저 아이에게 좋은 사람이면 족하다는 말이 있다. 욕심으로 뭔가를 자꾸 심어주기보다 더 길게 보고 매일, 오랫동안 좋은 영향을 주기로 했다.

그때부터 내 아이를 위한 맞춤 육아를 시작했다. 백화점이며 문화센터를 향하던 발걸음을 돌려 숲과 공원을 산책했다. 아이의 눈길이 머무르는 곳, 발걸음이 향하는 것들에 시간을 들였다. 하늘, 흙, 나뭇가지, 돌멩이, 풀꽃, 개미들…. 아이를 둘러싼 세상 모든 것들이 장난감이었고, 놀이였고, 배움터였다. 그 속에서 걷고, 뛰고, 뒹굴며 아이는 점점 단단해져 갔다. 해가 뜨면 아이랑 함께 자연 속에서 일없이 노는 시간을 충분히 누렸다. 그러다 밤이 되면 남편을 기다리며 아이랑 함께 그림책을 읽었다. 남편의 귀가가 늦어지면 아빠를 찾는 아이의 음성을 카세트에 녹음시켜서 그리움을 저장했다. 매일 그렇게 아이랑 함께 놀다 보니 어깨를 짓누르던 엄마라는 무게가 조금씩 가벼워졌다. 비록 느린 속도였지만 차츰 엄마라는 역할을 즐길 정도로 나아졌다.

출산 후 몸을 회복하고 마음을 추스르는 데 꼬박 일 년이 걸릴 만큼 힘들었다. 그래도 엄마 역할은 내 삶과 영혼을 한 단계 높은 차원으로 이끌어주었다. 아기와 엄마는 서로를 키워가는 관계였다. 아이가 한 뼘씩 자랄 때마다 내 마음도 그만큼 성장했다. 초보 엄마 시절을 떠올리며 글을 쓰다 보니 그동안 아이 발달단계에 맞는 지원을 해주었나? 라는 질문과 반성이 이어진다. 또한, 지금 알고 있는 것을 그때 알았더라면 하는 아쉬움도 새록새록 올라온다. 하지만 처음부터 엄마가 아니었기에 실수도 있었고, 상처가 있는 연약한 사람이었음을 고백한다. 그때는 최선이었고, 좋은 엄마가 되기 위해 노력했으니 그것으로 되었다. 엄마가 된 후에 어려움과 힘든 순간들도 있었지만, 엄마로 사는 삶이 끊임없이 사랑과 성장을 추구하는 지금의 나로 이끌었다. 여전히 행복한 꿈을 꾸며 내 아이들의 엄마로 살아가고 있는 지금이 참 좋다.

오늘을 살아가는 딸에게

엄마가 되면서부터 나를 잊고 살고 있다는 생각이 문득문득 가슴을 짓눌렀다. 가족은 한 사람만의 희생으로 지탱되기에는 너무 버거웠다. 그동안은 아이가 어리고 엄마 손을 절대적으로 많이 필요했었기에 나름대로 최선을 다했었다. 감정을 표현하고 스스로 할 수 있는 것이 많아지는 아이를 보며 아이 양육으로 잠시 내려놓았던 나를 다시 찾기로 했다. 내가 좋아하고, 하고 싶은 것이 무엇인지 곰곰이 생각했다. 전업주부의 삶보다 내 이름을 되찾고 싶었다.

남편의 반대를 무릅쓰고, 둘째가 네 살 되던 해, 다시 일을 시작했다. 아이가 아플 때나, 학부모 참여 수업, 입학식과 졸업식 등 엄마가 필요한 자리가 생길 때마다 흔들렸다. 하지만 엄마라는 이유로 자기를 포기했던 나의 엄마처럼 살고 싶지 않았다. 딸아이에게도 자신의 삶을 당당하게 지켜가는 모습을 보여주고 싶었다. 마음이 약해질 때마다 가장 많이 했던 말은 "가족은 운명공동체"였다. 아이들에게 제 몫의 역할을 당부하고, 급할 때 남편 도움을 받으면서 일을 놓지 않았다. 딸아이가 점점 자라서 엄마 인생을 이해할 즈음에는 행복한 엄마로 그려주기를 바랐다.

오후 4시경이면 아이들이 하원을 하는데 우리 아이와 몇몇은 직장 다니는 엄마 때문에 어린이집에 늦게 남았다. 일을 마치고 부랴부랴 어린이집으로 달려가면 아이는 반색하며 엄마를 반겼다. 초등학교 때는 돌봄 교실에서 보살핌을 받았는데 어쩌다 늦을 때는 큰아이가 보호자를 자처했다. 치맛바람은 고사하고 학부모 참여 수업이나 학부모 모임에도 참여할 수 없었고, 녹색 어머니나 급식 도우미조차 해주지 못해 담임에게도 늘 죄송했었다.

인간은 환경의 동물이라는 말은 사실이었다. 입학 후 처음 몇 번은 준비물을 빠뜨려 혼이 나더니 어느새 자신을 챙기는 기특한 아이로 자랐다. 3학년이 되던 해, 아이가 회장이 되었다. 축하 대신, 엄마가 챙겨줄 수 없으니 포기하라 했다. 아이는 혼자 할 수 있다고 나를 안심시켰고, 학기를 마칠 때까지 맡은 일을 잘 해냈다. 스스로 만족해하는 모습이 보기 좋았다.

평소보다 일찍 퇴근해서 집에 갔더니 아이가 보이지 않았다. 잠시 놀러 나갔나, 했는데 저녁이 다 되어 서야 집으로 돌아왔다. 아이를 붙들고 어디를 갔었냐고 물었다. 본래 사람을 좋아하기도 했지만, 엄마 없는 빈집에 들어가기 싫어서 늘 엄마 오기 전까지 친구들과 뛰놀았다고 고백했다. 어릴 적 엄마처럼 아이에게 그리움을 먼저 안겨주었다. 그나마 다행인 건 울면서 기다렸던 나와는 달랐다는 점이다. 그때부터 노는 재미가 붙어서 엄마를 대신했던 친구들을 불러 모아 휴일에도 종일 밖에서 살았다.

늘 밝고, 웃음을 잃지 않았던 아이라 아무 문제가 없는 줄 알았다. 그러다가 학교에서 친구 문제로 힘들다거나 반 남자아이의 거친 언행에 제대로 대응하지 못해서 속상하다는 얘기가 들려왔다. 말로만 듣던 왕따가 되었나 싶어 철렁했다. 당장 달려가 그 아이들을 혼내 주고 싶었지만, 밤늦도록 아이의 얘기를 들어주었다. 평소 남자아이들과도 스스럼없던 아이에게 여자 친구들이 고민을 호소했고, 정의감에 불타서 심한 장난을 치는 남자아이들을 혼을 내줬더니 남자아이들이 '조폭 마누라'라는 별명으로 불러서 속상했단다. 걱정했던 왕따 문제는 아니라는 생각에 안심이 되었다. 어릴 적 손톱으로 남자애를 할퀴며 나를 방어했던 그때가 떠올라 피식 웃음이 지어졌다. 엄마는 비슷한 상황에서 어떻게 행동했는지 얘기하면서, 아이가 겪는 어려움에 대해 공감해주었다.

그때부터였다. 아이는 스트레스가 생길 때마다 이야기해 왔다. 그 과정이 반복돼서 간혹 지치기도 하고, 또 같은 문제로 그러냐며 다그치고 싶은 마음도 들었지만 나는 무조건 품어야 하는 엄마였다. 애써 마음을 다잡고 아이한테 집중했다. 그런데 아이가 편안해지고 안정되는 모습에 안심되었다가도 한편으론 부러워지는 복잡한 감정이 일었다. 어린 내가 엄마에게 기대했던 것이 이런 것이었다고 깨닫는 순간이었다. 내 말에 집중해주고 온 마음을 다해 경청해주는 엄마를 가진 아이 또래의 내가 느끼는 질투였다. 받고 싶은 돌봄을 주는 행위를 반복하면서 내 아이도, 나도 서서히 회복하고 있었다.

어렸을 때부터 하고 싶은 일들이 많았던 아이였다. 외발자전거, 요리, 미술, 태권도 등 몸을 사용하는 것들을 좋아했고, 도전을 망설이지 않았다. 전교 부회장으로 선출돼서 적극적으로 교내외 행사에 참여했고, 합창 대회 도전을 반복하다 결국 은상을 받기도 했었다. 수상은 못 했지만, 학교 대표 달리기 선수로 서울 체전에도 출전했었다. 그때 처음으로 뛰어난 친구들을 만난 뒤, 달리기는 재능이라며 잠시 의기소침했으나 여전히 씩씩했다. 중학교 때는 농구부로 활동하며 학교대항 시합에서 여러 번 우승을 이끌었다. 엄마 없이도 자기 자리에서 자신을 빛내는 아이가 대견하고 고마웠다.

아이의 꿈은 여러 번 바뀌었다. 키 크고 예쁜 미술 선생님, 연예인, 운동선수, 파티 시엘, 모델, 메이크업 아티스트, 향수 전문가, 요리사, 손톱다듬기, 제빵 제과 등…. 하지만 아이가 원하는 것들은 하나 같이 힘들고, 어려워 보였다. 아이가 행여 고단한 삶을 살 것 같아 불안했다. 그때마다 공부 쪽으로 관심을 돌리려 애썼고, 무엇을 꿈꾸든지 공부가 기본이라는 논리로 아이의 꿈을 막았다.

고교진학을 앞두고 진로를 고민하던 아이가 처음으로 자신의 꿈을 막았던 섭섭함을 털어놓으며 흐느꼈다. 현실을 들먹이며 성공 가능성이 희박하다는 가족들의 반응에 매번 꿈을 접었다고 말했다. 특히 운동은 체육 선생님의 권유가 있었을 때도, 엄마가 모른 척했다며 아쉬워했다. 그제야 아이는 미래를 살아갈 사람이라는 자각이 들었다. 아는 만큼 보인다고 내가 살아온 세상밖에 알지 못했었다. 아이의 미래를 섣불리 막았다는 뒤늦은 자책이 들었지만, 시간을 되돌릴 수는 없었다. 아이는 한참 눈물을 쏟아낸 후 대학을 목표로 인문계고등학교를 선택했다.

학원에서 11시가 다 되어서 돌아온 딸아이가 배고프다고 이것저것 먹기 시작했다. 잘 시간에 먹는다고 걱정했더니 과제가 밀려서 밤샘할지도 모른단다. 어제 백신 접종 후유증으로 가슴 철렁하게 만들더니 밤샘이라니 아무리 중요한 일이라도 허락할 수 없었다. 식곤증이 왔던지, 내 설득 때문인지, 머리 아프다며 진통제를 먹고 침대로 향했다. 다음날 새벽에 못 일어나면 물을 퍼붓더라도 깨워 달라는 한 마디를 남기고 쓰러지듯 잠속으로 빨려 들어갔다. "물을 끼얹고 나면 뒷정리는 누가?"라고, 묻으려다 피식 웃음이 흘렀다. 다음날 새벽, 아이 말 때문인지 서너 시도 안 돼서 잠에서 깼다. 아무래도 하루를 버틸 재간이 없어 다시 잠을 청했다. 다시 눈을 뜬 시간은 6시, 여전히 비몽사몽이라 잔소리를 쏟아냈더니 냉수를 마시고 억지로 일어났다. 시계를 보더니 부랴부랴 아침을 먹고 독서실로 향했다.

TO

일상에 지친 세연

안녕 나 누구게? 일단 나를 캡슐이라고 해둘게.

아냐 간단하게 위로 요정이라고 하자.

네가 힘들 때마다 편지 보는 거 아니까 이 편지 쓰는 거야.

위로해주고 힘내게 해주려고 하하.

우선 지금은 2021년 고1이야.

아직 개학도 안 했고 개학하기 6일 전인데 떨려.

가장 걱정되는 건, 학교에서 친구가 생길지, 같이 다닐 친구가 있을지, 친구랑 안 싸울거야.

그 다음은 공부….

지금은 개학도 안 해서 잘 모르지만 잘 지내겠지.

그건 3월 2일의 이세연에게 맡기자는 생각으로 지금에 최선을 다하고 있어.

네가 어느 부분이 힘들어서 이 편지를 봤는지 모르겠지만, 넌 충분히 잘 해낼 거야. 그 일을 잘 극복해 낼 거라고.

공부가 문제면 힘들어도 쉬지 않고, 포기하고 싶고 절망감이 느껴질 때도 그 페이스를 갖고 가다 보면 그 걱정이 사라질 거야.

아니면 주변 선생님이나 오빠한테 극복방법을 물어보고….

친구가 문제면 솔직해지는 게 답인 것 같아.

잘못했으면 솔직하게 사과를 하고, 불만이 있으면 말을 하고,

그 친구가 네가 정말 좋으면, 친구도 맞춰주고 이해할 거야.

그러니까 혼자 끙끙 대지 말고, 잘 견뎌내길 바라.

더 나아가서 직장 문제면 꾹 참고 저녁마다 스트레스를 푸는 게 맞는 것 같아.

언제나 행복하고 현명하게 살자. 세연아, 사랑해.

from

2021년 고1 이세연

아이가 빠져나간 자리를 치우다가 서랍장 속에서 발견한 편지였다. 철부지라고만 여겼는데 자신을 위로하는 편지를 미리 써두고 힘들 때마다 꺼내 읽으며 자신을 달랬나 보다. 서랍장 속에는 친구들 사진이며, 가끔 내가 써준 편지들도 있었다. 친구랑은 원만해서 안심이었지만, 성적 때문에 힘이 빠져있었다. 다들 열심이니까 반짝 벼락치기가 먹히지 않는 것이 당연하지 싶다가 시험만 없다면 하는 생각으로 땅이 꺼질 듯 한숨을 쉬었던 내 학창시절이 떠올랐다. 아이 또래 때 나는 자신을 위로하는 법을 몰랐었다. 편지를 읽어보니 아이의 외로움이 이해가 되어 먹먹해졌다. 흔히 학창시절이 제일 좋다고 말한다. 돌아보면 각자 나이만큼의 어려움은 있다. 힘듦을 빼곡하게 써 놓은 편지로 자신을 위로했다는 사실이 대견했다가, 알을 깨고 나오려는 치열함을 보는 듯 아렸다.

잠시 숨을 고르느라 아이돌 가수에게 빠져들거나, 간간이 동영상을 볼 때마다 시간을 낭비한다며 잔소리를 쏟아냈는데, 아이의 어려움을 알지 못하고, 다그치기만 했던 무지함에 얼굴이 뜨거워졌다. 아이가 돌아오기 전까지 방을 반짝반짝하게 치우고, 맛있는 밥을 지었다. 칭찬에 인색했다는 생각에 아이에게 선물할 다정한 말을 준비하느라 하루를 보냈다. 창가에 비치는 햇살이 눈이 부시도록 아름다운 날이었다.

여고를 진학했을 때, 공부에 집중할 수 있는 환경일 거라며 안심했었다. 중학교 때 화장을 시작해서 내심 마음이 쓰였는데, 교복 속에 운동복 바지를 껴입고 민낯으로 등교하는 모습이 예뻤다. 외모에 신경 쓸 필요가 없어 편하다며 또래 친구들과도 잘 어울렸다.

그래서 마음이 놓였다. 그러다 여름방학이 시작되고, 고등학교 1학년 1학기 성적표를 받은 날, 수능에 집중하겠다며 자퇴를 선언했다. 난데없는 통보에 어리둥절해진 나는 두 달만 생각해 보자고 결정을 미뤘다. 담임과 상담하고, 아이의 생각을 돌리려고 애를 썼지만 허사였다. 약속한 두 달 뒤에도 자퇴를 고집했다. 말을 내면 들어 줄 때까지 고집부리는 것까지 못 말리는 유전이다. 자식 이기는 부모 없다고, 친정엄마 앞에서도 꺾이지 않았던 고집이 딸 앞에선 맥을 못 췄다.

그해 11월에 아이가 자퇴했고, 이듬해 3월에 다니던 직장을 그만두었다. 건강 이상 신호가 표면적인 이유였지만. 혼자 남은 아이와 시간을 보내고 싶은 마음이 더 컸다. 아이는 검정고시를 앞두고, '친구랑'이라는 학교 밖 친구들을 위한 프로그램에 참여했었다. 대학생 멘토를 온라인으로 만나서 공부를 했고, 아이가 좋아하는 만들기랑 네일아트도 배웠다. 틈틈이 영화를 보았고, 네 컷 사진을 찍었으며, 일출을 보러 갔었다. 다른 날엔 해물탕을 배부르게 먹고, 바다가 보이는 카페에서 달콤한 음료를 마시며 물 멍때리기를 즐겼다. 둘 다 오랜만에 가져보는 쉼이었다. 출근길이었을 시간에 음악을 들으며 차를 마셨다. 그 순간이 믿기지 않을 만큼 달콤했다. 도서관에서 종일 책을 읽었다. 반나절 동안 도보여행을 즐겼으며, 아이랑 함께 시장을 보고 식사를 준비했다. 요리를 좋아하는 아이는 요리를 할 때마다 짜릿한 느낌을 받는다고 했다. 의무감으로 식탁을 차려냈던 나로서는 이해 불가였다. 내가 좋아하는 독서나 글쓰기를 할 때 그 느낌이겠거니 했다. 맘 가는 대로 누리며 살았더니 막연했던 미래가 투명해지고, 지쳐서 고갈되었던 몸과 맘이 회복되기 시작했다. 그렇게 8개월을 보냈다. 11월, 검정고시를 통과한 아이는 학원으로, 나는 다시 일터로 돌아갔다.

4시에 눈을 떴다. 이불을 끌고 거실로 나왔다. 억지로 자리에 누웠지만, 쉽사리 잠들기 어려웠다. 그냥 쉬자는 생각으로 눈을 감았다. 잡념을 떨치려고 그리스 로마 신화를 들었는데, 신들도 인간들처럼 질투, 증오, 사랑, 소유욕 때문에 위기를 맞는다. 하기야, 인간이 창조한 신화이니 얽히고설킨 전개는 당연하겠다. 인간도 신도 자유로울 수 없는 감정들에 매몰되어 눈이 더 말똥거렸다.

정각 5시! 제대로 눈도 붙이지도 못했다는 생각에 주저하다가 딸과 약속이 떠올라 벌떡 일어났다. 공부하겠다며 무조건 깨우라더니 흔들며 깨워도 꼼짝 않는다. 새벽 공부라는 발상 자체가 지킬 수 없는 공수표라고 중얼대며 거실로 나왔다. 상관 않겠다는 마음을 먹고서도 고장 난 라디오처럼 잔소리를 반복했다. 그제 서야 더 버티기 어려웠던지 발을 질질 끌며 거실로 나왔다. 미리 준비해둔 과일 접시를 내놓았더니 폭풍 흡입하면서 드디어 공부를 시작했다. 잠을 깨우는 데 먹을 것이 최고라며 감탄했다. 하지만 영어단어를 외운 지 30분이 채 지나기도 전에 단어장을 안고 다시 드러누웠다. 딸을 깨워 겨우 아침을 먹이고 집을 나섰다. 학원을 가는 도중에도 뒷좌석에 모로 눕는 걸 보니 안쓰러웠지만 내가 해줄 수 있는 것은 아이 등 뒤에서 하는 응원뿐이었다.

또래 친구들이 고3이 되어서 학교로 향할 때, 독재 학원에 다니던 아이의 아침 풍경이었다. 슬럼프에 빠지기도 하고, 잔병치레로 힘든 순간도 많았지만, 그 과정을 견디고 올해 수능을 치렀다. 성적을 받았지만 기대했던 기적은 일어나지 않았다.

아이에게 물었다. 자퇴를 후회하냐고? 아이는 1초도 생각 않고 고개를 저었다. 언젠가 책에서 읽었던 '인간은 필연적으로 성장을 위해 몸부림치는 존재이며, 성장해야 행복하고 얽매인 것에서 벗어난다.'라는 말이 떠올랐다. 선택은 늘 양면성을 가진다. 아이는 표면적인 성과를 내지는 못했지만, 성장이라는 측면에서 보면 자퇴는 의미 있는 결정이었다. 자기 인생결정권을 행사했고, 열심을 냈으며, 자신에게 오롯이 집중했던 시간이었다. 가지 않은 길에 목을 빼기보다는 선택을 최선으로 만들기를 바랐다. 또다시 선택의 갈림길에 섰지만, 어떤 선택도 괜찮다는 생각이 들었다.

자기 꿈을 막았다며 울먹였던 아이가 엄마랑 함께했던 8개월 덕분에 행복 해졌다고 속삭였다, 나 역시도 아이랑 함께한 시간이 그립고, 아름다웠다. 아이에게 다시 물었다. "집에 돌아왔을 때 엄마가 간식도 챙겨주고 맞아주지 못해서 미안했는데 엄마가 집에 있는 친구들이 부러웠지?" 눈을 동그랗게 뜨고 생각하던 아이가 말했다. 엄마가 일하면서 활기차게 사는 모습이 보기 좋았고, 그 덕분에 자신을 챙길 수 있었다며, 앞으로도 엄마가 행복했으면 좋겠단다. 어느새 훌쩍 자란 아이를 바라보며 행복이라는 말을 되뇌어 보았다. 엄마로 사느라 힘든 순간에도 아이가 주는 기쁨으로 많이 행복했었다. 다시 돌아오지 못할 시간을 아이들과 함께여서 벅찬 기분도 자주 느꼈다. 아이를 기른다는 것은, 나의 불완전함을 받아들이는 과정이라 생각했다. 비록 세상이 바라는 만큼, 좋은 엄마로 살지는 못했지만, 아이를 키우며 겪게 되는 시행착오들이 단단한 사람으로 이끌었다. 내 아이가 추억하는 엄마는 자주 행복하고, 안심되는 사람이었으면 좋겠다. 그래서 엄마를 떠올릴 때마다 아이가 행복해진다면 더 바랄 것이 없겠다.

아들, 사나이가 되다.

네가 입대하기 전날 상념에 잠긴다. 넌 내게 어떤 의미였을까? 네가 오기 전까진 내가 세상의 중심이라 여기며 살았단다. 태어난 날부터 나는 네게서 한순간도 눈을 뗄 수 없었단다. 넌 내게 숙명처럼 시작된 짝사랑이었단다. 네가 웃을 땐 세상을 다 가진 듯했고, 네가 아플 때마다 나의 세상은 무너졌단다. 너의 시선이 다른 곳을 향해도 너만을 바라보고 있었고 내게 보내던 따스한 미소가 사라졌을 때도 넌 여전히 내 사랑이었어. 언젠가 다른 공간에서 다른 꿈을 꾸며 살게 되는 날이 오더라도 넌 언제나 내게 사랑일 거야. 너의 부재는 내 삶을 어떻게 바꿀까? 습관처럼 방문을 두드리다 네가 이곳에 없음을 깨달았을 때의 그리움을 나는 견딜 수 있을까? 무심코 네 이름을 부르다 대답이 없을 때의 쓸쓸함을 이겨낼 수 있을까? 네가 즐겨듣던 클래식 음반, 네가 읽던 책들, 너를 둘러싸고 있던 모든 것들은 그대로인데 그 속에 네가 없다는 사실이 나를 울릴지도 모르겠다. 아직 오지 않은 부재를 상상하고 있노라니 넌 이미 슬픈 그리움이구나. 내가 담담한 모습을 보여야 너의 발걸음이 가벼울 텐데. 성장해서 돌아온 너를 안아줄 수 있는 충분한 사람이 되어야지 마음을 다잡는다.

그래, 각자의 공간에서 자신의 십자가를 감당하는 강한 사람이 되기로 하자. 부디 그곳에서의 시간들이 자신을 알아가고 새로운 변화를 꿈꾸는 기회가 되기를 소망한다.

설핏 잠이 들었을까. 새벽 한 시가 겨우 넘었더구나. 억지로 다시 잠을 청했다가 다시 눈을 뜨니 다섯 시였다. 중간에 깼던 탓인지 잠시 정신을 못 차리다가 네 입대 날인 걸 깨닫자마자 불에 덴 듯 일어났단다. 너는 깨우지 않았는데도 일찍 일어나 샤워를 하고 있더구나. 왠지 네 속을 알 것 같아 괜히 마음만 분주했단다. 훈련소 근처에서 점심을 먹고 나면 차 한 잔 나눌 시간은 있겠지? 네 앞에서 눈물을 보이고 싶진 않은데. 그냥 웃으며 등 두드려 주고 돌아서야 할 텐데 과연 그럴 수 있을까? 집을 나서기 전 평소 아끼던 옷을 꺼내입고 옅은 화장을 하고 나왔는데 너는 평소와 다름없이 티셔츠에 운동복 차림이라 근처 도서관을 가는 듯 가벼워 보였다. 다만 바짝 자른 짧은 머리가 낯설게 느껴져 자꾸 너를 돌아보게 만드는구나.

서울을 벗어나니 바깥 풍경은 들판뿐이다. 논산에 도착하는 순간까지 아빠는 질릴 정도로 들어 외울 지경인 군대 생활 에피소드를 늘어놓는구나. 훈련소에서 잘 견디는 팁들도 알려줬는데 네게 도움이 되었을까? 훈련소 앞은 복잡할 것 같아 조금 떨어진 식당으로 들어가 백반 정식을 주문했다. 그렇게나 먹성이 좋은 네가 겨우 반 공기밖에 먹질 못하던 장면이 목에 걸린 가시처럼 남아있다. 호국 요람이란 글씨가 커다랗게 새겨진 훈련소 앞은 미리 도착한 사람들로 무척이나 붐볐었지. 훈련소 입소 차량을 통제 하려고 병사들이 나와 있었는데 갑작스레 쏟아지기 시작한 빗속에서도 묵묵히 자기 자리를 지키고 있더구나. 한참 동안 눈을 뗄 수가 없었던 건 그들의 모습에 네가 겹쳐 보였기 때문이었단다.

남자는 군대를 다녀와야 사나이로 거듭난다며 어깨를 두드리던 아빠도, 마음속으로 수없이 연습했던 말들이 하나도 기억나지 않아 그냥 부둥켜안고 건강하게 잘 다녀오라는 말만 반복했던 엄마도, 생일인데도 축하 대신 오빠와 이별해야 하는 동생 세연이도 너의 부재로 인해 오래도록 헛헛함을 느끼게 되겠지. 조금이라도 함께 있고 싶어 마지막의 마지막까지 너를 붙들고 있었지. 손을 흔들던 네가 보이지 않게 된 후에도 오래도록 자리를 떠날 수가 없었단다. 어떤 엄마는 아이 아빠가 차를 가지러 가서 핸드폰이 없다며 나한테 빌려 달라더구나. 너무 많이 울고 정신이 없어서 아들 번호조차 기억이 나지 않는다며 발을 동동 구르더구나. 생각난 번호로 걸었지만 받지 않아 엄마가 대신 문자를 남겨주었단다. 꾹 참았던 눈물이 터져 나오려는데 아까 휴대전화를 빌려준 엄마에게 문자가 왔더구나. 그 엄마도, 나도 이제부터 시작이구나 싶어 우리 모두 잘 견뎌내자며 마음을 다잡았단다.

오늘은 네가 입대한 지 열흘째 되는 날이다. 새벽에 잠이 깨서 빨래를 개는데 네가 입던 티셔츠가 있더구나. 너의 체취가 남아있는 티셔츠를 만지작거리다 그만 입어버리고 말았단다. 마치 네가 곁에 있는 것처럼 느껴지더구나. 너랑 함께 있을 때는 하루가 너무나 빠르게 지나서 아쉬웠는데 기다림은 시간을 붙잡기도 하나 보다. 2주가 영영 오지 않을 것 같아 조바심이 나는구나. 훈련소에서도 주말에는 휴식을 취할 수 있다니 다행이다. 부디 편히 쉴 수 있기를 바랄 뿐이다. 언제 날이 밝았을까. 창밖에는 눈부신 가을이 펼쳐져 있구나. 네 가슴에도 가을 하늘과 바람을 담을 여유가 있었으면 좋겠구나. 우리 사이에 흐르는 바람이 다시 만남으로 이어질 때까지 힘을 내보자꾸나.

기다림은 늘 설렘과 동행하고 그리움은 아픔을 안고 오는 법인가보다. 마침내 네게 쓴 편지를 부칠 수 있는 날이 왔구나. 오늘이 어찌나 더디게 오던지. 비록 답장은 받을 수 없지만 네게 편지를 보낼 수 있다는 것만으로도 어미는 설레고 감사하다. 어젯밤 꿈에 네가 나왔단다. 우둔한 어미는 꿈인지도 모르고 일상처럼 무심히 대했구나. 평소보다 훨씬 다정하게 다가오는 걸 보고 대번에 알아차렸어야 했는데 말이다. 꿈인 줄 알았더라면 주인이 나니까 주최측 권한으로 너를 좀 더 오래 붙들고 있었을 텐데 하필 그때 눈이 번쩍 뜨이니 어찌나 속상하던지. 휴일이었다면 억지로라도 잠을 청해 너를 다시 만나러 갔을 텐데 오전 당직이라 일어나야만 하는 게 너무나 아쉬웠단다.

너도 그런 경험 있을 테지? 맛있는 음식을 앞에 두고 한입 먹기 직전이나, 멋진 사람과의 로맨틱한 장면이 펼쳐지려는 순간 눈이 번쩍 뜨이는 안타까운 경험 말이야. 어쩌면 평일인 것이 다행일지도 모르겠다. 휴일이었다면 꿈을 꾸겠다고 종일 이불속을 뒹굴었을 거야.

이제는 네게 편지라도 보낼 수 있게 되어서 다행이라 여기며 토닥토닥 나를 달래본다.

세연이가 어젯밤 오빠가 집에 오는 꿈을 꾸었다더구나. 왜 내 꿈에는 나오지 않았을까 아쉬워하고 있는데 모르는 번호로 전화가 오더구나. 네 목소리가 들리니 이게 꿈인가 싶었단다. 잘 지낸다는 말과 책 한 권 보내 달라는 말만 하고 끊겨 아쉬웠지만 그래도 밝은 목소리라 안심했단다. 네게 전화가 왔었다는 말을 전하니 시골 할아버지 할머니도 무척 기뻐하셨단다.

아들아. 너를 그리워하고 잘 지내주기만 해도 행복해하는 사람들이 있음을 기억해주렴.

두 번째로 전화가 걸려왔을 때는 10분이나 통화할 수 있다고 하기에 그동안 쌓아 온 질문과 걱정을 마구 쏟아냈었지. 너는 폭포수처럼 쏟아지는 질문에 대답하며 또 엄마의 수다가 시작되었다며 난감한 표정을 짓고 있었을까?. 그래도 괜찮다며 안심시키는 네 목소리가 어찌나 믿음직하던지. 잠깐의 통화는 임시 처방전처럼 나를 위로해주었단다. 가까이 있기에 서로의 소중함을 잊고 살았지만, 부재로 인해 너는 존재만으로도 내게 충분했음을 깨닫는 요즘이란다. 너를 위해서란 말로 너를 바꾸려 하고 너무 많은 기대를 걸었던 게 새삼 미안하구나. 지금이라도 내 어리석음을 볼 수 있어 다행이다.

한 걸음 떨어져야 비로소 보이는 것이 있다더니 정말이로구나.

가을볕이 참 좋다. 하늘도 꽃도 곱게 물들었다. 계절의 그윽함은 고독마저도 시가 되고 스치는 바람도 노래가 되는구나. 사랑에 빠지면 누구나 시인이 된다는데 가을 한가운데 서 있기만 해도 그리될 것 같았단다. 아빠가 시골댁에서 가져온 송편이 너무 맛있어서 허겁지겁 주워 먹다가 갑자기 가슴 한쪽이 막힌 듯 답답하더라. 이렇게 좋은 날을 나 혼자 맘껏 누려도 되나 싶더라. 이런 날 너와 함께였다면 참 좋았을 텐데 싶어 눈물이 날 것 같았단다. 울컥하는 마음을 달래려 너에게 받은 편지를 다시 꺼내 읽었단다. 입대할 때 입었던 옷가지와 신발 위로 놓여 있던 편지를 꼭 껴안고 오늘을 살아내련다.

오늘로 43번째 편지구나. 딱 한 번 답장을 받았지만 매일 대답 없는 편지를 이어간다. 어렸을 때는 그렇게 애교도 많고 사랑스럽게 다가오더니만 언젠가부터 방문을 닫고 무뚝뚝해진 너에게 말 걸기도 어려웠단다. 하고 싶었던 말이 많았는데 인제야 한풀이를 하는구나. 어쩌면 부담스러웠을지도 모르겠다만 아들과 한 번도 떨어져 있어 본 적 없는 어미의 안타까움이라 이해해 주겠니. 이제 사흘 뒤면 훈련이 끝나고 자대로 간다니 한고비를 넘겼구나. 기특하고 장하다. 그곳에서도 여러 경험을 통해 단단해지고 성장할 모습을 기대하마.

학창시절 동기들이 군대에 가도 때가 되니 가는가 보다. 아무

감흥 없었고, 아빠가 군대에서 다쳐 허리가 아프다고 해도 핀잔만 줬는데 너의 입대를 앞두고는 사람들이 요즘 군대 좋아졌다느니, 눈 깜짝할 새 돌아온다느니, 그냥 놀다 오는 거라고 이야기할 때마다 나도 모르게 주먹이 불끈 쥐어지더구나. 물론 그들의 말이 위로임을 알지만, 어미의 마음은 어쩔 수 없는 거더라. 네 훈련소 사진을 보며 남들은 군기가 팍팍 들었다며 멋지다고 했지만 내 눈에는 너의 긴장감과 불안함이 보였단다. 오늘 자대 배치가 되었다며 문자가 왔더라. 앞으로 네가 생활할 그곳을 난 또 얼마나 고개를 높여 바라보게 될까? 지금껏 함께 지낸 동기들에게 감사를 전하고 앞날을 축복해주렴. 낯선 곳에서 적응하려면 힘들겠지만 면회가 허락되자마자 맛있는 음식 준비해서 한걸음에 달려가마. 어미는 아들이 부디 기운 내서 잘 지내주길 바랄 뿐이다.

아들아!

창문 사이로 3월의 눈부신 햇살이 쏟아지고, 가슴은 콩닥콩닥 두방망이질 친다. 동네 사람들! 창문을 열고 소리 지르고 싶은 충동을 간신히 억누르고 식탁에 앉았다. 누구든 붙잡고 소식을 전하고픈 마음에 입이 근질근질한 3월 5일! 드디어 네가 집으로 돌아오는 날이다. 기다림은 설렘과 가슴 졸임을 동시에 경험하게 하는 건가 보다. 지인들에게 전역 소식을 알리고, 식사를 준비하면서도 연신 시계를 올려다보게 되더라. 오늘따라 분침과 초침마저도 거북이걸음이라 시곗바늘을 강제로 돌려놓고 싶은 심정이었는데 마침 집으로 오고 있다는 전화가 오더구나. 그때부터 들리는 모든 소리,

보이는 모든 것이 마치 너인 것 같아서 가슴이 쿵쿵거렸었단다.
엘리베이터가 멈추고, 집으로 성큼성큼 걸어오는 소리에 달려 나가 보니 어깨가 벌어지고 아빠보다 한 뼘 더 커져서 돌아왔구나. 그 모습을 보고도 믿기지 않아서 네 방문 앞을 서성거리다가 현관 앞에 벗어 둔 군화를 만지작거렸었단다.

아들아! 살아가다가 혹시 어려움을 만나서 자신을 의심하게 될 날이 온다면 나라의 부름으로 네 자리를 굳건하게 지켜냈던 날들을 기억하렴.

네 생에 첫 고비를 잘 넘겨주어 고맙다. 정말 고생 많았고 무탈하게 돌아와 줘서 고맙다. 앞으로도 자신의 자리에서 최선을 다하는 건강한 사람으로 성장하기를 바란다.

너의 모든 날을 축복하며 엄마가.

엄마를 추억하다.

엄마 하면 떠오르는 이미지는 희생과 사랑이다. 힘들어도 내색하지 않고, 맛있는 건 자식에게 다 내어주며, 늘 괜찮다고 말하는 엄마, 나도 그런 엄마를 가졌었다.

엄마의 하루는 새벽부터 시작되었다. 들에 나갔다가 점심때는 급하게 밥 한 숟가락 찬물에 말아서 후루룩 넘기고 아버지 수레에 채소들을 잔뜩 싣고 시장으로 가셨다. 어릴 때는 늘 엄마가 그리워서 언니 등에 업혀서 울었고, 언니는 "엄마 언제 와요? 빨리 와요, 아가 운다."라는 넋두리 같은 노래로 나를 달래느라 애를 먹었다. 그토록 기다렸던 엄마는 하루해가 다 저물어 갈 즈음, 빨간 노을을 등에 지고 돌아오셨다. 광주리를 머리에 인 엄마 모습이 보이면, 우리는 한걸음에 엄마를 부르며 달려갔고, 그제 서야 엄마를 향한 애달픈 그리움이 끝이 났다. 엄마가 이고 온 광주리 안에는 엄마만큼 기다렸던 먹거리들이 있었다. 환호하는 우리를 흐뭇하게 바라보던 엄마의 모습이 아직도 생생하다.

초등학교 막 입학했을 무렵, 또래 남자친구 얼굴을 할퀴어서 그 아이의 엄마가 우리 집에 따지러 온 적이 있었다. 방에 숨어서 혼날까 싶어 조바심을 냈는데 그 엄마가 돌아가고 한참이 지나도 아무런 말씀이 없었다. 엄마는 작고 마른 막내딸이 자기를 지키느라 한 행동이라 여기셨는지 이후로도 지켜보기만 하셨다. 조금만 건드려도 손톱으로 할퀴고 악다구니를 해댔더니 금세 소문이 나서 짓궂은 남자아이들도 내게 함부로 하지 못했다.

9살 무렵, 등교하자마자 갑자기 머리가 쑤시고, 꼼짝할 수 없을 만큼 아팠다. 학교로 급히 찾아온 엄마 등에 업혀 읍내에 있는 병원에 갔더니 홍역에 걸렸다며 일주일 치 약을 지어주었다. 일주일을 꼬박 앓는 동안 입맛을 잃어 아무것도 먹지 못했는데 가족이 아플 때마다 항상 끓이시던 녹두죽은 겨우 넘길 수가 있었다. 농번

기랑 맞물려 들과 집을 오가느라 녹초가 되었을 엄마는 밤새 내 곁을 지켜주었다.

모내기 철엔 품앗이 모내기를 하러 간 엄마를 찾아다녔다. 논둑에 앉아서 먹던 밥이 좋았고, 엄마가 보고 싶었기 때문이었다. 엄마는 아침이면 누구네 모내기에 가는지 미리 귀띔을 해주었고, 점심때면 찾아오는 내게 자기 몫의 밥을 덜어주곤 하셨다. 반나절 내내 허리 한번 제대로 펴지 못해 지치고 허기졌을 텐데도 자식 목에 밥 넘어가는 소리만 들어도 배부르다는 듯이 엄마 얼굴엔 충만감이 흘렀다.

엄마의 땀과 정성으로 우리는 결핍을 모르고 자랐다. 인정 많던 엄마는 우리 집에 오는 장사꾼이나 시주 스님 등 오가는 이들에게 밥상을 차려주고, 스님에게는 쌀을 시주했다. 그래서 우리 집엔 늘 사람들로 북적였다. 라디오만 있었던 시절에 동네에서 두 번째로 텔레비전을 들여놓았을 때였다. 밤이면 동네 사람들이 몰려와서 마당에 멍석을 깔고 자정까지 텔레비전을 시청했다. 어린 마음에도 그것이 뿌듯하고 자랑스러웠다. 세 살 터울인 오빠는 전교생이 모인 조회 때 우등상을 받곤 했었다. 다방면에 두각을 드러냈던 오빠 덕분에 선생님들 사이에서는 덩달아 나까지도 기대 어린 시선을 받았다. 자랑스럽다는 느낌과 묘한 경쟁심도 일었지만, 그런 오빠가 좋았다. 돌이켜 보면 그때가 엄마 인생에서 가장 따뜻하고, 행복했던 시절이었다.

늘 엄마의 자랑이었던 오빠가 중학교에 다니면서 엇나가기 시작했다. 나쁜 친구들과 어울리더니, 거짓말로 돈을 타내고 오토바이를 훔치는 등 말썽을 피우기 시작했다. 한번 틀어지기 시작한 삶의 방향은 결국 자퇴로 이어졌고, 주는 것 외에는 알지 못했던 엄마의 사랑은 오히려 독이 되었다. 이후로 사업을 한다며 요행을 쫓는 두 오빠들을 감당하느라 평생을 일군 엄마의 공든 탑은 물이 새고 기둥을 잃어 무너져 내렸다. 그때 우리는 끝까지 자식을 품었던 엄마의 아픔을 이해할 수 없었다. 딸들이 큰마음 먹고 보내준 용돈은 모조리 오빠들에게 들어가서 보람 없이 사라졌고, 결국 논, 밭을 모조리 판 뒤에도 돈타령이 이어졌다. 그 부담이 우리에게 돌아오는 게 싫어서 한없이 내주는 엄마가 원망스러웠고, 한편으로는 가슴 아팠다.

한평생 자식 걱정에 속을 끓였던 엄마는 결국 위암에 걸렸다. 엄마의 임종을 지켜보면서 드라마처럼 생이 마무리되지 않는다는 걸 알았다. 엄마 목소리는 기력을 잃어 전혀 나오지 않았고, 눈물을 글썽였던 눈빛만이 끝까지 놓지 못하는 자식에 대한 염려와 불안을 드러냈다. 엄마의 임종을 지켰던 순간에 두 가지 마음이 들었다. 이젠 엄마가 더는 아프지 않게 되었다는 안도감과 영원한 이별이라는 섭섭함이었다. 엄마에게 제대로 다정한 말 한마디 건넬 생각도 못 한 채 어찌할 바를 모르다 엄마를 보냈다. 만약 엄마와의 마지막 5분이 다시 주어진다면 엄마 손을 꼭 잡고, 소중한 순간마다 엄마가 함께해 주셔서 감사했었고, 엄마는 우리들의 축복이셨다고, 말씀드리고 싶다. 하지만 그 5분은 영영 돌아오지 않을 것이다. 엄마를 떠올릴 때마다 홀로 아파했을 엄마의 삶이 애달프다.

요즘 들어 딸아이와 속 깊은 이야기를 나눌 기회가 자주 있다. 추억의 음식 얘기를 하다가 엄마가 해주신 오곡밥이며 나물이 그립다는 대목에서 갑자기 울음이 터졌다. 엄마를 떠올리면 행복했던 기억도 많은데, 하필, 그리움에 발목이 묶여서 울게 된다. 내 울음을 본 딸아이도 어느새 눈물이 고였다. 영문 모르는 남편이 끼어들기 전까지 눈이 빨개지도록 함께 엉엉 소리 내서 울었다.

엄마는 떠났어도 항상 내 마음에 살아있다. 엄마와의 시간을 떠올리다 엄마 인생에 엄마가 없었다는 사실을 새삼 깨달았다. 엄마도 꿈이 있었을까? 한 번도 궁금해하지 않았고, 엄마도 딸이었다는 생각을 못 했었다. 엄마는 오로지 우리 엄마로서의 시간만 있을 뿐이었다.

엄마의 헌신과 희생이 갑갑하고 싫어서 엄마처럼 살지 않을 거라던 내가 엄마가 되었다. 외롭고 억울했던 마음들, 더 잘해주지 못했다는 미안함, 세상의 기대에 미치지 못한다는 무력감이 들 때마다 엄마의 유전자와 함께 모성애를 이어받은 나를 발견했다. 엄마가 그리웠다. 엄마에게 일러바치고 위로를 받고 싶었다. 엄마가 내 곁에 없다는 사실은 영원한 내 편을 잃은 허탈감이었다. 엄마를 추억하고 싶어 기록을 시작했다. 그 과정에서 엄마 사랑이 빛이 되게 하는 방법과 만났다. 그것은 엄마의 자랑이었고, 삶의 이유였던 우리가 자신의 삶을 아름답게 가꾸고, 행복하게 살아가는 것이다. 내 아이들에게도 따스하고 행복했던 엄마로 추억되고 싶어 사는 내내 자주 행복해지기로 마음먹었다. 그리운 엄마! 고맙고, 사랑합니다. 이제는 모든 아픔 다 잊고 영면하소서

나가며

두 달 동안 엄마라는 주제로 글을 썼다. 등 떠밀려 시작된 것이 아니어도, 방향을 잡지 못해 허둥댈 때, 두 마음이 들었다. 괜한 짓을 벌여서 사서 고생이라는 후회와 엄마라는 글을 쓸 좋은 기회라는 생각이었다. 할까 말까 망설여질 때는 무조건 하라는 말이 떠올랐다. 목차를 잡기 시작할 때 비로소 글을 쓰기로 마음을 굳혔지만, 엄마를 떠올리기만 해도, 눈앞이 흐려져 한 문장도 쓸수 없었다. 그러다가 문득 무슨 말을 하고 싶은지를 떠올렸다. 슬픔을 도배할 거면 차라리 일기가 더 낫다 생각했다. 그제야 내가 경험한 엄마를 써야겠다는 생각을 했다. 엄마라는 프레임을 깨고 내가 되어가는 과정을 딸에게 들려주듯 풀어놓고 싶었다.

돌아보면 여자에서 엄마로 사는 삶은 내 인생이 통째로 흔들렸던 사건이었다. 아픈 만큼 성숙해진다는 말처럼 성장은 반드시 고통을 동반한다. 엄마가 되고 보니, 그 말이 실감났다.

내 이야기는 내가 경험한 출산으로 시작된다. 이후부터는 좌충우돌 초보 엄마의 육아, 사춘기 딸아이의 성장, 군대 다녀온 아들 이야기로 이어오다가 결국은 세상에 태어나게 해주신 내 엄마의 추억으로 끝을 맺었다. 엄마 역할을 희생과 사랑으로 생명을 키우는 것이라고 여겼다. 돌아보니 아이도 나도 서로를 키워내고 있었다. 아이가 크는 만큼, 함께 자랐음을 고백한다. 엄마로 살아내는 그 과정들이 지금의 나를 만들었고, 살아갈 이유가 되었다. 엄마로 살면서 적당히 뜨겁고, 삶을 조절할 수 있을 만큼 분별력도 생겼다.

낯설기만 했던 엄마라는 이름이 지금은 내 몸에 꼭 맞는 옷처럼 익숙하고 편안하다. 모성을 본능이라고 말한다. 그 말은 반은 맞고, 반은 틀리다. 모성도 여느 사랑처럼 노력이 필요하다. 사랑이 일방적이면 빛을 잃듯이 모성 역시 그러하다. 아이들이 자립할 때까지 사랑으로 키워내는 것을 임무라 생각하며 살았다. 바람만큼 아이들은 잘 자라주었고, 자신을 책임질 만큼 단단해졌다.

엄마를 떠올리며 느꼈던 안타까움과 후회들은 이 글을 쓰면서 나를 사랑하는 힘으로 바꿀 수 있었다. 지금 엄마로 살아가는 이들과 앞으로 엄마가 될 딸들에게 이 글을 바친다. 그들에게 보람 한 조각을 선물할 수 있다면 더 바랄 것이 없겠다.

돌아갈 수밖에 없는 이유는 엄마였습니다

손유진

돌아갈 수밖에 없는 이유는 엄마였습니다.

손유진

엄마는 그래도 되는 줄 알았습니다.

어린 시절, 엄마는 언제나 강인했다. 적게 먹고, 잠도 부족해도 늘 씩씩하셨다. 불평 한마디 없이 집안일과 육아를 오롯이 혼자 감당하셨다. 자신보다 아이들을 먼저 챙기는 모습이었다. 아픈 모습을 본 기억도 없다.

엄마는 그런 존재라고 생각했다. 엄마의 자격이라고 여겼다. 엄마는 그래야한다고 생각했다. 그런데 내가 엄마가 되어보니, 엄마는 그렇게까지 강인할 필요가 없었다는 것을 알았다. 엄마도 연약한 인간의 한 존재라는 것을 마흔이 넘어서야 알게 되었다.

어둠이 깔린 방 한쪽에서, 어린 시절의 나는 엄마를 바라보곤 했다. 새벽 일찍 일어나 조물조물 무엇인가를 만드시는 엄마. 손바닥에 놓고 굴리기도 하고, 엄지로 구멍을 내어 튜브 모양을 만드시는, 그것은 엄마표 도넛이었다. 그 도넛은 어린 시절 내가 가장 좋아하던 간식이었다. 엄마는 그렇게 어린 세 아이가 집에서 배곯지 않고 엄마를 기다리도록 늘 새벽같이 간식을 만들어 놓으셨다. 희미한 불빛 아래에서 만드시는 모습이 지금도 선명하게 떠오른다. 장녀인 나는 항상 동생들보다 먼저 일어나 엄마 곁에 앉았다. 갈색빛을 띠고 바삭하게 구워진 도넛에 설탕을 솔솔 뿌려주시곤 하셨다. 그 맛있는 도넛을 바로 먹고 싶은 마음을 꾹 참고, 동생들이 일어나면 함께 나눠 먹기로 마음먹었다. 그때 밖에서 엄마를 찾는 소리가 들렸다. "유진이 엄마, 일 가야 해요."

그 소리에 엄마는 잠시 멈추셨다가, 나에게 동생들 잘 돌보라는 눈빛을 보이시고는 문밖으로 나가셨다. 엄마의 뒷모습은 외롭게 보였다. 엄마도 여자로서, 한 인간으로서 자신의 삶을 살아갈 권리가 있었는데, 그걸 이제야 깨닫는 나는 마음이 아팠다. 엄마는 항상 우리를 위해 희생하셨지만, 이제는 엄마 자신을 위해서도 살아가셨으면 좋겠다. 엄마의 행복이 필요한 시간이다.

한 지붕 아래 네 가족이 살던 시절이었다. ㄱ자 모양의 지붕 아래 왼쪽 가장 끝에 우리 집이 있었다. 부엌 하나에 방 하나가 딸린 곳에서 다섯 식구가 말 그대로 옹기종기 살았다. 아버지는 몇 달에 한 번씩 집에 돌아오셨다. 원양어선을 타시는 아버지는 외국의 바다를 항해하다가 1년에 두세 번쯤 집에 들어오셨다. 들어오실 때는 양손에 서양 장난감과 과자들로 가득했다. 아버지는 산타클로스보다도 더 반가운 존재였다. 멀리 떨어져 살 때는 그랬다.

세 아이를 데리고 혼자 생활해야 했던 엄마의 삶은 얼마나 외롭고 고단했을까. 그걸 그때는 몰랐다. 당시 엄마는 지금의 나보다 어린 나이였다. 30대였던 어린 나이에 세 자녀와 낯선 도시에서 살아나간다는 것은 쉽지 않은 일이었을 것이다.

낯선 도시라고 한 건 우리가 이 도시(강원도 동해시)로 이사 온 지 얼마 되지 않았기 때문이다. 경상북도 포항에서 태어나고 자란 아버지와 경상북도 문경시 출신의 엄마는 연고도 없는 강원도로 도주하듯 오게 되었다. 시댁 식구들을 피해서였다. 장남이었던 아버지는 중학교를 다니면서부터 장사를 하며 집안 경제를 도맡았다. 머리가 좋아 수재 소리를 듣고 자라던 아버지는 공부해볼 시간도 갖지 못하고 학교를 다니는 동안에는 멸치를 팔거나 할머니가 작업해온 수산물을 가지고 나가 팔아 집안 살림을 도왔다. 지금으로서는 상상도 할 수 없는 일이지만 그때는 다들 그렇게 살던 시절이었다. 옛 추억의 한 장면처럼 말씀하시기도 하셨다. 엄마는 그 부분을 가장 마음 아파하셨다. 머리가 좋았던 아버지는 공부를 끝까지 했어야 한다고.

낯선 도시에서 바로 할 수 있는 일은 역시나 몸을 쓰는 일이었다. 그것도 남들이 쉽게 하지 못하는 일을 한다면 돈은 더 많이 벌 수 있었다. 그래서 아버지는 원양어선을 타고 망망대해로 떠나셨다. 엄마와 세 아이를 낯선 도시에 두고 말이다.

아침 일찍부터 밤늦게까지, 끊임없이 돌아가는 삶의 무게를 혼자 짊어지고 계셨다. 그런 엄마의 모습을 보며, 나는 엄마가 강인하고 무엇이든 견딜 수 있는 존재라고 생각했다. 엄마의 희생이 그저 엄마로서의 역할이라고, 그저 그렇게 받아들였다. 당연한 것이라고 여겼다. 하지만 시간이 흘러 나도 성장하고, 세상을 조금 더 넓게 바라보게 되면서, 엄마의 삶에 대해 다시 생각해보기 시작했다. 엄마도 한때는 꿈이 있었을 것이다. 젊은 날의 엄마는 어떤 모습이었을까? 엄마도 한때는 누군가의 소중한 딸이었고, 자신만의 이야기와 꿈을 가진 존재였을 것이다.

엄마는 자신의 꿈을 접고, 오직 가족을 위한 삶을 선택했다. 그 선택이 과연 엄마에게 얼마나 큰 희생이었을지, 이제야 조금은 이해할 수 있게 되었다.
지금 나에게 엄마와 같은 삶을 살라고 하면 과연 그럴 수 있을까? '내'가 아닌 가족을 위한 삶을 살아라고 하면, 상상만으로도 숨이 막혀 온다.

마흔이 넘어서야, 나는 엄마를 보기 시작했다. 비로소 세 아이의 엄마가 되고 나서야 엄마를 볼 수 있게 되었다. 엄마의 삶을 이해

한다는 것은 먼 여정이지만, 그저 바라보기 시작한 것이다.

엄마의 삶을 바라보는 것은 늦게나마 찾아온 깨달음과도 같다. 나의 모습이 될 수도 있는 엄마의 삶을 말이다.

엄마도 누군가의 귀한 딸이었다.

우리는 종종 엄마를 '엄마'라는 역할에만 국한하여 생각한다. 하지만 엄마도 한때는 누군가의 소중한 딸이었다. 제가 저의 딸을 소중히 여기듯, 엄마도 귀한 딸로 태어나 자랐을 것이다. 그녀에게도 어린 시절의 추억, 첫사랑의 설렘, 꿈과 희망이 가득했던 날들이 있었을 것이다.

어린 시절의 엄마는 어떤 모습이었을까? 아마도 무한한 가능성을 품고, 세상을 호기심 가득한 눈으로 바라보았을 것이다. 내가 자라면서 겪었던 감정들을 엄마도 똑같이 경험하며 자랐을 것이다. 어느 날 갑자기 엄마로 태어난 사람이 아니니까. 친구들과의 추억, 학교에서의 즐거웠던 순간들, 가족과의 따뜻한 시간들. 그 모든 순간들이 지금의 '엄마'다. 종종 엄마의 어린 시절을 듣고 있자면, 천진난만한 아이의 표정이 나오기도 한다. 그랬던 그녀는 지금 그저 '엄마'로 단정 지어진, 고단한 삶을 살아가고 있다. 엄마의 역할은 끝이 없으니, 엄마는 그냥 '엄마'로 충실히 살아간다.

엄마 자신의 삶을 뒤로 한 채, 가족을 위해 모든 것을 바치는 삶을 살았다. 그 속에서 어쩌면 엄마는 자신이 누군가의 소중한 딸이었다는 사실을 잊고 살았을지도 모른다.

친정집 장롱 속에서 엄마의 결혼사진을 우연히 발견했다. 빛바랜 흑백 사진 속에서 엄마는 긴장된 표정으로 혼례복을 입고 서 있었다. 앞으로 펼쳐질 삶을 전혀 가늠할 수 없는 표정이었다. 낯선 여행을 떠나는 여행자의 표정 정도로 해야 할까. 기쁘지도 그렇다고 두려워 보이지도 않는 무채색의 표정을 보니, 엄마는 이때 무슨 생각을 하고 있었을까 궁금해졌다. 어색하기 짝이 없다. 혼례복이며 좋은 날에 지은 표정이며. 20대의 어린 여자는 잘 맞지도 않는 혼례복을 몸에 두르고 그렇게 엄마가 되기 위한 가보지 않은 여행을 떠났다.

"엄마도 내 귀한 딸이다. 내 딸내미 왜 이렇게 부려먹냐?" 엄마가 아이들에게 하는 말이 들렸다. 엄마의 눈에는 여전히 나는 아이들의 엄마이기 전에 당신의 귀한 딸이었던 것이다.

엄마도 누군가의 귀한 딸이었다. 이 말이 유난히도 귓가를 맴돌았다. 우리 엄마도 귀하디귀하게 자랐을 텐데, 외할머니가 살아계셔서 그런 딸이 고생하며 사는 모습을 보고 계시면 마음 아파하셨을 것이다.

엄마의 옛이야기를 듣고 있자면, 시대극에서 볼 법한 장면들이 떠오른다. 친가 할아버지의 이야기는 가끔 들어 어느 정도 알고 있었지만, 외가 이야기는 좀처럼 하지 않으셨다. 나이가 들어가셔서인지, 옛 추억 일화를 자주 들려주시는 요즘이다. 최근에 우연히 들은 엄마의 어린 시절은 두 귀를 쫑긋 세우고 들었다. 외가에 대한 추억이 많이 없기도 하고, 외할아버지에 대한 일화는 드라마에 나올 법한 파란만장한 삶이기 때문이다.

경상북도 문경시가 본가인 고씨 집의 넷째 딸로 태어난 엄마는 몸이 허약한 아이로 태어났다. 팔다리가 앙상하고, 먹는 대로 토를 하는 알 수 없는 병이었다. 영양이 부실한 탓에 앞도 제대로 볼 수 없어, 엉금엉금 기어서 밥을 먹으러 나오거나 더듬더듬 집안을 돌아다니며 생활했다고 한다. 용하다는 무당을 모두 찾아봤지만 묘수는 없었다. 엄마가 태어나고 외할아버지가 하시던 사업도 잘되고 살림이 잘 돼 복덩이라며 좋아하던 그 시간도 허약한 딸을 오랫동안 보살피며 조금씩 지쳐가고 있었다. 어느 날, 친구들이 함께 놀자는 말에 앞도 잘 보이지 않는 넷째 딸은 더듬거리며 친구들 뒤를 따라가다가 길을 잃었다. 낮인지 밤인지 분간도 할 수 없을 정도였는데, 시간이 많이 흘렀다는 것은 바깥 공기의 온도 차로 알 수 있었다. 근처에 보이는 집 창고 같은 곳에 들어가서 몸을 숨기고 있었는데, 깜빡 잠이 들었다. 배가 고파 눈을 뜨고 주변을 더듬거리며 살펴보기 시작했다. 항아리 하나가 있어서 손을 집어넣었더니 무언가 물커덩 하게 잡혔다. 냄새를 맡아보니 달콤한 꿀이었다.

손가락으로 찍어 먹기 시작하던 것이 어느새 한 움큼씩 쥐어 바닥이 드러날 정도로 싹싹 비워 먹었다. 그리고 어느샌가 정신을 잃고 잠이 들었다. 시간이 얼마나 흘렀는지는 알 수 없었다. 저 멀리서 희미하게, "영숙아~~, 영숙아~~." 하는 외할머니와 가족들의 목소리에 잠에서 깨어났다.

일어났더니 온몸이 진득한 진액으로 덮여 있었다. 피부에 덮여 있는 것이 분명 잠들기 전에 먹었던 꿀처럼 진득진득했다고 한다. 엄마 이야기로는 그때 먹은 꿀이 로얄제리였던 것 같다고 한다. 그것이 약이 되어 엄마의 병이 거짓말처럼 나았다고 한다. 꿀을 제대로 먹으면 약이 된다는 어른들의 말이 있는데, 그 꿀이 엄마에게 통했던 것이다. 그때 이후로 보이지 않던 시력도 조금씩 좋아지고, 제대로 걷지도 못할 정도의 앙상한 다리에도 살이 차오르기 시작했다고 한다.

복덩이 딸이 건강을 되찾았으니, 얼마나 귀하게 키우셨을까. 엄마는 지금도 어릴 때 대접받고 귀하게 자랐던 기억을 하고 계신다. 복덩이 딸 아래로는 아들이 두 명이나 더 태어났다. 이 또한 복덩이가 가져온 복이었을 것이다.

외할아버지는 당시 큰 사업가였다. 우리나라에 00피아노와 위스키를 처음으로 들여오신 분이셨다. 엄마의 기억으로는 어린 시절에 잠시 청와대 근처에 살았던 기억도 난다고 한다. 몇 해 전 청운동이라는 동네에 가보고 싶다고 하셔서 모시고 간 적이 있다. 청와대의 위치는 알고 있었지만 그 주변에 청운동이 있다는 것은 처음 알았다. 기억의 조각을 맞추시며 동네 한가운데서 한참을 서 계시다가 오셨다. 기억 속에 있던 그 장군의 집도, 예쁜 기생 언니들이 즐비했던 요정도 사라졌지만, 그때의 기억은 고스란히 떠오르는 듯한 모습이었다.

엄마는 부잣집의 귀한 넷째 딸 '영숙'이었다.

엄마도 여자란 걸 잊어서는 안 돼.

유난히도 꽃과 예쁜 그릇, 여성스러운 옷을 좋아하는 엄마. 70을 바라보는 그 나이에도 크리스탈 화병에 매일같이 꽃을 꽂아두고, 음식이 돋보이게 만드는 예쁜 그릇을 꺼낸다. 내가 엄마의 나이가 되면 비슷해질까, 잠시 상상해 본다.

나이가 들면 물욕도 없어지고 외모에도 관심이 없어질 거라고 생각했던 건 착각이었나 보다. 20대에 바라본 마흔이 넘은 여자의 나이는 상상만으로도 끔찍했다. 매력도 없어지고, 아무런 꿈도 꿀 수 없는 나이라고만 생각했다. 그런데 마흔하고도 여섯 해를 넘긴 지금, 나는 20대 때보다 더 푸른 꿈을 꾸며, 여자로서의 매력을 유지하기 위해 노력한다. 겉모습은 익어가고 있으나, 마음은 여전히 청춘인 것이다. 그렇다면, 내가 60대가 되었을 때는 어떨까. 아마도 지금의 마음이 그대로 이어질 것이다. 지금도, 그때도 여전히 여자로서, 여자로 봐주길 바라는 마음일 것이다. 엄마도 그런 마음일 것이다. 엄마도 같은 여자로서 예뻐지고 싶고, 아름다운 모습으로 살아가고자 하는 마음을 갖고 계실 것이다.

아버지가 돌아가신 지 10년째이다. 가끔 혼자 계신 엄마가 안쓰러워 우스갯소리로 동네 할아버지 한 분 없으시냐고, 소개받으라고 말한다. 그럴 때마다 엄마는 손사래를 치시며, 그런 말 하지 말라고 하신다.

"다 늙어서 무슨 남자냐."

농담이었다고 말하며 일단락 짓지만, 한편으로는 씁쓸하다. 여전히 사랑받을 나이신데, 혼자서 손자, 손녀의 할머니로만 살아가기에는 아깝다는 생각이 든다.

"엄마도 여자란 걸 잊어서는 안 돼."

오늘도 눈을 떼지 못한다. 예쁜 그릇을 들어보고는 이리저리 살피며, 여기에는 무엇을 담으면 좋을지, 어떤 음식에 어울릴지를 고민한다.

"이거 예쁘지?"

"어.. 어.. 그러네.."
집에도 그릇과 커피잔으로 넘쳐난다. 그런데도 끊임없이 사려는 모습을 보며 나쁜 마음이 올라온다. 머리가 아프다. 멀찌감치 떨어져 본다. 혹시나 다른 곳에 가 있으면 그냥 놓고 따라오실까 싶어.
그러다 잠시 후, 뒤돌아보니 이미 그릇은 계산대에 올려져 있다.
"말씀하시지, 사 드릴 텐데."
"아니야, 내가 사면 돼." 계산하기 싫어서 도망간 딸이 되어버린다.
'예쁜 그릇이 아직도 눈에 들어오시는구나.' 그러려니 인정하기로 했지만, 여전히 받아들이기는 힘들다. 가끔 집안을 가득 메운 엄마의 물건들을 볼 때마다 숨이 막혀오기도 한다. 하지 말아야 할 상상도 함께 몰려온다.
'엄마가 만약 돌아가시면, 죄다 버려야겠다.'
나쁜 딸이다.

"우리 할머니, 최고."
막내가 연신 엄지를 들어 올리며 할머니를 향해 최고라고 말한다. 얼마 전 새로 산 디저트 컵에 샤인머스켓과 딸기로 데코를 한 멋진 아이스크림 간식을 담아 막내 앞에 내놓으신다.

70이 된 노인이 감각도 좋고 기억력은 더 좋다. 얼마 전 커피숍에서 먹은 디저트와 흡사한 모습으로 만들어 내셨다. 천상여자다.
어릴 때부터 보고 자란 모습인데도 닮은 구석이 없다.
"배만 부르면 되지, 먹는 거에 왜 그렇게 시간을 쏟아, 엄마."

"음식은 눈이 먼저 먹는다고 했어. 눈도 즐겁고 입도 즐거우면 얼마나 좋아." 엄마의 손끝에서 나오는 음식들은 예술에 가깝다. 가끔은 같은 여자로서 부러울 때도 있다. 나이를 먹어가는 게 아까운 사람이다.

하고 싶은 것, 배우고 싶은 것도 많은 엄마는 마음은 앞서지만 몸이 따라주지 않아 안타깝게 포기해야 하는 순간들이 많아지는 하루하루를 보내고 있다.

엄마의 아름다운 그릇들은 우리 집에 하나둘씩 쌓여가고 있다. 결혼할 때 아끼고 아끼던 유럽 황실의 찻잔이며, 접시, 일본의 유명 도자기를 신혼살림으로 챙겨주셨다. 시집간 딸이 자신이 못 이룬 우아한 삶을 살아주길 바랐을 것이다. 아침이면 빨간 장미꽃무늬 찻잔에 따끈한 커피를 내려놓고, 웨딩드레스 레이스 천 커튼이 나풀거리는 거실에 앉아 여유롭게 사는 그런 모습을 상상하셨을 것이다. 자신을 닮아 하루도 마음 편히 쉴 수 없이 이리 뛰고 저리 뛰고 살아갈 것이라고는 상상조차 하지 않았을 것이다.

엄마의 방은 언제나 꽃향기다. 식물을 좋아하는 엄마의 방에는 사계절 내내 꽃이 있다. 벽장 한쪽에는 세월의 흔적이 묻은, 예쁜 무늬가 그려진 도자기 그릇들이 가지런히 놓여 있었다. 각 그릇에는 엄마의 추억과 취향이 담겨 있었다. 사극에서나 볼 법한 하얀 자기에 복(福)자가 쓰인 그릇은 엄마가 가장 아끼는 것이다. 창가에는 엄마의 관심을 듬뿍 받는 화분들이 즐비하다. 매일 챙겨주고 관심을 줘야 하는 것들로 바쁘지만, 그것들로 인해 행복하다.

엄마는 매일 아침, 정성스럽게 음식을 만들어 수집해 둔 예쁜 그릇에 담는다. 아버지가 계실 때는 바쁘게 살아 미처 해보지 못한 일들을 손자, 손녀를 위해 시도한다. 그래서인지 엄마의 요리는 맛뿐 아니라 눈도 즐겁다.

나이가 들어가셔도 여전히 아름다운 것들을 사랑하시는 엄마. 그러한 모습이 때때로 나에게는 이해되지 않았다. 그리도 또 같은 질문이다.
"아직도 예쁜 게 그렇게 좋아요?"
"아름다운 것을 보는 건 마음이 꽉 차."
그러면서 옆에 있는 손녀에게도 한마디 보태셨다.
"남의 눈에 꽃이 되렴."

때로는 엄마의 그릇장을 바라보며 가득 차 있는 그 공간에서 휑한 쓸쓸함을 느낄 때도 있었다. 그 안에 담긴 그릇들처럼 엄마의 삶도 아름다워야 하는데 형형색색 잘 빚어진 그릇과는 상반된 삶을 살아온 걸 잘 알기에 그런가 보다. 씁쓸하다.
엄마는 지금 어떤 마음이실까?
그녀의 마음속에는 어떤 꿈이 있을까?

"엄마, 하고 싶은 일이 있으셔요? 지금도 늦지 않아요. 제가 도와드릴게요."
"네가 잘살았으면 좋겠어. 편안하게. 다 늙은 나는 이제 괜찮지만, 너는 아직 한창이니 아름답게 해놓고 잘 살았으면 하는 게 내 소원이야." 하신다. 그 말이 진심이란 걸 안다. 너무나도 잘 안다.

엄마는 자신이 못다 이룬 여자다운 삶을 나에게 투영시키고 있었다. 그래도 딸이 셋이나 있는데 한 명쯤은 이루어주지 않을까 하는 그런 바람이 있으셨을 것이다.
세 딸 모두 엄마를 닮아 고군분투하며 육아와 일에 치여 살 거라는 건 꿈이라고 믿고 싶을 것이다.
엄마는 여자로 살고 싶었고, 딸들도 그렇게 살아주길 바란다.

아버지가 돌아오셨다.

일 년에 한 번씩 돌아오는 아버지는 이번에는 허벅지는 타이트하고 아래로 갈수록 바짓단이 넓어지는 베이지색 판타롱 바지를 나풀거리며 긴 파마머리로 오셨다. 뒷모습만 봤을 때는 아버지라고는 단번에 알아보지 못했다. 낯설다. 오랜 여정을 마치고 오실 때마다 낯설다. 그저 아버지 손에 들려 있는 이국적인 장난감과 과자만이 반갑고 이번에도 아버지는 매우 낯선 사람이다.
학교에 데려다주겠다고 하신다. 괜찮다며 만류해보지만 1년 만에 돌아오신 아버지는 딸아이가 자신을 생각해서 거절하는 거라고 예상하시나 보다. 끝내 따라나선다.

지나가던 동네 아이들이 힐끗힐끗 쳐다본다. 긴 머리에 컬이 예쁜 머리를 하고 있는 아버지를 한 번, 그리고 나도 한 번, 번갈아 본다. 쫙 찢어진 눈으로 아이들을 흘겨본다. '뭘 봐.'라는 듯이 턱을 들어 보이며 입을 삐죽거린다. 동네에서 왈가닥으로 유명했던 내가, 지금 엄마인지 아빠인지 모르는 사람과 다소곳이 걷고 있는 모습이 사뭇 우스워 보였나 보다.
'저기 아부지, 쪽팔리니깐 이제 제발 이쯤에서 가셔요.' 하고 싶다. 하지만 나는 큰딸이다. 속마음을 입 밖으로 내지 않는 장녀. 입가에만 맴돌던 그 말을 끝내 침 한 번 삼키며 위 속으로 함께 흘려버렸다. 교문 앞에 다다르자, 학교 끝나면 조심해서 오라는 말을 하고서는 돌아선다.

이번에는 제법 오래 계신다. 길어봤자 보름 정도 육지에 머물다가 다시 떠나가길 반복한 생활이 5년은 된다. 조금 더 계시기로 했나보다 싶었는데, 한 달, 두 달이 지나도 아버지는 여전히 집에 계신다. 어른들끼리 하는 말을 듣고 알았다. 육지에서 정착 생활을 하기로 했단다. 포항에서 할머니가 오셨다. 오랫동안 떨어져 지냈던 아들의 얼굴을 보고 싶어 직접 걸음 하신 거다. 그렇게 알았다. 아니었다. 얼굴이 아니고 돈이 보고 싶었다. 원양어선 기관장으로 제법 큰 돈을 받고 있던 아버지가 육지에 돌아왔다는 이야기는 즉,

돈을 많이 가지고 있다는 이야기와 마찬가지다.

"막내가 결혼한단다."

막내 고모의 결혼 소식이다. 곁에서 듣고 있던 엄마가 슬그머니 일어나신다.

'막내가 결혼한단다'는 '막내의 결혼식 비용을 너희가 마련해야 한다'로 들렸을테다. 돈이 드는 일은 모두 아버지가 도맡았다.

선비이신 할아버지를 대신에 생활전선에 뛰어든 것은 장남인 아버지였다. 글이나 읽고, 한자만 쓰고 있는 할아버지는 아이들이 굶고 있는지, 곳간에 쌀이 얼마나 있는지는 관심 없다. 그저, 조금이라도 있으면 어려운 사람, 굶고 있는 동네 사람들에게 나눠주고, 물려받은 값진 토지도 소학교를 지으라며 기부한 대인배다. 고향을 가면 할아버지를 칭송하는 이야기로 넘쳐난다. 양반이다. 글을 제법 쓰던 선비다. 그러나 가정에서는 한량 그 이상, 그 이하도 아니다. 소학교를 다니면서부터 장사를 시작했다고 한다. 어린 나이에 시작한 가장 노릇은 자신의 가정을 꾸려서도 이어졌다. 위로 누나가 한 명 있었지만 딸이라는 이유로 무거운 짐을 나눠주지 않았다. 아래로 3명이나 되는 동생들을 모두 결혼시켰다. 막내까지 책임지라는 할머니, 참 무책임하다. 자신이 할 일을 아들에게 부담을 주는 엄마의 심리는 무엇인지 성인이 된 지금도 납득이 가지 않는다.

엄마가 안 계실 때 아빠가 신문뭉치를 할머니에게 건네주었다는 이야기를 전했다. 그날 저녁 지금도 잊을 수 없는 일이 벌어졌다. 굳게 닫힌 안방 문 넘어로 얼굴을 세차게 빰을 내리치는 소리가 들렸다.

악다구니를 쓰는 엄마의 목소리도 들린다. 귀를 막아도 보고, 잠들어보려고 안간 힘을 썼다. 금방 끝날 것 같은 악몽같은 소리가 한 시간째 이어졌다. 안 되겠다 싶어 경찰아저씨가 사는 3층으로 올라갔다. 다급히 초인종을 누르고 엄마 아빠가 싸우는데 저희집에 좀 와달라고 부탁했다.

간신히 싸움을 말린 아저씨는 엄마를 자신의 집으로 피신시켰다. 아버지는 밤새 잠을 못 이루고 이리 뒤척 저리 뒤척인다. 날이 밝자 엄마를 찾아갔다.

"엄마, 나가. 동생은 내가 잘 돌볼 테니, 엄마 나가요." 엄마에게 집을 나가시라고 짐가방까지 싸서 들고 갔던 참이다. 말없이 눈물을 뚝뚝 흘리던 엄마. 아버지의 말도 안 되는 행패를 여러 차례 보아 왔기에, 더이상은 안 되겠다 싶어 내린 결단이다. 엄마가 편안히 살았으면 좋겠다. 가방을 건네고 학교로 향했다. 수업 내내 집중을 할 수가 없었다.

수업을 마치고 집으로 돌아오니 엄마가 없었다. 집을 나가라고 한 건 나인데, 엄마가 없는 집에 들어오니 걱정이 몰려왔다.

'나는 이제 어떡하지.' 쌀을 씻었다. 배고파하는 동생들을 먹어야 하는 일은 어린 나이부터 해왔던 터라 어렵지 않았다. 황급히 울리는 전화기 소리. 심장이 뛰기 시작한다. 엄마일 게 분명하다.

"엄마."

"어, 그래 유진아. 엄마야, 동생들 잘 챙기고........."

"어, 엄마, 걱정하지마."

"..................................."

"엄마, 밥 잘 챙겨 드시고요."

"................어, 그래, 잘 지내고 있어. 엄마가 너 5학년 되면 데리러 올게."

5학년이다. 당시 3학년이었던 나에게 5학년이면 데리러 오겠다고 했다. 내 기억상으로는 그렇다. 막막하기 짝이 없었지만, 엄마가 돌아오지 않기를 바랬다.

기억이 끊겼다. 엄마가 어떻게 다시 집으로 돌아왔는지는 떠오르지 않는다. 충격적인 일이어서 의도적으로 머릿속에서 지운 것일 수도 있겠다는 생각이 든다. 3살 때 잔잔한 기억도 생각해내는 기억력이 그때의 일을 기억하지 못할 리는 없을 테니 말이다.

엄마는 그때 나갔어야 했다.

엄마는 자신의 인생을 살았어야 했다.

아까운 우리 엄마는 그렇게 자신의 삶을 포기하고 세 아이를 보듬으러 희생하러 다시 돌아왔다.

그 이후로도 유별난 시어머니, 한량 기질을 물려받은 아버지와 함께 한 결혼 생활은 녹녹지 않았다. 아버지가 돌아가시고 비로소 찾아온 평화가, 그것이 외로움을 가장하고 그래도 그때가 좋았다는 추억으로 남게 해주는 건 헛웃음이 나오는 코미디다. 인생이 그래서 코미디다.

억척으로 살게 해줘서 고마워요.

비가 추적추적 내린다. 오늘따라 유난히도 동생은 자지 않는다. 태어난 지 몇 개월 되지 않은 어린 동생을 잘 보라고 하고는 엄마는 아침 일찍 일을 나갔다. 밖에서 부르는 소리가 들린다.
"유진아, 유치원 가자." 미닫이문을 열고 나가보니, 같은 유치원 친구가 서 있다.
"나 동생 봐야 해."
"너 며칠 동안 안 와서, 친구들이 기다려. 오늘은 가자. 동생은 잠깐 집에 두고."
"아... 안 되는데..."
"잠깐만이라도 갔다 오자."
"그래, 그럼 잠깐은 괜찮겠지?" 동생이 드디어 잠들었다.
잠든 동생을 두고, 방을 나선다. 우산을 찾아보니 없다. 비는 내리는데 어떻게 가지 싶어 주변을 두리번거리니 신문이 보인다. 신문을 뒤집어쓰고 달리기 시작한다. 절반쯤 갔을까. 동생이 생각나서 가던 길을 멈췄다.
"지연아, 나 그냥 돌아갈게."
"어? 거의 다 왔는데."
"어, 동생 때문에 안 되겠어. 미안해. 다음에 갈게." 집으로 돌아오니 동생은 세상 모르고 잠들어 있다.
'다행이다. 깨기 전에 와서. 미안해, 동생아.'
끝내 등대가 있던 초등학교 내 병설 유치원을 졸업하지 못했다. 세 아이 데리고 먹고 사느라 바쁜 엄마에게 일찌감치 철든 큰딸은 조르지 않았다. 그저 괜찮다고 했다.

학교를 가기 위해서는 하얗고 높은 등대 앞을 지나야 한다. 등대가 있어서 내가 사는 동네도 그냥 '등대'라고 불렸다. 어린 기억에 등대는 나의 아지트이자 놀이터였다. 꼭대기까지 올라가 본 적은 없지만 그곳은 아이들이 뛰어놀기 충분한 너른 마당이 있었다. 늦은 시간에 등대 앞을 지나가 본 적은 없다. 너무 어린 나이여서 그랬을 것이다.

먼바다를 훤히 비춰주는 기다란 불빛을 보았다면, 등대는 단순한 놀이터가 아닌 조금 더 아름다운 공간으로 기억되었을 것이다.
바다의 등불, 등대는 실상 바로 아래에 있는 마을 사람들의 삶을 환하게 비춰주지 못한다. '등잔 밑이 어둡다'는 말은 괜히 나온 게 아니다. 등대의 불빛에 대한 기억이 없는 것을 보면 확실히 등댓불의 영역은 우리 동네가 아니었다. 그저 나에게는 놀이터와 같은 마당이 있는 길쭉하고 요상하게 생긴 바다색에 어울리는 하얀 집이었다. 초등학교 2학년 여름방학 때까지 그곳 등대에서 생활했다. 기억을 더듬어 보면, 4~5살 때쯤까지 항구 가까이에 살다가 산꼭대기 등대로 올라간 것 같다.

4, 5살 때의 기억이 어렴풋이 나는데, 유난히도 빨간색 대문이 또렷하게 남아 있다. 그리고 대청마루, 그리고 한 지붕 아래 많은

사람들. 빨간 대문 안에 사는 사람은 우리 가족만이 아니었다. 주인집 딸아이와 매일같이 '집주인이 누구냐'를 가리며 싸움질을 하다가, 결국은 이사를 가게 되었다고 한다. 하는 수 없이 쫓겨난 것일지도 모른다.

아버지는 결혼하고 신혼집을 할머니 댁 근처로 잡았다. 어린 형제들과 어머니의 등살에 못이겨, 야반도주하듯 만 원짜리 달랑 한 장 들고 아내와 딸을 데리고 강원도 바닷가 낯선 마을까지 올라왔다. 친인척 한 명 없는 그곳에서 당장 할 수 있는 일은 바다와 관계된 일이었다. 해양고등학교 교사로 재직했던 이력과 기계를 잘 다루던 아빠의 실력으로, 얼마 일하지 않고 바로 기관장 자리를 맡을 수 있었다고 한다. 그리고 어린 기억 속의 아빠는 몇 달, 혹은 1년에 한 번 나타나는 존재로 남게 되었다. 기억의 빈자리는 늘 엄마가 함께 하는 모습만이 남았다.

이사 온 등대의 집은 항구 근처의 단칸방보다 조금 더 컸다. 4, 5살 때 이사 온 후로 초등학교 2학년 때 시내의 아파트로 이사갈 때까지, 산 아래의 마을에 내려간 기억이 없다. 기껏해야 아버지를 맞으러 항구에 나간 정도다.

등대의 언덕배기 집에서 아랫마을과 바다를 내려다보며 어린 시절을 보냈다. 가끔 집을 찾아오는 손님들은 단숨에 올라오지 못했다. 쉬기를 여러 번, 숨 고르기를 두어 번 해야 집에 도달했다. 아래에서 올라오는 사람들의 정수리만 보다가 몇십 분이 지나면 비로소 정면 얼굴을 볼 수 있었다.

기억상으로는 집에서 학교까지 꽤나 멀었다. 가는 길에 소도 보고, 등대에서 잠시 머물러 쉬었다 가고, 네잎 클로버도 찾고, 한 지붕 아래에 살던 또래들과 히히낙낙하며 한참을 걸어갔던 것 같다. 엄마는 어린 나이여서 짧은 다리로 걸으니 먼 거리로 기억될 것이라고 했다. 사실 그렇게 먼 거리는 아니라고.

기억을 더듬어 20대 후반에 어릴 적 살던 집을 찾아 올라간 적이 있다. 이승기씨가 나오는 드라마 한 편의 영향으로 그곳은 더이상 못사는 동네의 이미지가 아니었다. 전국에서 온 관광객들이 여기저기서 V를 그리며 사진을 찍기 바빴고, 하얀색과 파란색 페인트칠이 된 층층이 집들은 그리스의 어느 마을을 연상케 했다.
어릴 적 기억의 초라하고, 더부살이에 지친 얼굴로 사는 사람들이 모여있는 그런 등대는 아니었다.

등대에서의 기억은 엄마에게는 가난을 상징한다. 그곳에서 치열하게 살아온 이야기는 엄마에게는 지우고 싶은 기억일지도 모른다. 어린 셋 자식을 두고 아버지는 오징어 원양어선을, 젊은 엄마는 한 번도 해본 적 없는 명태 배 따는 일을 하러 다녔다. 배를 따고 남은 곤지며 창자를 얻어와 찌개를 끓여 끼니를 해결하기도 했다. 가난한 집이었는데도 큰딸인 나는 매우 당당했으며, 그늘진 모습 하나 없이 골목을 누비며 대장 노릇을 하는 아이였다.
"유진이 엄마~~~~, 좀 나와봐요."

그늘 없다 못해 너무나도 해맑은 큰딸이 누군가를 또 괴롭힌 것으로 생각해, 이웃 엄마들이 부를 때마다 엄마는 노심초사다.

가난은 어린아이도 빨리 어른이 되도록 만들었다.
언제부터인지 기억하지 못하지만, 확실한 것은 인간은 적응의 동물이라는 것이다. 엄마가 막내동생을 낳은 그 날 이후 철부지 개구쟁이 6살은 어른이 되었다. 그때의 6살은 지금 우리 집 막둥이와 같은 나이이다. 이제야 스스로 해내는 일들이 하나씩 늘고 있는 그런 나이다. 나의 6살은 어린아이의 모습이 아니었다. 언제 배웠는지도 모르게 갓난아기에게 우유를 먹이고 어부바를 해서 낮잠을 재우고, 우는 아기에게 노래도 불러주었다. 아기를 어린아이에게 맡기고 일 나간 엄마는 얼마나 불안하셨을까? 초등 고학년 아이들에게 6살 동생을 맡기고 나올 때도 조마조마한 마음을 떨쳐낼 수 없어, 30분에 한 번씩 전화하는데 말이다.

새벽녘 어둠 속에서 주섬주섬 옷을 입고 나가는 엄마의 실루엣은 어른아이의 하루를 시작해야 한다는 것을 알게 해주었다.
두려웠을 것이다. 아마도.
엄마의 빈자리와 두 동생도 지켜야 하는 마음이.
그때, 내가 버틸 수 있었던 것은 단 한 가지였다.
일을 마치고 들어오는 엄마 손에 들려 있던 달콤한 간식.
콩국도넛. 어른이 되어서 안산역 근처에서 다시 보게 된 콩국은 옛 기억을 한 번에 몰고 왔다. 완전히 잊고 있던 등대의 기억. 따끈하고 구수한 콩국물에 쫄깃한 찹쌀빵이 녹아있던 그 음식은 엄마의 기다림에 대한 보상이었다. 따끈한 국물은 두려웠던 마음을 일순간에 물러나게 했다.

엄마는 등대를 벗어나기로 결심했다. 9살이 되던 해, 우리는 등대를 떠나 아파트에서 살게 되었다. 말이 아파트지 30세대도 채 되지 않는 연립주택 정도다. 한 지붕 아래에 여러 채가 있는 것은 등대의 생활과 비슷하지만, 단단한 철문으로 집마다 자신의 공간이 철저하게 분리되어 있다는 것은 예전의 셋방과는 다르다. 같은 툇마루에 미닫이문으로 옆집을 나누던 그 집과는 확실히 차이가 있었다.

엄마가 등대에서 벗어나기로 결심한 것은 사소한 일에서 시작되었다. 가난한 환경에서 받는 무시는 사람을 더욱 강하게 만들고, 목표를 갖게 한다. 목표는 사람을 동기부여하는 힘이 있다.

어느 날, 엄마는 아래 집에 어떤 일로 가야 했고, 나도 따라갔다. 아래 집 문을 열어보니, 아래층 아주머니가 빠른 손동작으로 이불로 무언가를 덮는 것을 발견했다. 눈치 없는 딸은 "엄마, 통닭 냄새 나."라고 말했고, 엄마도 이미 이불 속의 '그 무언가'가 통닭이라는 것을 알아차렸다. 엄마는 빨리 일을 처리하고 집으로 돌아왔다. 그 이후로, 그 순간부터 등대라는 가난에서 벗어나기로 굳게 마음먹었다고 한다.

"꼭 잘 살 거다." 엄마는 통닭이 그녀에게 목표를 제시한 순간으로 기억한다. 아직까지도 엄마는 말한다. 먹는 것에 받은 상처는 오래

간다고. 특히나 내 자식들이 겪는 서러움은 가슴 속 깊이 남는다고 하신다. 먹는 걸로 그러면 안 된다는 말을 지금도 수없이 하신다.

엄마는 항상 후덕하고 인심이 좋은 아줌마로 기억되었지만, 강한 면모도 있었다. 그녀는 마음먹은 일은 반드시 이루는 강인한 여성이었다. 그 덕분에 우리는 4년 만에 세 방과 화장실 하나가 있는 아파트를 소유하게 되었다.

엄마는 가난에 대한 무시를 받을 때마다 새로운 목표를 설정했다. 그리고 그 목표들을 조용히 하나씩 이루어냈다. 나중에는 그 경험들에 대해 이야기했다. "그때 그런 일이 있었다. 그래서 이렇게 하려고 했지." 지금 생각해 보면, 엄마는 모든 것을 계획했던 것 같다.

어려운 상황에서도 절대 꿈을 포기하지 않았던 젊은 엄마의 날들은 찬란했다. 그런 기회를 준 것에 대해 감사하다.

통닭의 기억은 엄마에게 오래 남았나 보다. 아파트를 구입한 이후 엄마가 시작한 사업은 프랜차이즈 치킨집이었다. 치킨집 사장이 된 엄마는 세 딸에게 가장 먼저 해준 것이 "1인 1닭"이었다. 딸들에게 실컷 먹으라며 치킨 세 마리를 튀겼다. 아이들에게 원 없이 먹게 해주던 그때의 엄마의 마음이 어땠을지 잠시 상상해본다. 흐뭇하게 웃고 계셨던 그 모습도 잔상으로 남아 있다.

"띵동~~~"

"누구세요?"

"배달왔어요." 찰칵, 아파트 현관문이 열렸다.

"어?" "어....?"

"네가 왜..."

"아..그게..말이지.......우리 아빠 가게야."

문을 열어준 사람은 같은 반 남학생이었다. 그것도 내가 평소에 호감을 가졌던 그 아이였다. 그 집에 치킨 배달을 간 것은 바로 나였다. 초등학교 5학년 때였다. 인구 10만 명도 되지 않는 작은 소도시에서 한 다리 건너면 모두 아는 사람들뿐이었다. 아빠의 치킨집은 초등학교 근방에 있었고, 배달 가는 집마다 아는 사람들이 대부분이었다. 어떤 때는 치킨을 들고 학교 선생님 댁으로 배달 간 적도 있었다.

이 이야기는 90년대의 일이다. 몇 년간 타지에서 떠돌던 아버지가 드디어 육지에 정착하기로 결정했고, 몇 달 뒤에 치킨집을 오픈했다. 아메리카 대륙의 한 나라 이름을 연상시키는 그 브랜드는 당시에 근처 닭집과 어깨를 나란히 하는 인기 브랜드였다. 음식 솜씨가 뛰어난 엄마는 브랜드 회사에서 받은 양념에 자신만의 레시피를 더해 맛있게 치킨을 만들었다. 좁은 동네에서 소문은 빠르게 퍼졌고, 장사는 번창했다. 늘 일손이 부족해서 일찍 하교하거나 주말에는 가게에서 일을 도와야 했다. 기억에 남는 것은 정사각형 냅킨 안에 나무젓가락, 이쑤시개, 그리고 껌 2개를 묶어 치킨 상자에 넣는 작업이었다. 냅킨을 싸고 포장 상자를 접는 일은 나에게 맡겨졌다. 어릴 때부터 손이 빨랐던 나는 박스와 냅킨을 빠르게 처리했다. 치킨 주문 전화가 늘어날수록 나의 기술도 나날이 늘었다.

가게 안에서 소소한 일을 돕던 나는 바빴을 때, 가끔 뛰어갈 정도의 거리에 있는 고객들에게 직접 배달했다. 그렇게 나의 배달은 시작되었다. 작은 마을 안에서 치킨집 딸이 직접 배달하는 것이라는 소문은 빠르게 퍼졌다.

"어차피 소문난 거니까... 나는 창피하지 않을 거야." 이런 생각이 들었고, 그 생각으로 더 적극적으로 홍보를 하기 시작했다. 같은 반 친구들에게 다른 가게의 치킨을 시키다가 걸리지 말라고 으름장을 놓을 정도였다.

소풍 때면 선생님들로부터 주문받은 통닭과 아이들이 함께 먹을 통닭을 들고 나가는 일이 있었다. 부끄러웠을지도 모르지만, 그때부터 나는 보통 아이들과는 다르다는 것을 알았다.

중학생이 되었을 때, 아버지는 자신이 잘하는 일을 하고 싶다고 말했다. 육지에 정착한 후, 두 번째로 시작한 사업은 건자재상이었다. 경험이 없던 아버지는 시행착오를 겪으며 조금씩 자리를 잡아갔다. 억척같던 큰딸은 이번에도 부모님을 도울 방법을 찾았다.

건자재상 일은 도와드릴 만한 일로 보이지 않았다. 수백, 수천 가지 물건의 이름을 외우기 어렵고, 가격도 천차만별이어서 기억하기 어려웠다. 가끔 아버지 대신 가게를 지키거나 시멘트 포대를 옮기는 일을 도왔지만 큰 도움이 되지는 않았다.

'그럼 내가 할 수 있는 일은 뭐지?' 늘 그 궁리를 했던 것 같다. 이유는 한 가지다. 집에 도움이 되는 딸이 되었으면 좋겠다는 생각뿐.

어느 날 학교에 개인 사물함이 들어왔다. 학급마다 학생 개인용 사물함이 생겼다. 개인 사물함에는 교과서와 학교에서 필요한 물건을 보관해야 했기 때문에 자물쇠가 필요했다. 개인적인 물건을 보관하다 보니 학생들이 한두 명씩 자물쇠를 필요로 하기 시작했다. '바로 이거야!' 당시 우리 가게에도 자물쇠를 종류별로 팔고 있다는 것을 떠올렸다. 나는 아이들에게 자물쇠 주문을 받기 시작했다. 그 당시 한 학년에는 300명 가까이 되었고, 자물쇠 주문을 받아보니 꽤 많은 수였다. 학교까지 직접 배달 서비스를 제공하며, 선택의 고민도 줄여주니 친구들은 나를 통해 주문하기 시작했다. 같은 반 친구부터 옆 반, 전체 반까지 주문을 받았다. 그 후로 미술 시간에 필요한 용품, 교실에서 사용하는 청소 도구까지 주문을 받았다.

그러던 어느 날, 여전히 아이들에게 필요한 물건을 주문받고 있는데, 내 옆을 지나가던 친구가 한마디 했다. 한 해 동안 같은 반이었던 주은이다.

"우리 엄마가 너보고 여우같대."

그 친구의 말에 뭐라고 답했는지는 모르겠다. 기억나지 않는다. 분명 아무렇지 않게 받아쳤을 것이다. 그때의 나는 그랬을 거다. 부끄럽지 않았다. 전혀.

엄마를 돕고 싶은 생각뿐이었다. 내가 이렇게라도 하면 조금이나마 도움이 되지 않을까 그 생각만 했다. 어떤 상황에서든 엄마를 도울 수 있는 큰딸이 되고 싶었다. 장사든 가사든 무엇이든 말이다. 아빠 때문에 힘들게만 사는 엄마가 자식 때문에는 힘들지 않았으면 했다. 불쌍하게만 보이는 엄마가 행복해졌음 하는 마음이었다.

남편 없는 여자는 자식이 없다고 했던 말이 맞지 않다는 것을 보여주고 싶었다. 그런 편견을 보기 좋게 비껴나가게 하고 싶었다.

돌아갈 수밖에 없는 이유는 엄마였습니다.

“아버지가 병원에 가셨는데 큰 병원에 가보라고 했대.”

“그래요? 그러면 병원 예약해 둘테니 올라오시라고 하셔요.”

인터넷을 켜고 대장을 잘 본다는 병원 이리저리 검색해 본다.

건국대 병원. 당장 예약이 가능한 곳은 대장과가 아닌 위전문가라 한다. 급하니 어쩔 수 없었다. MRI와 CT를 찍어두고 아버지는 다시 강원도로 내려가셨다.

며칠 있다가 결과가 나오니 그건 혼자서 듣고 오겠다고 했다. 그때 당시 별일 아닐 거라고 생각했기에 결과가 나오는 날은 혼자 36주의 만삭의 몸으로 갔다. 결과만 듣고 잘 돌아오면 되니깐.

"4기셔요. 앞으로 잘 해봐야 3개월 남으셨습니다."
무표정한 얼굴로 눈도 마주치지 않고 말하는 의사의 말을 들으며 꿈을 꾸고 있다고 생각했다. 너무나도 아무렇지 않게 말해서다. 감정이 없는 사람처럼 입만 움직이고 있었다.
"뭐라고요? 선생님?"
재차 물었다.
"수술도 의미 없고, 항암 치료로 연명을 한다고 해도, 환자가 힘들 거고. 3개월 잘 계시다가 가실 수 있게 해드려야 할 것 같아요."
"그게 무슨 말씀이셔요."
이야기가 끝나고 진료실 방문을 나서고 난 후에 제정신이 들었다. 나도 모르게 바닥에 주저앉고 말았다.

4시간 거리에서 병원을 다니기에는 힘든 상황이었다. 항암 치료를 받은 날은 기력도 없고 입맛도 없는 상태라 곧장 집으로 내려갈 수 없었다. 치료가 있는 날은 전날에 오셨다가 치료를 받고 다시 우리집으로 오셨다. 처음에는 며칠을 그다음에는 몇 달을 그리고는 해를 넘기면서까지 우리집에서 생활하셨다. 이렇게라도 할 수 있음에 감사했다. 병원을 옮기고 그곳에서 수술을 하자는 이야기를 듣고 얼마나 감사했는지 모른다. 치료가 길어졌지만 가족들 모두 아버지를 살리겠다는 마음으로 하나가 되었다. 지칠 만도 한데 엄마는 몸에 좋다는 음식은 모두 해드리고, 아프다고 하던 다리도 밤새 주물러 주시고, 젊은 시절의 기억은 모두 잊은 사람처럼 지극정성이다.

3개월 남았다고 하던 아버지는 그렇게 5년을 더 사시고 가셨다. 남겨진 엄마는 세상을 모두 잃은 것처럼 헤어나오기 힘들어하셨다. 미운 정도 정인가보다. 육지에 정착한 이후에는 떨어져 지내보지 않아서인지 엄마도 아버지에게 많이 의지하며 살았나 보다. 아버지가 돌아가신 지 10년 가까이 되는 지금도 여전히 힘들어 하신다. 가끔 꿈에라도 나타나시면 그렇게 마음 아파하신다.

아버지가 가시고 나에게도 아이가 한 명 더 생겼다. 생전 할아버지 얼굴도 못 본 아이는 아버지와 똑같이 생겼다. 엄마의 그리움이 닿은 것은 아닐까라는 생각이 들 정도로 아이는 생김새며 하는 행동까지 아버지와 너무나도 닮았다. 엄마는 아버지가 보내주신 선물로 여기신다.

아버지가 돌아가신 이후부터 엄마와 함께 생활하게 되었다. 잠시 동안 동생 집에서 조카들을 봐주시느라 1년 정도 그곳에서 지낸 것을 빼고는 7년이 넘는 시간을 함께 했다. 막내가 태어난 이후로는 엄마는 우리 집에서 지낼 정당한 이유가 생긴 것이다. 결혼 후에도 일을 쉬어본 적 없는 나는 막내를 출산하는 12시간 전까지 일하고 출산하고도 2주 만에 복귀했다. 갓난아기는 자연스레 그때부터 할머니 손에 자랐다. 할머니에게 그 아이는 앞으로의 삶의 전부다.

엄마와 함께 지낸 이후로 알게 모르게 스트레스를 많이 받았다.

20살 독립하기 전까지 함께 살던 엄마의 모습은 온데간데없다. 불쌍하게만 여겨지던 엄마는 잔소리에 억척만 남은 할머니의 모습이다. 내가 변한 건지 엄마가 변한 건지는 모르겠다. '엄마'하면 애틋한 맘이 떠오르던 그때와는 다르다. 잠시나마 엄마의 그늘을 피하고 싶어 일찌감치 출근하기도 한다. 사사건건 그냥 넘어가는 법이 없는 엄마와 함께 있으면 신경 쓸 일이 많아 지친다.

엄마의 이런 성격을 진즉에 파악한 남편도 가끔은 자신도 모르게 미간을 찌푸린다. 순간적인 표정 변화는 나만이 안다. 삶의 모습은 엄마와의 생활 이후 조금씩 달라지기 시작했다. 나와 가족만 생각하면 되던 것이 엄마를 포함해서 생각해야 하는 것이 많아지니 무엇을 하려고 하기 보다는 무엇을 포기해야하는가가 먼저 떠오른다.

먼저 깨끗한 집을 포기했다. 소유욕이 강한 엄마는 늘 물건으로 헛헛함을 채워 넣는다. 아버지가 돌아가신 이후, 더 심해지셨다. 사람으로 채울 수 없는 감정을 물건에 이입시켜 본다. 관심사도 방대해서 그릇부터 인테리어 소품까지 뚜렷한 취향을 알 수 없을 정도로 다양하다. 엄마의 집은 물론이고 우리집, 동생의 집 곳곳에 엄마의 물건으로 가득하다. 이런 모습은 엄마도 결혼 이후에 생긴 것 같다.

둘째, 아이들 교육을 포기했다. 엄마의 개입이 너무 심해서 소신껏 하기가 힘들다. 막내의 경우 특히나 더 심하다. 갓난이 때부터 키웠기에 막내는 자신의 자식이라고 여길 정도다. 아이의 교육에 엄마가 먼저 나선다. 이 부분 때문에 가끔은 남편과 마찰이 생기기도 한다.

셋째, 내 정신 건강을 포기했다. 말하기를 좋아하는 엄마는 잠시도 쉬지 않고 이야기 할 수 있다. 일에 지쳐 돌아온 날에도 나의 얼굴을 순간부터 잠들기 직전까지 쉴 새 없이 말씀하신다. 그것도 매우 부정적인 언어로. 나는 태어난 순간부터 긍정적으로 살아갈 수 없는 환경이었음에도 배움을 통해 긍정형 인간으로 변해가는 중이다. 매우 잘 만들어왔던 나의 세계는 엄마와의 생활 이후로 조금씩 무너지고 있다. 부정적인 생각이 꿈틀거리고 올라오고 있을 때는 소스라치게 놀란다. 영향을 받고 있었던 것이다.

그럼에도 불구하고,
다시 돌아올 수 없는 이유는 항상 엄마였다.
엄마가 살아온 삶을 잘 아는 나는 엄마를 두고 떠날 수가 없다. 엄마를 모른 척 내버려 둘 수가 없다. 일본으로 유학갔을 때도 이곳에서 더 공부를 해보면 좋겠다는 교수님의 추천에도 결국은 엄마의 얼굴이 떠올라 한국행 비행기를 타고 돌아왔다. 이유는 알 수 없다. 그저, 엄마는 큰딸이 내가 함께 있어야 한다고 생각했다.

남편과 마찰이 있어 헤어지고 싶다는 생각을 했을 때도 엄마 때문에 그럴 수 없었다. 엄마도 버리고 남편도 버리고 싶다는 생각도 했다. 혼자 도망가 버리는 꿈도 꾸었다. 지칠 대로 지쳐 쓰러져 자고 일어나면 그때의 감정은 사라지고, 그래도, 다시, 엄마다.

엄마의 삶을 이해하며 그녀를 온전히 받아들이는 것이 나의 책임이라고 느낀다. 엄마가 가진 물건들에 대한 집착, 아이들 교육에 대한 과도한 개입, 그리고 끊임없이 부정적인 말들 사이에서도 나는 엄마의 사랑과 보살핌을 느낄 수 있다. 그것이 나름대로 자신만의 사랑법일 것이다. 그래서 '인정'하기로 했다.

시간이 지나면서, 나는 엄마를 다시 생각해 보기로 했다. 엄마를 객관적으로 보기 시작했다. 감정과 생각을 더 깊이 이해해보려 노력했다. 이 과정에서 나는 엄마가 겪었던 삶의 어려움과 아픔을 더 잘 이해하게 되었다. 엄마와 관련된 글을 쓰기 시작하면서부터 더욱 인정하게 되었다. 이렇게 살 수밖에 없는 그녀의 삶을 말이다.
엄마와의 관계에서 나의 경계를 설정하는 법을 배웠다. 나의 정신건강을 스스로 다독이고 챙기는 방법도 공부 중이다. 이러한 작은 노력들이 엄마와 가족들 사이에 가족이라는 이름으로 같이 살아가야 할 이유를 찾아 줄 것이다.

다시 돌아올 수밖에 없는 이유는 엄마였다. 늘 언제나 그랬듯이 지금도 마찬가지다. 이해할 수 없는 행동도 많지만 인정할 수밖에 없는 선택을 하는 건, 엄마의 사랑과 희생이 있다는 것을 기억하기 때문이다. 엄마의 모든 행동은 사랑이다.
그걸 엄마가 되고서야 알았다.

그녀의 사계

이주희

그녀의 사계

이주희

프롤로그

'찬란하고 위대하다' 라는 말은 드라마에서만

읽히게 하고 싶지 않다.

찬란하고 위대한 존재는 세상의 '엄마'이기에.

세상에 생명을 내놓아 꽃으로, 빛으로 빚어낸

찬란하고 위대한 존재이다.

그녀의 ' 봄'

PART 1

난리를 피해 피난하여 내려온 곳은 산으로 둘러싸인 작은 마을이었다. 아기였을 그녀를 안고 부부는 터를 잡고 농사를 시작했다. 그녀의 위로 또 아이가 있었는지는 모르겠으나 맏이로서 어여쁘게 자라나며 시골 소녀의 순수함을 머금고 성장하고 있었다. 아래로는 여동생 둘이 각기 다른 성격으로 자라났고 그렇게 자매들은 두 부부에게 보물이 되었다.

그 집 대청마루에서는 마을 초입길이 보인다. 외지인이 걸어 들어오는 것이 훤히 보일 만큼 집의 위치가 참 좋았다. 날이 맑으면 그 뒤의 신작로도 보였다. 부모를 도우며 자란 소녀는 국민학교(지금의 초등학교)의 학업만을 마치고 농사와 살림을 하였다. 여자가 공부해서 무엇에 쓰냐는 옛날 어르신의 고지식에 순응한 것이었다. 도시 생활을 해 본적 없는 순수자체의 시골 소녀는 성인이 되어 혼기가 찰 나이가 되었고 중매쟁이를 통해 근사한 남자와 선을 보았다. 첫눈에 반한 것일까? 둘은 몇번의 만남 후에 혼인 날짜를 잡게 된다. 그 남자는 여자가 사는 시골과 그리 멀지 않은 곳에 살고 있었지만 도시에서 직장생활을 하게 되어 신접살림은 그곳에서 차린다고 했다. 그 남자의 눈엔 다소곳이 앉아있는 여자가 꽤나 순종적인 현모양처 같다. 여자의 눈에 남자는 생활력 강한 잘생긴 매력남에 평생 기대어 살 수 있을 것 같다. 둘은 그렇게 서로에게 베필이 될 준비를 시작했다.

함이 들어오고 작은 마을엔 시끌벅적 잔치가 열린다. 소란스럽다. 온 동네 주민들은 제 자식의 경사인 양 모두 몰려와 웃고 떠들고 노래를 불러대며 축하를 건넨다. 애지중지 길러온 첫째딸을 도시로 시집 보내는 부부의 눈에선 알 수 없는 아련함의 눈물이 고인다. 그렇게 그녀는 도시에서 새 삶을 시작한다. 새로운 동반자와 함께.

녹록치 않는 살림이었다. 시골에서 농사만 짓던 여인이 도시에서 할 수 있는 것은 살림뿐이었다. 남편은 꼬박 월급을 받아오긴 했지만 세 식구 살림엔 다소 부족했다. 그녀는 그 돈으로 알뜰살뜰 살림을 이어 나가며 홀시어머니를 모시고 살면서도 아무런 불평불만을 하지 않았다. 순박한 여인은 그런 생활이 당연한 결혼 생활이라고 알았기에 그저 묵묵히 자신의 일에 집중하며 살아갔다. 하나밖에 없는 시누가 큰아이를 잠시 맡아달라고 했을 때도 군말 없이 자기 자식처럼 맡아 키웠던 참 착한 그녀였다. 너무 착해서 한평생 그렇게도 살았던 그녀였다. 한평생을..

아이가 생겼다. 희소식이다. 너무나 큰 기쁨이었다. 기쁨을 열 달 동안 품고 산달이 되어 그녀는 첫 아이를 출산했다. 세상에서 가장 크고 빛나는 선물이었다. 도시 생활이 힘듦도 모두 잊게 할 눈에 넣어도 아프지 않은 자식이었다. 그녀의 축복이 단 2일로 끝나게 될 것을 그녀는 알지 못한 채 출산의 고통도 잊고 기쁨에 차 있었다. 여자는 죽을 만큼 배 아파 낳은 자식을 보는 순간 그 고통은 한순간에 사라진다. 그 아이가 자라는 것을 보면서 또 다른 고통도 감내할 수 있을 용기가 생기게 되는 것도 여자란 존재다. 그녀도 첫 아이를 안는 순간 출산의 고통 따위는 쉬이 잊었을 것이다. 그 아이가 단 2일간만 세상의 공기를 마시다가 연기가 되어 그녀의 기쁨을 덮어버린 순간까지. 출산의 아픔보다 마음의 아픔이 더 컸다. 열 달 내내 품어온 아이가 세상의 빛을 얼마 보지 못하고 떠났다는 것에 그녀의 마음은 너무나 혼란스러웠다. 가슴에 묻고 또 묻고..그녀는 그렇게 다시 일어선다.

몇 해가 지나도 아이가 생기지 않는 것에 시어머니는 결단을 한 모양이다. 그녀를 데리고 절을 찾아가 스님과의 대화를 하고 백일 기도를 올리기 시작한다. 그녀는 간절했다. 다시 아이를 가지게 된다면 무엇이든 할 수 있었다. 시어머니도 손주를 보고 싶은 마음이 간절하긴 마찬가지였다. 두 여인은 그렇게 백일동안 하루도 쉬지 않고 정성을 빌었다. 건강한 아이를 갖게 해 주세요. 사내도 계집도 상관없는 건강한 아이를 갖게 해주세요. 두 여인의 기도하는 손바닥 마찰음과 중얼거리는 작고 작은 속삭임을 부처님은 들으셨을까. 그녀의 몸에 새로운 생명이 찾아오게 되었다. 두 여인의 간절함을 하늘이 들어주신 것처럼.

1978년 음력 정월 초하루. 만삭인 그녀는 식욕이 왕성했다. 만두를 빚고 갖가지 설 음식을 먹으며 아이를 만날 날을 기다리고 있었다. 작년에 담은 묵은 김장김치를 잘게 다져 두부와 당면, 고기를 넣어 만두 속을 만들고, 밀가루 반죽을 밀대로 밀어 얇게 펴서 공기그릇으로 원형으로 찍어낸 만두피로 잘생긴 만두를 빚는다. 만두를 잘 빚으면 잘생긴 아들을 낳는다고 어른들이 그랬었다. 그녀는 만두를 예쁘게도 잘 빚었다. 만두집 차려도 된다는 말을 들을 만큼 먹기도 아깝게 곱게 빚어냈다. 하나, 둘 빚어낸 만두는 어느새 쟁반 한가득 채워지고 있었다.

1978년 음력 정월 초나흘. 체기에 배탈이 났는지 복통이 시작된다. 왕성한 식욕으로 분명 과식해서 난 탈이라 생각했다. 약도 함부로 먹지 못했던 몸이라 예사롭지 않은 상태에 시어머니는 그녀를 택시에 태워 병원으로 향한다. 그녀는 그때까지도 그것이 산통이기 보다 배탈로 인한 복통으로 생각하고 있었다. 병원에 도착한 그녀는 그것이 비로소 산통이라는 것을 알게 되었다. 그렇게 몇 시간을 고통과 씨름해야 했다. 밤 12시가 지나 새벽 1시를 넘어가고 음력 정월 초닷새가 된 날. 잘생긴 여자아이가 태어났다. 만두를 잘 빚었던 그녀는 기도의 간절함과 더불어 잘생기고 우람한 여자아이를 얻게 된 것이었다. 큰아이를 잃고 수년만의 재회다. 자신의 뱃속에서 온전히 키워낸 내 아이. 그렇게 태어난 아이는 온 집안의 경사가 되었다. 맏딸이었던 그녀의 친정에서도, 외아들이었던 그녀의 시댁에서도 가장 큰 선물이 되어 세상에 모습을 보였다. 그리고

2년 뒤 쌍둥이 딸을 낳게 되고, 그 후 3년 뒤 포동포동한 딸을 얻게 된다. 그렇게 그녀는 딸 넷을 낳은 딸부잣집 엄마가 되었고 아들 없는 서러움도 잠시 건실하게 잘 키워내는 위대한 엄마가 되었다. 그렇게 그녀는 이 세상에 자신이 만든 꽃을 한 송이, 두 송이, 세 송이, 네 송이 조심스레 땅 위에 심는 봄을 맞이하고 있었다.

PART 2

차가운 개울물에서 신나게 수영하며 된장 띄워 고기를 잡으며 놀던 아이는 슬금슬금 한기가 느껴져 물속에서 나온다. 해는 뜨거운 한여름이지만 시골의 개울물은 무척이나 차가워서 한참을 물놀이를 하다 보면 입술이 새파래질 만큼 한기가 찾아온다. 물 위로 올라온 아이는 따뜻한 햇빛에 눈을 감아 얼굴을 들어 올리고 그 기분을 느낀다. 수영하는 아이 근처 흐르는 개울물 쪽에서 방망이로 두드리며 빨래를 하시던 할머니의 빨래도 마무리 단계다. 빨래가 담긴 대야를 할머니는 머리에 잘도 이고 다니신다. 두 손은 대야를 잡지도 않고 걷는데 그 모습은 볼때마다 아이에게 신기한 장면이었다. 물에 젖은 수영복을 입은 채로 신작로의 뜨거운 아스팔트를 밟으면 작은 발자국이 생긴다. 물론 뜨거운 볕에 금방 사라지긴 하지만 발자국을 내면서 걷는 그 따뜻함이 아이는 좋았다. 마을 초입길은 흙길이라 신발을 신어야 하니 신작로 아스팔트에서는 발을 말릴 겸 맨발로 걷는다. 신발을 신고 마을을 들어가 논길을 지나 건넛마을로 넘어가면 아이와 할머니가 지내고 있는 집이 나온다.

젖은 수영복을 벗고 우물에 가서 펌프질로 물을 끌어올려 고무대야에 물을 받는다. 바가지로 몸에 물을 끼얹고 비누칠을 하여 싹싹 닦아내고 다시 물을 부어 씻어내린다. 겨우 5살의 아이는 많이 해본 솜씨다. 물 끌어올리는 펌프질도 상당히 능숙하다. 몸을 씻고 새 옷을 갈아입고 수영복은 깨끗한 물에 헹궈 놓는다. 개울에서 빨래를 해 오신 할머니는 마당의 빨랫줄에 빨래를 널고 장대로 빨랫줄을 높이 올려 받친다. 저 장대는 가을이면 잠자리가 자주 앉는 자리다. 잠자리 날개를 향해 손을 뻗어 재빨리 잠자리를 잡아 놀기도 했다. 가을이 오면 잠자리와 친구가 되는 아이였다.

물놀이를 하고 왔더니 슬슬 허기와 졸음이 쏟아진다. 노곤노곤하니 밥만 먹으면 바로 잠들 것 같다. 그걸 안 할머니는 점심 밥상을 마루로 갖고 올라오신다.

“밥 먹고 자라! 할미 밭에 갔다 올게! 알았제?”

고개를 끄덕이고 할머니가 차려준 밥상 위의 감자 고추장 찌개를 푸욱 떠 올린다. 아이가 가장 좋아하는 찌개였다. 시골에 살면 감자와 고구마는 질리도록 먹는데 아이는 감자를 특히나 좋아했다. 감자찌개만 나오면 밥을 두 그릇이나 먹었다. 어떤 때는 그 맛있음을 못 참아 과식하여 잔뜩 체할 때도 있었다. 할머니의 실과 바늘이 그 체함을 해소시켜 주지만 손따는 것은 고역이었다.

할머니는 밭에 가시고 아이는 대청마루 끝에 앉아서 동네를 둘러본다. 사람 한 명 오가지 않는 시간이다. 가장 해가 뜨거운 시간이라 논과 산과 심지어 하늘까지 뜨겁게 아지랭이가 피어오른다. 아이는 시원한 마루에 엎드려 스케치북을 펴고 크레파스로 그림을 그린다. 아이가 주로 그리는 건 마을 풍경이었다. 보여지는 것을 그대로 따라 그리는 걸 좋아하는 아이는 어느새 사각거림이 멈추더니 한낮의 꿈나라로 놀러 나갔다.

잠에서 깨어난 아이는 머리가 멍했다. 여전히 주위에 아무도 없다. 할머니는 밭에서 오지 않으셨고 여전히 너무 조용했다. 가끔 굉음을 내며 지나가는 군사 훈련용 비행기나 헬리콥터 소리가 그나마 적막을 깨운다. 그리다 만 그림도 마저 그리지 않고 그냥 멍하니 쳐다보는 아이의 눈에 갑자기 눈물이 고인다. 엄마 꿈을 꾸었을까? 엄마가 보고 싶어짐이 서럽게 밀려 올라온다. 급기야 참았던 울음 소리가 목구멍을 넘어 밖으로 튀어나온다. 그리움에 외로움에 아이는 한동안 계속 울어댔다. 쌍둥이 동생들이 좀 더 늦게 태어났으면 아이는 할머니 집에 머무르지 않았을 것이다. 엄마가 혼자 아이 셋을 키우지 못해서 큰아이를 시골 친정으로 보낼 수밖에 없던 것이니. 그렇게 엄마가 보고 싶어 자주 울던 시골 아이는 엄마가 배탈인 줄 알고 낳은 우람하고 잘생긴 바로 나였다.

재잘거림을 좋아했던 나는 말 할 사람 없는 시골의 조용한 적막함이 너무 싫었다. 할머니가 오면 재잘거림이 시작되겠지만 할머니와의 대화는 그리 재밌지 않다. 할머니와의 대화보다 혼자 노래를 부르는 게 더 편하기도 했다. 매일 엄마가 보고 싶었고 집에 돌아가고 싶었으나 엄마가 데리러 오거나 이모가 데려다 줘야 갈 수 있는 집이었다. 하물며 할머니 집에는 유선 전화도 없어서 엄마 목소리도 들을 수가 없던 상황이었다. 하늘의 해도 엄마 얼굴 같았고 저녁의 보름달도 엄마 얼굴로 보였다. 할머니가 잘 챙겨주시긴 했지만 놀거리 먹을거리가 없던 시골에서의 생활은 애정결핍을 만들어 준 계기가 되어 버렸다.

할머니와 저녁을 먹고 동네 마실을 간다. 조금은 선선한 여름밤의 바람이 꽤나 기분이 좋다. 부채를 들고 나온 동네 할머니들이 모여 앉은 평상 구석자리에서 혼자 놀던 나는 어느새 할머니 옆에서 쭈그리고 잠이 들었다. 할머니는 그런 내 머리를 무릎으로 베어주시고 한동안 더 그 자리에 머무르다 시간이 늦어져서야 나를 업고 집으로 향하셨다. 나는 할머니 등에 업힐 때부터 잠이 깨어 있었다. 집으로 가는 내내 깨어 있었지만 나는 계속 자는 척을 한다. 그 등이 너무 포근하고 따뜻해서 눈을 뜨면 내려와야 했기에 집까지 그렇게 업혀 가고 싶었다. 업혀 가는 그 짧은 거리에도 나는 생각했다.

'우리 엄마였으면.....'

그녀의 '여름'

PART 3

그녀는 오늘도 손녀딸을 데리러 어린이집으로 향한다. 오늘은 딸의 일이 늦어져서 손녀딸 픽업을 해야했다. 둘째 손녀딸과 손주는 같은 어린이집이라 가끔 둘 다 데려오기도 한다. 아이들이 오기 전에 저녁을 해 놔야 맘이 편하다. 하원길에 떡볶집이라도 보이면 안 사주고 못 배기기 때문이다. 요즘 애들은 고집도 세고 말도 잘하고 당해낼 수가 없다. 분명 떡볶이를 먹으면 저녁은 건너뛰고 늦저녁 엄마가 오면 배고프다고 졸라댈 것이니. 딸도 먹이고 사위도 오면 한술 먹일 겸 늘 이른 저녁 채비를 하고 아이들을 데리러 간다. 집에 가면 퇴근한 남편과 손녀 손주 재롱을 보는 맛에 힘든 것도 모른다. 가끔 딸내미들의 서운한 말들이 가슴을 후벼 파기도 하지만.. 눈에 넣어도 안 아플 이 꼬맹이들 덕에 늘 웃을 수 있는 게 행복이었다.

첫 아이를 잃고 다시 아이를 낳아 딸 넷을 키우는 동안 남편의 직업은 수차례 바뀌었고 이사도 수없이 다녔다. 번듯한 회사를 다녔던 남편은 아이의 사고로 퇴직금을 받아 병원비로 내야 했고 자신 명의의 집인 연립주택도 팔게 되었다. 그녀는 시어머니와 함께 아픈 아이의 병원을 오가며 나머지 아이들까지 돌보아야 했고 2년에 한 번씩 전세로 이사를 다녀야 했다. 직장을 그만둔 남편은 닥

치는 대로 일을 해댔다. 신문배달, 우유배달, 화장지 납품, 슈퍼마켓까지 할 수 있는 것은 모조리 다 했다. 그녀 역시 안 살아본 집이 없었다. 판자집부터 반지하방, 물이 새어나왔던 방, 불개미가 지나다니는 집 등.. 전세 계약이 2년에 한 번이기에 2년마다 이사해야 했고 집 구하는 일은 결코 쉽지 않았다. 집주인들은 어린 아이들이 많다는 이유로 시끄럽고 지저분하게 방을 쓸까봐 잘 받아 주질 않았던 것이다. 그렇게 전세를 다니며 아이들을 키우고 세탁기도 없이 손빨래로 살림을 해 나갔다. 다친 아이는 병원에서 퇴원하여 물리치료를 병행하며 집에서 같이 지내게 되었고 숨을 돌릴 즈음 시어머니가 병석에 누우셨다. 집에서 아픈 시어머니의 용변을 갈아주며 또다시 병간호가 시작된 것이다.

빡빡한 살림에 남편도 스트레스를 받아서 자주 화를 내기 시작했고 급기야 밥 먹다가 상을 뒤집어 엎으며 불같이 소리를 지르기도 했다. 엎질러진 그릇들은 숨죽여 우는 그녀의 눈물과 한데 섞여 치워지기 일쑤였다. 남편은 학력이 짧은 그녀에게 가끔 하대하며 핀잔을 자주 주기 시작했고 가부장적인 성격으로 '여자가'란 말도 자주 했었다. 딸들이 대학을 간다고 해도 말리던 그야말로 옛날 사람인 것이다. 그런 남편에게 맞써 싸우는 그녀가 아니었다. 참고 참고 또 참으며 아이들만을 바라보며 살고 있었다. 시어머니가 돌아가시고 남편의 슬픔은 한동안 극에 달해 한이 된 것 마냥 그녀에게 화로 다가왔다.

남편은 술을 자주 마시고 들어왔다. 돈도 벌어야 하고 집도 자주 이사가야 하고 어머니까지 잃은 슬픔에 기댈 곳이 필요했던 것이다. 과중한 스트레스는 언제나 곁의 그녀에게로 화살이 되어 날아왔다. 그럼에도 묵묵히 아무말 하지 않고 바라볼 수밖에 없는 그녀였다. 위로의 말도 한마디 못해주었고 포근히 안아주지도 못하는 그녀였다. 그녀의 말 한마디, 행동 하나가 자칫하면 더 큰 화살이 되어 날아올까 불안했기 때문이다. 하고 싶은 말도 꾹꾹 참으며 살아냈다. 그녀에겐 그것이 평화롭게 사는 최선의 방법이었기에..

시어머니가 돌아가시고 시간이 흘러 남편은 안정을 되찾고 고정적인 직장을 구하게 되었으며 아는 지인의 도움으로 3층 연립주택의 전세를 기한없이 살게 되는 기회가 생겼다. 아이들도 학교 생활에 문제 없이 잘 지내고 있었고 이제 더 이상 집도 이사가지 않고 몇 년이나 살 수 있으니...아이가 다치고 난 후 근 10년만 이었다. 아이의 병간호, 시어머니의 병수발을 하며 살아낸 삶의 선물이랄까. 아이들보다 이제 자신만의 시간을 조금씩 가져야겠다고 그녀는 생각했다. 그렇게 평화를 맞이할 무렵....친정 어머니의 치매 소식을 듣게 된다.

친정어머니를 동생들과 번갈아가며 집으로 모시기로 했다. 어머니가 집에 오시면서 그녀는 외출도 거의 하지 못했다. 어머니가 행주라도 삶는다고 하면 냄비까지 태우기 일쑤였고 살림을 도와준다며 씽크대 안의 그릇을 모조리 꺼내기도 한다. 뒷정리는 그녀의 몫이었다. 그런 어머니가 좋아하는 음식이 있었다. 바로 짜장면! 그릇을 정리하며 오늘은 아이들이 오면 짜장면을 시켜 먹어야겠다고 생각한다. 어머니는 짜장면을 어린아이처럼 맛있게 쩝쩝대며 드신다. 입 주변에 까만 소스를 묻혀가며 면발을 입안으로 넣고 넣고 또 넣는다. 누가 뺏어 먹지도 않는데 먹는 속도도 아이들보다 빠르다. 그런 어머니의 입가를 닦아주며 문득 미안한 마음이 든다. 너무 일찍 시집가서 잘 못 찾아뵙고 큰아이까지 맡겨 살펴달라고 했으니.. 평생 혼자 사신 외로운 사람.. 미안한 마음뿐이다.

친정어머니는 그렇게 딸들 집에서 머무르시다가 치매가 심해져 요양병원으로 입원하시게 되었고 수년 후에 돌아가셨다. 그녀는 아이와 시어머니, 친정어머니의 병간호로 많은 시간을 보냈다. 조금이라도 편해짐이 허락하지 않는 삶을 살아내고 있었던 것이다. 내리쬐는 여름 뙤약볕만큼이나 뜨거운 입김으로 쉴새 없이 뿜어대며 살아낸 그녀의 여름이었다.

PART 4

엄마와 아빤 또 집 보러 나가셨다. 오늘도 저녁은 내가 차려서 동생들을 챙겨야 한다. 찌개와 반찬은 다 해놓고 가셨지만 밥 먹고 난 후 설거지는 내 몫이다. 일요일만 되면 엄마와 함께 손빨래를 했다. 세탁기도 없던 집에서 쭈그리고 앉아서 고무장갑을 낀 손으로 양말을 비벼 빨고 아빠의 무거운 작업복이 물에 젖으면 내 힘으론 감당하기 어려운 무게가 되어버린다. 온 힘을 다해서 헹궈내야 했다. 초등학생은 일요일에 엄마의 손이 되어주곤 했다. 가끔 엄마가 시골에라도 가게 되면 새벽 4시에 출근하는 아빠를 챙기는 사람은 바로 나였다. 잠도 더 자고 싶고 누가 깨워주면 일어나는 재미도 누리지 못하고 항상 부모님과 가족이 우선순위가 되어야 했다.

초등학교에 입학하고 엄마가 첫날, 둘째날 등교길을 동행하면서 길을 알려준다. 엄마랑 학교 가는 그 길이 너무 즐거웠다. 총총걸음으로 꽤 걸어야 하는 거리임에도 엄마와 함께 가면 금방 학교가 보이는 신기한 길이다. 초등학교 입학한 지 3일째 날. 하굣길에 데리러 오던 엄마가 오지 않았다. 선생님은 엄마가 전화했다며 혼자 집으로 가보라고 말씀해 주셨고 나는 기억을 더듬어서 혼자 터벅터벅 걸어갔다. 엄마랑 갈 땐 금방 갔는데 혼자 가니 꽤 오랜 시간이 걸린다. 집에 도착했는데 할머니와 동생들만 있다. 그리고 할머니는 셋째 동생이 다쳐서 엄마 아빠 모두 병원에 가셨다고 얘기해 주셨다. 동생이 다쳤다니..너무 걱정이 되었지만 기다리는 방법밖에 없었다. 다시 또 엄마가 내 곁에서 멀어진다.

할머니가 아프셔서 못 일어나셨다. 엄마는 식사도 먹여 드리고 옷도 갈아 입혀 드리며 지극정성 간호하셨다. 아빠는 일하시다 집에서 점심을 드신다고 오는 날이 많았고 엄마는 아빠가 좋아하는 수제비를 직접 끓여서 차려드리기도 했다. 그러다가 어떤 이유에선지 소리를 지르며 수제비 상을 엎어버리는 아빠의 모습에 나는 적잖이 놀랐었다. 묵묵히 치우는 엄마의 모습에선 화도 났었다. 엄마가 뭘 잘못했지?! 지금 생각하면 당시 아빠의 마음도 이해하겠지만 그렇다고 가장 고생한 엄마에게 화풀이를 하는 건 아니지 않았을까. 그런 모습을 볼 때마다 나는 강한 여자가 되어야겠다, 기죽고 살지 말자라고 다짐하곤 했다. 결혼해도 할 말 하고 사는 여자가 될 것이라고 속으로 계속 자신에게 얘기하곤 했다. 엄마의 모습은 여자인 나에게 지대한 영향을 주었다. 잠시 휘청이던 아빠는 안정을 찾으셨고 다시 오뚜기처럼 일어나셨다.

"엄마, 오늘 애 픽업 좀 부탁할게요~ 일이 늦을 것 같아서~ 저녁하기 싫으면 피자랑 치킨이라도 시킬 테니 그거 드시고~"

나는 또 염치없이 엄마에게 부탁한다. 엄마는 환갑을 넘으셨는데 보기보다 동안이시다. 아빠도 일을 하고 계셨고 정정하셨다. 엄마는 손주들을 데리러 가는 것에 마다하지 않으셨다. 물론 애들이 고분고분하지 않는 미운 4살이지만 아이의 재잘거림과 어린이집에서 배운 춤의 재롱은 할머니 할아버지에게 더없는 행복이 되어 주었다. 어렸을 때 떨어져 지낸 내가 할 수 없던 나의 재롱을 내 아이가 해드리고 있었던 것이다.

나는 내 삶이 중요하다고 생각했다. 어린 시절부터 어린애답지 않은 성숙함을 지녔던 나는 누구에게나 '착한 사람'이었다. 엄마 아빠에겐 효녀 소리 듣고 싶은 착한 딸이 되는게 가장 큰 나의 소원이었다. 엄마가 원하는 학원을 다녔고 엄마가 힘들까 봐 싫어도 내색 안 하고 집안일을 도왔던 딸이었다. 부모님이 돈이 없다는 것을 알아서 전공도 못 살리고 대학도 포기하고 바로 취업전선에 뛰어들기도 했다. 공부에 목마른 내가 적성에 안 맞는 일을 하며 돈을 벌어야 했던 시간들은 많은 경험과 배움을 안겨 주기도 했지만 무척이나 힘들었던 젊은날의 슬픔이었기도 했다.

결혼 후 아이의 교육에 열을 올리는 엄마가 된 것도 내가 배움에 목말라서 대리만족 하려는 것이 아니었을까. 큰아이를 유도 분만으로 어렵고 낳고 아이의 교육 만큼은 엄마인 내가 책임진다는 생각으로 5살까지 어린이집에 보내지 않으며 책을 밤마다 읽어주며 지극정성으로 직접 가르쳤고 영어유치원을 졸업시키고 초등학교 저학년 때에는 영어 과외에 피아노에 태권도에 미술에 발레에 통기타에 댄스에....하나씩은 다 시켜 본것 같다. 아이가 조금이라도 관심있어 하는 분야는 마다 않고 등록하여 데리고 다녔었다.

결국 초등학교 4학년이 되어서 사춘기가 온 아이와 마찰이 일기 시작했다. 아이는 학원을 자주 빠졌고 그로 인해 나의 언쟁이 높아지기 시작한 것이다. 최대한 아이를 설득하려 애썼지만 결론은 아이의 승! 모든 학원을 끊어주기로 했다. 사실 그렇게 되면 다른 아이들보다 뒤쳐지지 않을까 하는 걱정이 제일 크게 앞서긴 했지만 교육보다 아이와의 관계가 난 더 중요하다고 생각하여 마음을 비우기로 했다.

"엄마가 학원을 다 끊을거야! 넌 학교 끝나면 놀아도 돼! 단 하나

약속할 게 있어! 문제를 일으켜서 학교에서 엄마보고 오라고 하면 넌 다시 학원을 다녀야 해! 니가 놀던 공부하던 상관은 없지만 나쁜 친구들과 나쁜 짓 하는 것과 거짓말 하고 다니는 것, 밤 늦게까지 집 안 들어오는 일은 허용할 수 없어! 할 수 있겠니?"

아이는 대답은 당연히 예스! 예스! 예스! 였다. 그렇게 아이는 자유의 몸이 되었고 정말 신나게 놀기만 했다. 학교 성적에 연연하지 않았고 학원에 대한 스트레스가 해소되자 둘의 사이는 완만해져 갔고 별탈 없이 중, 고등학교 생활도 잘 헤쳐나가며 자기 일을 알아서 해가는 아이로 성장했다.

누군가는 자식 교육에 너무 관심 없다고 했지만 내 나름대로 관심을 끊은 것이 아닌 관심을 줄인 것이었다. 아이가 하고 싶은 일은 서포트 해주었고 극도로 하기 싫어하는 일을 멈추어 준 것! 그렇게 나도 엄마가 처음이라 어설펐고 시행착오도 겪고 있었다.

엄마도 자식을 낳아 자신을 희생하며 키워냈는데 나는 그런 엄마에게 내 자식도 맡기며 일하기 바빴다. 엄마의 삶보다 내 삶이 어찌보면 더 순탄함에도 난 엄살을 부리며 사는 것 같다. 어린 시절 엄마에 대한 그리움과 외로웠던 마음이 엄마에 대한 미움까진 아니었지만 살가운 애교로도 다가가지 못한 것을 이렇게 나는 내 자식의 재롱으로 기쁨을 대신 드리고 있었다.

그녀의 '가을'

PART 5

"안돼 안 된다고! 아직 못 해준 게 너무 많아! 이대로 보낼 수가 없다고!' 그녀의 울부짖음은 밤이라 더욱 조용했던 병동 내에 쩌렁쩌렁 울려 퍼졌다. 의사는 결정을 내서 알려달라며 중환자실 문을 열고 사라졌고 그녀와 그녀의 자식들은 눈물범벅이 되어 말을 못 잇고 있었다. 못 해줘도 잘해줘도 남편은 남편이다. 한평생 의지하며 살아온 남편이다. 남편이 어깨가 아프고 팔을 못 든다고 했을 때부터 큰 병원에 갔었어야 했다. 뒤늦은 후회를 해 봐야 이제와서 남편이 깨어나서 걸어나올 것도 아니다.

한쪽 팔을 움직이기 힘들다고 한 이후로 일어서기도 힘들고 숨도 차고 심지어 밤에 자다가 요의를 느낌에도 벌떡 일어나지 못해 실수를 하게 된 것이다. 그녀는 딸들에게 남편의 상황을 전하고 큰 병원으로 검사를 받아보기로 한다. 딸의 차에 동승하여 서울까지 가는 동안에도 남편은 숨쉬기도 힘들어 보였다. 조금만 더 참으면 병원이라며 애써 다독이지만 멀미가 나는지 남편은 눈을 스르르 감는다. 병원 주차장에 도착한 후 차 문을 열고 남편의 팔을 잡는 순간 남편이 그대로 꼬꾸라진다. 운전했던 딸은 너무 놀라 바로 병원 관계자를 불렀고 응급실로 옮겨진다.

"루게릭입니다"

의사의 입에선 불치병의 진단이 내려진다. 멀쩡하던 사람이 갑자기 루게릭이라니! 근육이 굳어지는 병 아닌가! 작은 병원에선 그랬었다. 폐질환, 목 디스크라고..

"자가 호흡이 안 되는 상황이니 목관 삽입을 하실 건지 이대로 운명하게 하실 건지 결정해 주세요"

그녀는 보낼 수 없으니 연명하자고 한다. 그래야 한다고 말한다. 자식들은 안다. 누워있는 아빠보다 살아서 또 감내해야 할 엄마의 모습이 선명히 그려져서 안다.

"엄마의 마음은 알겠는데 냉정히 말해서 엄마가 더 힘들거야.. 병수발에 장사 없다고..엄마 할머니들 그리했으면 이제 됐어. 우리도 아빠 보내기 싫지만 살아있는 엄마도 중요해"

지금까지 살아오면서 자기 뜻 한 번 내세우지 못한 그녀였지만 이 번만큼은 확고했다. 집에 모셔서 자신이 돌볼 거라며 한사코 자식들의 말을 듣지 않았다. 그녀의 뜻대로 연명 치료하겠다고 말했고 그날부터 그녀는 중환자실로 출퇴근을 하며 면회시간을 기다리곤 했다. 중환자실에서 남편은 다행히 깨어났고 사람도 알아보았지만 목소리를 잃었다. 목으로 산소를 주입하기 때문에 그녀는 더이상 남편의 목소리를 듣지 못하게 됐다.

남편은 목소리가 아주 좋은 사람이었다. 노래도 잘 불렀고 성우처럼 맑은 목소리를 갖고 있었다. 그런 남편의 목소리를 이젠 들을 수 없다. 남편은 의식을 찾았고 사람은 알아보지만 가끔 정신이 혼미해지는지 알 수 없는 손짓으로 허공을 가르키기도 했다. 중환자실을 나오고 일반 병실로 옮겨지고 다시 요양병원으로 자리를 옮긴 이후 남편은 하루가 멀다하고 말라 갔으며 움직이지 못하는 상태에서 몸 곳곳에 피부병이 생기기 시작했다. 염려스러운 그녀는 자식들에게 집으로 옮기자고 제안했고 자식들은 의료용 침대와 환자용 식사 외에 필요한 장비를 마련하여 집으로 모셨다. 그렇게 그녀는 매일 당신의 남편의 손과 발과 눈과 입이 되어 곁에서 한시도 떠나지 않고 있었다.

하루 세끼 환자용 식사를 호스를 통해 먹이고 일주일에 한 번 목욕도 시켜주고 손발톱 정리는 물론 남편이 볼 수 있게 티비도 잘 보이게 놓아주고 가족사진들도 근처에 잘 배치해 두었으며 더울새라, 추울새라 늘 온도를 체크하며 항상 곁을 지켰다. 요양병원에 있던 모습과는 달리 남편은 혈색도 좋아지고 피부병도 나아지고 말끔해져 미냥 아기같이 사랑스러워 보인다. 그녀는 이렇게 그를 바라보는 것만으로도, 아니 곁에 앉아서 숨소리를 듣는 것만으로도 행복이다.

지나온 시간이 한평생 어떻든 그래도 새로운 삶을 함께 시작한 동반자가 아닌가. 평생 가족을 위해 헌신하며 모진 일도 마다않고 해왔던 가장이 아닌가. 새벽에 날계란 하나 툭 까먹고 나가 신문배달, 우유배달을 하며 출근했던 사람이었고, 환경미화원으로 취업해서 한참을 일하다가 정년 퇴임 후 공공관리 요원으로 공원관리를 하며 나무 손질, 정돈 등을 맡아 하는 사람이었다. 어디서 무얼 해도 하급자로 일하던 사람이 아니고 모범적으로 어려운 일 마다하지 않고 하는 사람이라 환경미화원 재직 시절도 반장급이었고 공공관리도 반장급으로 일 하나는 야무지게 하는 사람이었다. 30년 넘게 피운 담배로 스스로 끊어버린 근성을 가진 그였다. 힘이라면 누구보다 세다고 자부했던 그가 근육을 못 쓰게 되는 병이 찾아온 것이다. 그런 그를 누구보다 잘 알고 있던 그녀였기에 자신의 힘든 삶조차 그에 비하면 아무것도 아닌 것이라 생각할 수밖에 없었다. 고마움과 미안함의 끝은 세상 마지막까지 곁을 지켜주는 것이라고 그녀는 생각했다. 그녀에게 유일한 기둥은 그렇게 허물어져 가고 있었고 그 기둥을 받치며 함께 기둥이 되려는 그녀의 계절은 찬란하지만 슬픈 가을이었다.

PART 6

"엄마! 나도 아빠가 더 사시면 좋은데 엄마가 너무 힘들어지는 게 싫어! 병간호하는 사람이 더 힘든 거 몰라? 친할머니, 외할머니 그렇게 병수발하고 이제는 아빠 병수발까지 해야하잖아! 엄만 그냥 앞으로 편하게 살자, 응?!

모질이다. 이런 모진 말을 한 사람이 나다. 엄마를 위한답시고 했던 말은 나를 위한 말이 아닌가. 엄마가 저 말을 듣고 위로가 되기는 커녕 서운했을 것이다. 어쩌면 나는 평생 살아온 엄마의 모습을 알기에 냉정히 말한 것이었는데 공감이 1도 안되는 말이었다. 동생들은 그런 나를 빤히 쳐다보았다. 눈빛 보니 동생들도 엄마 편이다. 그래! 인정! 엄마 뜻대로 하자! 엄마가 원하는 대로 해드리기로 했다.

아빠가 쓰러진 그 날은 아침부터 내 컨디션이 좋지 않았었다. 요즘 들어 자꾸 우울감이 심해져서 나도 나를 이해할 수 없을 만큼 힘든 시간을 하루하루 보내고 있었다. 여러가지 일이 한꺼번에 찾아왔다. 해외 출장 중이던 남편을 대신해 온갖 집안일은 내 몫이었고 어디에도 힘들단 이야기를 꺼낼 수가 없었다. 남편과의 통화에서 힘들다고 말하면 자기만큼 힘드냐고 오히려 면박을 주는 바람에 힘들단 말도 못 하고 살았다. 천사같은 아이들? 천사같지 않다. 사춘기 두 아이들은 걸핏하면 '신경쓰지 마라' 였고 짜증내길 반복한다. 돈 빌려준 아는 동생은 연락도 끊겼다. 믿었던 사람이 나를 배신을 때린다. 뒷담화를 하고 사람의 마음에 생채기를 내 버린다. 하는 일은 맘처럼 안된다. 하소연 할 사람도 없다. 답답해서 죽을 것 같고 밤에 잠도 안온다. 심리 상담을 받을까? 정신병원에 가볼까? 수면제를 먹어볼까? 별의별 생각을 다 해본다. 엄마가 되어서 아이들에게 기댈 수도 없고 엄마가 마음이 아프다고 얘길 할 수 없었다.

아픈 아빠로 인해 힘든 엄마에게도 내 이야기를 할 수 없다. 아빠와 엄마를 수시로 찾아가는 동생들에게도 내 이야기는 말 할 수가 없다. 괜찮아 질거야~ 시간이 좀 지나면 괜찮아 질거야~라고 생각하지만 하루하루가 지날수록 자꾸만 나쁜 생각이 슬며서 올라온다. 혼자 견뎌내야 하는 시간이다. 인생 가장 아래쪽으로 내려가는 기분이다. 갑자기 쓰러진 아빠, 다시 힘들어질 엄마를 생각하니 마음이 불안하다. 아이들에 대한 걱정으로도 불안하다. 사람들에 대한 관계의 치임으로 생기는 상처에 마음도 아프다. 들어줄 이없는 외로움도 너무나 크다. 아빠를 보러 가면 엄마 앞에서 울지도 못한다. 애써 태연하게 괜찮다고 위로하고 나오곤 한다. 동생들 앞에서도 고마움의 표시와 격려를 해주고 애써 씩씩한 척한다. 그것이 맏이인 내가 할 수 있는 일이었다.

아빠 간호에 힘든 엄마는 가끔 나에게 전화를 해서 가슴 후벼파는 말을 소리 지르며 할 때도 나는 듣고만 있어야 했다. 동생들의 힘든 하소연도 들어주기만 해야 했다. 나는 경제적 능력도 없는 언니였고 돌볼 아이들이 있어 매일 엄마와 같이 해드릴 수 없는 딸이었다. 하루 하루가 물에 젖은 몸처럼 질질 끌며 사는 삶이었고 아프다 못해 시린 가슴은 웃기는 개그 코너를 봐도 눈물을 흘리는 모질이로 만들었고 잠을 못 이루는 내 눈은 퀭하니 10년은 늙어 보였다.

죽을 용기 없으면 살 용기라도 내봐야지. 순간, 누군가가 귀에 대고 말하는 것 같았다. 살 용기..왜 살 용기는 생각을 안 했을까? 갑자기 하루하루 이렇게 보내는 이 시간이 아깝단 생각이 들었다. 살아갈 용기. 무엇을 해야 내가 일어설 수 있을까?

죽으란 법은 없나보다. 사람이 싫어져서 혼자 있고 싶어진 그 순간 때에 맞춰 코로나가 찾아온 것이다. 나를 세상에서 분리시켜 주었다. 고맙게도.. 모든 것이 일시정지된 기분. 백지에서 다시 그려나가면 되는 상황. 시국을 핑계로 내가 할 수 있는 일을 찾아보았다. 엄마에게 모진 말을 했던 모질이 딸이 아닌, 나쁜 생각으로 엄마로서의 지위를 부끄럽게 할 뻔했던 못난 엄마가 아닌 자랑스러운 딸과 자랑스러운 엄마가 되어보자고 결심한다. 누군가에게는 위기였을 시간이 나에겐 반가운 기회의 시간이 되었다. 나의 가을은 그렇게 우울과 사투를 벌이며 잎이 떨어져 나가던 나무였었다.

그녀의 '겨울'

PART 7

중환자실 밖에서의 그녀는 직감한다. 오늘이 마지막인 것을. 다시는 그의 온기를 느낄 수 없음을. 직감하지만 애써 외면한다. 얼마 전부터 남편은 눈조차 감지를 못하게 됐다. 뜬눈으로 하루종일 있다보니 눈은 충혈되고 눈물을 주르르 흐르다가 말라버린다. 요양병원을 나와 집에 와서 지내는 동안 가끔 앉아서 신문도 읽었고 목소리도 어눌하지만 대화가 가능할 정도로 나오기도 했다. 움직여지는 한 두 손가락으로 휴대폰 문자도 보내고 리모콘으로 티비 채널도 바꾸시곤 했다. 사람들이 오면 환하게 웃으며 손도 흔들어 보였었다. 그녀는 그의 호전된 상태에 내심 불안하지만 실낱같은 희망도 가져본다. 나아질 수 있겠지. 이러다 일어나 걸을 수도 있겠지. 하는 희망. 그런 그는 티비옆 장식장안의 위스키 한잔 마시는게 소원이라고 했다. 먹을 수 있다면 입에 술 한 모금만 대봤으면 좋겠다고 했다. 아쉽게도 그 소원은 이루지 못한 채 다시 그의 몸은 굳어져 갔다. 이젠 앉을 수도 말을 할 수도 손가락을 움직일 수도 없게 되었고 눈꺼풀마저도 감기 지가 않는 상태가 되었다.

병원에서는 마지막을 준비하라고 한다. 소식을 듣고 밤늦게 달려온 딸들과 사위들 앞에서 그녀는 아이처럼 불안함에 눈물을 쏟는다. 의사가 특별히 한 명씩 면회를 허락해 줬다. 들어갔다 나온 딸들은 하나같이 펑펑 울며 나온다. 그녀는 그에게 잠시나마 기둥이 되었었다. 그는 병상에 있음에도 언제나 자신의 반쪽인 그녀를 찾았었고 그녀는 자신의 스트레스는 딸에게 풀었어도 그에게는 미소를 머금는 진짜 분신이었다. 그녀가 기둥으로 기대며 살던 그는 이제 자신의 기둥이 된 그녀에게 기대어 숨을 쉬고 있었다. 병상에서조차 더 잘해주지 못했던 미안한 마음이 그녀의 가슴을 억누른다. 할 만큼 했다는 주위 사람들의 말은 하나도 위로가 안 되고 그저 미안한 마음뿐이다. 살면서 미워했던 눈꼽 만큼의 감정조차 모두 미안함이 되어 버렸다. 세상의 마지막을 알고 사는 사람은 없지만 죽음이 다가오고 있음을 눈으로 보아온 그녀로서는 어느 정도 마음의 준비가 되어 있었을 법 했지만 마음의 준비를 하면 정 없이 보내는 사람이 되어버릴까 죽음의 준비보다는 같이 있고자 하는 희망으로 살지 않았을까. 조금만 더 조금만 더, 이러다 10년은 더 살 수 있을거야..라며...

장례식 내내 그녀는 울지 않았다. 조문객들과 대화하기에 바쁜 그녀는 사람들 틈으로 간간히 웃음을 보였다. 너무 힘들었던 탓일까? 애써 태연한 것일까? 그동안 쏟은 눈물로 이제 눈물조차 마른 것일까? 다른 사람들이 더 슬퍼질까 애써 참는 것일까? 그녀는 바삐 움직인다. 고향 사람들을 대할때 반가움의 기색도 역력하다.

많이 힘들었던 그녀는 입관식날 그를 끌어안고 놓지 않았다. 눈이 감기지 않을때 눈에 뭐라도 들어갈까 눈을 감겨주려 애썼던 그녀가 그때는 눈 좀 떠보라며 울부 짖었다. 사람들이 그녀를 겨우 끌어내서야 입관 절차를 진행할 수 있었다. 곱디 고운 천과 꽃으로 둘러싸인 그의 얼굴에 '이제야 편히 잘 수 있네~ 염려들 말게나~'라고 말하는 것 같았다. 그렇게 그녀는 그에게 먼저 가서 자리 잡고 있으라며, 자기 올 때까지 기다리라고 말하며 손을 흔들며 보내주었다.

“사진이라도 넣어두자! 니 아빠 오토바이 좋아했는데 오토바이 탄 사진으로!”

그가 세상을 떠난지 1년이 된 2023년 12월 4일. 그녀는 꽃을 붙이며 손으로 얼굴 쓰다듬듯 창을 쓸어내리며 말했다.

“잘 지내고 있수? 이제 맘껏 돌아댕기고 맘껏 술도 자시고 오징어 잘근잘근 씹어드시고 생전에 못 먹었던 거 실컷 드시고 훨훨 날아댕기슈~요 아래층 사돈도 있으니 같이 술 자시면 심심하진 않겠네~ 거기가 더 편하지요? 참 애썼어요~ 이제 하고 싶은 거 맘껏 다 하고 지내슈~”

그가 떠난 후 일 년 동안 그녀도 건강이 안 좋아 병원에 다니는 일이 많아졌다. 착하디 착한 셋째딸은 그런 엄마를 제일 살뜰히 챙겼고 종합검진이며 사소한 감기까지 모조리 병원으로 모셔갔다. 남편이 떠나면 많이 외롭고 힘들어 건강이 악화될까 주변에서 많이 걱정했는데 친구같은 자식들이 넷이나 있어서 그녀는 보살핌을 받고 있었다. 거기에 사위들까지도 있다. 남편을 보내고 난 후 자식들과 사위들을 더 자주 보게 된다. 살뜰한 보살핌 속에서 그녀는 힘을 얻어 나가고 있었다. 그녀의 겨울은 아직은 춥지만 따뜻한 보금자리가 되어주는 사람들로 인해 포근함에 숙면을 취할 때도 많았다. 한 쪽을 잃은 허전함에 몸이 시렸지만 곧 다가올 따뜻한 봄날들을 기다리며 큰 이부자리에서 홀로 잠이 든다.

PART 8

“아빠 미안해! 그리고 사랑해! 애교가 없어서 사랑한다는 말도 정말 너무 못했다. 그치? 자주 못 보러 와서 미안하고 사랑한다고 자주 말 못 해서 미안하고! 근데 손은 왜 이리 차가워~ 장갑이라도 껴주지...너무너무 사랑해.. 아빠..”

아빠 눈은 안대로 가려져 있었다. 눈이 감기지 않아서 가렸다고 한다. 안대 옆으로 눈물이 흘러내렸다. 아빠는 몸을 움직이지 못할 뿐 의식은 있으셨다. 다 듣고 계신 것이다. 내가 그렇게 말하고 난 후 심장 박동수가 급격히 올라갔다. 맏딸이 하는 말을 듣고 계셨을 아빠는 답을 어떻게라도 표현해 주고 싶었나보다. 그 모습이 더 애처로웠다. 그 안에 갇혀서 가족들을 맞이해야 하는 아픈 가슴을 어찌 알까..너무나 미안했다. 그깟 사랑한다는 말이 뭐 그리 어려워서 자주 못 했나 싶다. 차가운 아빠 손을 쓰다듬고 야윈 몸을 끌어안는다.

“아빠..나 낳아줘서 고마워..그리고 잘 키워줘서 고맙구..그리고 세상에서 제일 많이 사랑해...알지? 너무너무 아빠 사랑해....”

참을 수가 없는 미안함에 눈물을 쏟아냈다. 복도에서 기다리는 엄마를 보자마자 더욱 눈물이 쏟아졌다. 그런 나를 보는 엄마는 끊겼던 눈물을 다시 쏟아내신다. 그만 울자. 내가 울면 엄마가 더 울잖아.. 담당의는 일단 집에 가라고 한다. 아직 돌아가신 게 아니니 다시 연락을 준다고..엄마를 모시고 새벽길을 걸어왔다. 차도 끊긴 새벽, 엄마와 동생과 제부는 터벅터벅 걸어갔다. 차가운 공기가 맑게도 느껴진 시간이었다. 엄마도 나와 같은 바램일 것이다. '하루만 더 살게 해 달라고'... 다음날 아빠는 장례식장으로 옮겨지셨다.

장례식 내내 잠을 잘 수가 없었다. 아빠 사진을 잠시라도 안 보면 영영 볼 수 없을 것 같았다. 엄마는 입관식 때 대성통곡을 하시더니 그 이후 편안해 보이신다. 참으로 다행이다. 정말 다행이다. 하지만 후폭풍은 나에게 왔다. 내가 너무 슬픔에 잠겼던 것이다. 그동안 애써 참았던 모든 감정들이 그날 하염없이 눈물로 쏟아져 나왔던 것이다. 남들은 쪽잠이라도 자는데..나는 앉아서 하염없이 아빠 사진만 바라보았다. 향이 꺼질세라 계속 꽂으면서..

첫눈이다.

발인하는 날 첫눈이 내렸다. 우리 힘들어하지 말라고, 하늘 한번 올려다 보라고 하늘에서 아빠가 뿌리는 선물인가보다. 눈이 제법 쌓인다. 뽀드득 소리가 날 정도로 쌓이더니 눈이 그친다. 세상이 하얘졌다. 아빠가 가시는 길은 하얗고 폭신한 새하얀 길이 되어버렸다. 그날 이후 첫눈이 오면 아빠 생각이 난다. 별이 되어 가신 그날처럼.

"엄마! 이것도 먹어봐! 이집 고기가 맛있더라고~ 밥도 시켜줄까?" 오랫만에 엄마와 동생과 점심식사 시간을 가졌다. 엄만 말수가 적어지셨다. 귀가 잘 안 들려서 우리 이야기에 대답을 제때 못하신다. 보청기도 해 드렸는데 불편하신지 안 끼고 다니신다. 여전히 고기를 좋아하신다. 예전엔 엄마 집에서 삼겹살을 구워먹곤 했는데 지금은 밖에서 사 드린다. 집에서 먹으면 맛있긴 하나 치우는 것도 다 일이라 편히 드시게 하고자 먹고 싶은 메뉴를 골라서 사 드린다. 그날도 엄마는 많은 메뉴 중에 '고기'를 선택하셨다. 말없이 고기만 드시는 엄마 모습에서 애처러움이 느껴진다. 떨어진 반찬 빨리빨리 채워드리며 동생과 나는 연실 움직인다. 엄만 맛있게도 드신다. 혼자 사니 밥맛이 없다고 자주 끼니를 거르신다. 가까이 사는 동생이 챙겨드리지만 여전히 잘 드시지 않아 많이 마르셨다. 홀쭉해진 얼굴에 기미잡티, 주름까지 가득하다. 세월의 흔적이 고스란히 얼굴에 남겨져 있다. 그 주름안에는 희노애락이 다 새겨졌고 그 기미는 자신을 돌보지 않은 희생의 흔적이었다.

아빠가 돌아가신 후 엄만 조금만 아파도 크게 생각하는 건강 염려증이 생기기도 했다. 아빠가 처음 아팠을 때 바로 큰 병원에 모시고 가지 못한 것을 자신의 탓이라고 생각하시지만 그때 큰 병원에 갔더라도 달라질 건 거의 없다고 본다. 엄마의 건강 염려증 덕분에 딸들은 바빠졌지만 그래도 건강을 챙길 수 있음이 다행이라고 생각한다. 엄마는 아빠처럼 아프지 않으셨으면 한다. 많이 웃고 여행도 많이 다니고 손녀딸들 결혼하는 것도 보시며 편히 여생을 보냈으면 한다.

꽃띠 나이에 시집와 도시 생활 적응하느라 힘들었고 자식으로 애를 태웠고 아픈 시어머니를 돌보느라 젊은 시절 시간을 다 보냈으며 친정어머니의 사라지는 기억 속에서도 웃음을 잃지 않았던 여자다. 가끔은 서운하게 모진 말 하던 남편의 아픔 앞에서도 묵묵히 사랑과 정성으로 남은 시간을 함께 했으며 모두 지나간 지금 이 순간이 되어보니 늙어버린 자신만이 보인다. 그래도 한탄스럽다 말하지 않는다. 여전히 그녀는 딸들을 만나는 순간이 행복이고 손주들을 보는 순간이 기쁨이었다. 나는 그런 엄마의 모습을 보면서 철없고 어설픈 엄마인 나 자신을 돌아보며 반성하기도 한다. 엄마처럼 살지 않겠다던 내가 택한 길은 '일'이었지만 엄마가 품고 베풀었던 지극한 '사랑'은 반의 반도 미치지 못한다. 나는 내 아이들에게 친구같이 편한 존재였고 남편에겐 할 말 다하는 기센 여자였다.

나의 세상은 위대하고 찬란한 '엄마'란 존재다. 한순간도 엄마의 존재 아래에서 벗어난 적이 없었던 것 같다. 몸은 떨어져 있었어도 마음은 늘 그곳 '엄마'의 자리였었고 세상이 힘들었어도 '엄마'가 있어서 버텨낼 수 있었다. 엄마가 내게 물려준 것은 참고 인내하는 근성이 아니었을까. 나는 근성을 통해서 오뚜기처럼 자꾸만 일어났으니. 엄마의 울타리는 가족이었고 내 울타리는 나를 세상에 있게 해준 부모였다.

외롭게 자란 아이가 엄마의 품이 그리워서 순종적으로 자랐음에도 엄마의 모습을 보며 당찬 여자로 성장했고 엄마가 되면서 진짜 엄마를 생각하게 되었던 것이다. 아빠에게 자주 하지 못했던 그 말 이제 엄마가 살아계실 때 많이 해드려야겠다. 한평생 가족에게 헌신하던 그녀의 남은 삶은 사랑 속에서 축복 속에서 빛을 내야 할 시간이기에. 그녀에게서 잉태되어 나온 분신들은 이제 그녀에게 헌신해야 할 차례이다.

나는 그녀의 계절이 되어 밝고 따뜻한 사랑과 풍성하고 아름다운 당신의 여생에 함께 하겠다. 그리고 나는 내 딸들의 계절이 되어 희망과 열정, 위안과 포곤함인 엄마로 너희들 가는 길에 동행하겠다.

에필로그

엄마랑 점심 약속을 잡았다. 글을 쓰는 내내 전화를 걸지 않으면 안 되겠다 싶었다. 내일은 뭘 사드릴까? 뜨끈한 샤브를 먹으러 갈까? 뭘 먹어도 좋다. 엄마가 좋아하는 거라면 다 좋다. 그저 함께 하는 시간이 좋을 뿐이니까. 날이 풀리면 여행 계획도 세워봐야지 싶다. 엄마가 좋아하는 바다도 보고 아늑한 호캉스도 즐기러 가야지. 기미 잡티 지워주는 피부관리도 같이 받으러 가야겠다.

엄마! 나는 엄마가 있어서 참 좋다!

그러니 오래오래 사세요!

그리고 사랑합니다!

엄마를 닮고 싶지 않았습니다

인선민

엄마를 닮고 싶지 않았습니다.

인선민

프롤로그

전화벨이 울린다. 전화기엔 '엄마'라는 글자가 뜨고 글자를 바라보는 나의 행동은 빠른듯 느려진다. 벨소리를 듣자마자 재빠르게 휴대폰을 들었지만 바로 받지 못한다. 큰 호흡으로 숨을 가다듬고 나서야, "여보세요~"

휴대폰 연락처에 등록되어 있는 이름들은 각각의 상대에 대한 감정을 동시에 품는다. 보통은 '사랑스런 00' '너무 예쁜 00' '내 사랑 00' 정도로 애정을 표시하기도 한다. 딸이나 여동생, 아들에게는 이런 표현을 넣어 저장해놓았다. 휴대폰 사용을 한 이후 단 한 번도 어떤 말도 덧붙여 저장해본 적이 없는 대상이 바로 '엄마'다.

자식이 잘못되고 힘들기를 바라는 부모는 없다. 엄마도 분명 그런 의도는 없었을 것이다. 그저 몰랐을 것이다. 누구도 그녀에게 엄마란 어떻게 해야한다고 가르쳐주지 않았으니 얼마나 막막했을까 싶기도 하다. 그러니 측은한 마음으로 바라보자고 마음을 다독여 본다.

그녀 나이 일흔여덟. 곧 팔순을 앞두고 혼자가 되었다. 30년간 함께 사신 새아버지를 코로나로 잃으셨다. 예측할 수 없는 일들로 가득한 것이 인생이다. 21년도에 아들을 잃고, 새아버지가 코로나로 병원에 입원하시면서 한치 앞도 모르는 것이 인생이라는 것을 호되게 겪었다. 예측도 할 수 없고 어떻게 흘러갈지도 전혀 알 수 없는 삶. 팔순이 되기 전에 혼자되실 거라고는 예상치 못했다. 그런 와중에도 여전히 누려야 할 것은 빠짐없이 누리려는 욕심을 보이는 엄마는 여전히 벅차다. '그래 울 엄마가 그렇지 뭐'. 달라지지 않는 모습에 한 걸음 물러나면서 '역시 여전히 힘들다.' 라며 체념하고 만다.

어설프게 엄마가 된 내가 겪어온 '엄마'의 자리, 15년 만에 가장이 되어 '나의 엄마'와 비슷한 길을 걷게 되었다. 차라리 친엄마가 있는거라면 좋았겠다고 생각했던 적도 있었던 시간들을 뒤로 하고, 언제쯤 마음의 짐을 내려놓게 될지, 그러기 위해 얼마나 많은 글을 적어야 할지, 적고 또 적다 보면 덜어 질지 물음표가 가득한 여름을 보냈다. 엄마에 대한 글을 쏟아내던 그 시간엔 전화도 못 하겠고, 행여나 전화가 올까 봐 걱정이 앞서기도 했다. 허나 지금은 예전에 비하면 무척 자연스럽다. 여전히 큰 호흡을 하고 나서 받긴 하지만 말이다.

내 마음속 깊은 곳에 자리하고 있는 상처와 원망을 모두 덜어내고 그 자리에 무엇을 담게 될지, 이 글을 통해 성장해 있을 자신을 상상하며 한 글자 한 글자 적어 본다.

친엄마가 있는 건 아닐까.

"나쁜년, 잘못했다는 한마디를 안하는거봐!"

이른 아침 엄마의 거친 말소리와 함께 옆구리에 통증이 느껴졌고 나는 쪽마루 한 귀퉁이로 고꾸라졌다. 고등학교 2학년 일요일 한바탕 전쟁을 치루고 월요일 등굣길. 마음에 차오르는 억울함, 친구들에게 이야기하기에 부끄러운 마음, 사랑받지 못하고 있다는 상처가 발걸음을 무겁게 했다. 무거운 걸음이지만 뒤도 돌아보지 않고 재빨리 대문을 나선다. 혹여 뒤따라 나올까봐 잔뜩 겁먹은 채로. 허나 맘속은 분노로 가득한 채로. '분명 친엄마가 아닐 거야. 어쩜 저럴 수가 있지.'

학교 친구들의 엄마 이야기를 듣다보면 뭔가 달라도 너무 달랐던 엄마. 친구들과 엄마 이야기를 하다보면 서로 더 심하게 야단맞은 이야기로 배틀이 붙기도 했었다. 한 친구가 말했다. 엄마가 설전을 벌이고 화장실로 들어가는데 마침 맞바람이 불고 있었고, 의도하지 않았는데 화장실 문이 바람에 그만 '쾅'하고 닫혔단다. 그랬더니 엄마가 화장실 문을 활짝 열어젖히고는 "이게 어디서 신경질이야!"하시며 물바가지를 번쩍 들어 친구의 머리통을 내려 쳤다고 했다. 물바가지는 바로 박살이 났고, 친구는 눈물이 핑 돌았지만 티도 못내고, 기어들어가는 말로 이렇게 말했단다. "신경질 낸 거 아닌데, 바람이 문을 닫았단 말이야." 친구 이야기에 아이들은 박장대소했고, 너도나도 의도치 않게 바람이 문을 닫아 혼이 난 에피소드들을 쏟아냈다. 그리고 다들 엄마들은 정말 너무한다며 속상하다는 이야기로, 머리통을 맞은 친구는 안쓰러운 주인공이 되었다. 거기서 나는 내 이야기를 할 수가 없었다. 엄마에게 머리를 뜯기고 책을 찢기고 온 몸을 두드려 맞는다고. 머리통을 물바가지로 맞는 정도는 별거 아니라고 말하지 못했다.

우리 집은 밥을 먹고 나서는 항상 내가 밥상을 치워야 했고, 설거지도 내 몫이었으며 연탄불을 가는 것도, 빨래를 걷고, 방을 쓸고 닦는 것도 시간 맞춰 해야했다. 집안일이 제대로 되어있지 않으면 늘 거친 말투와 짜증스러운 말을 들어야 했다. 그런 탓에 중학교 때까지만 해도 하교 후 친구들과 수다를 떨며 놀고 싶은 시간들도 집안일을 해놓지 않으면 야단을 맞았기 때문에 서둘러 집을 향해 빠른 걸음을 옮겼다. 야단맞기는 죽기보다 싫었으니까. 나와 함께 놀고 싶어 하던 친구들은 늘 물었다.

“선민아. 오늘도 같이 못 놀아? 엄마한테 오늘만 우리랑 같이 놀다가 들어간다고 허락받고 와. 기다릴게.” “알겠어. 집에 가서 물어보고 허락받으면 올게. 놀고 있어.”

대답은 했지만 가능성은 희박했다. 하지만 친구들에게 바로 안 된다고 답하고 싶지 않았다. 내 엄마가 다른 친구들의 엄마처럼 따뜻하지도 다정다감하지도 않다는 걸, 집에 가서 밀린 집안일을 해야 한다는 것도, 친구 집에서 놀다 오는 걸 싫어한다는 것도 알리고 싶지 않았다. 그리고 말을 듣지 않을 때 무섭게 매를 든다는 말도 할 수 없었다.

야단맞더라도 엉뚱하게 굴었을 수도 있었을텐데 그렇지 못했다. 반항도 말대꾸도 하지 못했다. 집안일로 야단을 맞을 때면 내가 제대로 못 했기 때문에 사달이 난다고 생각하곤 했다. 그냥 내가 더 잘하면 되겠지 생각했었다. 하지만 그런 시간이 반복되고 내가 중학교 3학년쯤 되면서부터 친구들 엄마와 비교하는 맘이 들기 시작했다. 왜 나는 집안일을 하는데도 늘 야단을 맞아야 하는지, 친구들과 나누는 가족들 이야기는 내 존재를 더욱 부정하게 만드는 것들 뿐이었다. 그러면서 생각이 들기 시작했다.

‘내게는 친엄마가 따로 있을 거야. 친엄마라면 저렇게 할 수 없어.’라고.

이런 생각으로 폭풍같은 사춘기를 맞이하며 엄마와 관계는 사납기 그지없었다. 그러니 제대로 된 대화는 당연히 없었다. 매사 엄마와 신경전을 벌이기 일쑤였고, 대학교만 가면 엄마로부터 독립해야겠다고 생각했다. 친구들이 엄마와의 시간을 보낸 이야기를 해주면 그렇게 부러울 수가 없었다. 내게는 왜 그런 엄마가 없는 것인지, 공부에 제대로 집중하지도 못했다. 앞으로 어떻게 살아가야 하는지 걱정과 슬픔에서 벗어나지 못했다. 내게 친엄마가 따로 있어야만 했다.

그로부터 35년이 지났다. 며칠 전에도 엄마를 뵙고 왔다. 총각김치를 조금 담았는데 가져가겠느냐는 전화가 엊그제 왔었다. 여전히 음식솜씨는 너무 좋은 엄마는 맛있는 김치를 담가주고 마른 반찬을 조금씩 해놓고 우리가 가면 챙겨주느라 바쁘다. 국물이 없어도 밥 먹는 데 불편함이 없고, 국을 먹을 때는 건더기만 건져 먹으며, 작은 체구에 동그란 얼굴, 허리가 짧고 골반이 작은 몸까지도 닮았다. 친엄마가 분명 어딘가에 살고 있을 거라던 나와 사는 모습도 닮은 사람이 바로 엄마다. 가끔 내가 겪었던 에피소드를 딸에게 이야기 해줄 때면 딸아이는 아주 당연하다는 듯이 말한다. "엄마, 지금 할머니가 이야기하는 줄 알았어. 너무 똑같아."라고. 그렇다. 내게 친엄마는 따로 있지 않았다. 엄마는 단 한 사람뿐이다.

타고난 성향이 나와 잘 맞지 않지만, 고단한 삶을 살았던 엄마가 요즘 들어 조금 다르게 보인다. 삶이 너무 팍팍했으며, 자식에게 어떻게 해야 하는지 알려주는 사람이 아무도 없었기에, 무지했기에 그럴 수밖에 없었을 것이라 조금은 이해되기 시작했다. 지난 여름밤의 뜨거운 열기 속에서 치열하게 과거의 엄마를 만났다. 글로 쓰고 또 쓰며 '과거를 써버리고 싶다'며 불편한 마음을 마주했고, 품고 있던 상처의 끈을 서서히 놓아줄 수 있었다.

어제 엄마의 곱은 손가락을 마주하며 그녀가 어떤 삶을 살아왔는지 떠올려 보았다. 그녀가 차마 이야기하지 못했을(그동안 수없이 들었던 이야기가 아닌) 이야기가 있을지 모르겠다. 언젠가 기회가 된다면 꼭 한번 이야기 나눠보고 싶은 마음도 들었다. 일흔여덟인 엄마가 지금처럼 건강하고 씩씩하게 살아주시길 바라는 마음이었다. 엄마에 대한 무거웠던 마음이 조금씩 가벼워지며 엄마와 닮아 있는 내 모습도 웃으며 받아들이고 있다. 그렇다. 내겐 친엄마가 따로 있지 않았다.

비슷한 길을 걷게 되고

복잡한 지하철, 부지런히 발걸음을 옮기다가 카톡을 받는다. 1시간 30분 이상의 출근 시간은 조금 더 부지런하게 움직여야 한다.

인천 작전역에서 노원역까지 지하철로 이동하는 출근길. 내 직장은 롯데백화점 노원점의 여성의류 매장이었다. 두 아이를 혼자 키우기로 하고 지난한 결혼생활을 정리하고 생업에 제대로 뛰어든 나는 먼 거리는 겁나지 않았다. 일할 수 있음이 감사할 뿐이었다.

아이들과 많은 시간을 함께하지 못하더라도 괜찮았다. 미안하지만 엄마 아빠의 다투는 모습이나 불성실한 모습을 보여주는 것보다는 훨씬 나은 것이라 생각했다. 그런 마음을 아는 듯이 아이들은 불평 없이 먼 거리를 출퇴근하는 엄마를 안쓰러워했다. 고맙고 다행이라고 생각했다. 엄마의 불성실한 모습과 노력하지 않는 모습을 마주할 때가 많았기 때문에 안쓰럽다고 생각하지 않았다. 그랬기에 내가 더욱더 악착같이 살아갔는지도 모르겠다.

아이들이 혹여라도 내가 품었던 생각처럼 엄마를 못마땅하게 여기거나 싫어하면 어쩌나 걱정하기도 했었다. 쉬는 날에는 최대한 아이들과 살을 맞닿으며 이야기도 나누고 음식도 함께 먹으려고 노력했다. 직장의 특성상 주말은 아이들만 두고 일을 나가야 했다. 주말을 함께 할 수 없는 직장일지라도 아이들 끼니 걱정을 하지 않고 미래가 어느 정도 보장되어 있다면 주말 정도는 포기할 수도 있는 것이라고도 생각했다.

내가 너무도 싫어했던 엄마와 비슷한 길을 걷게 되었지만 절대 같은 모습으로는 살아가지 않으리라 마음먹었다. 그러기 위해서 힘든 일을 마치고 집으로 돌아가는 길엔 그저 감사하는 마음으로, 웃는 얼굴로 아이들을 만나야 한다고 생각했다. 엄마보다는 조금 더 애교스럽게 아이들과 티격태격하며 음식을 함께 만들어 먹으며 지냈다.

먼 거리 출퇴근이었고 늦은 나이에 시작한 여성의류 판매직이었다. 하지만 내가 열심히만 한다면 매장의 매니저도 될 수 있다는 희망적인 이야기를 듣고 시작했고, 지독하게 근무했다. 어깨너머로 재고면 재고, 판매면 판매, 매장에서 익혀야하는 수많은 규칙들을 익혀갔다. 낮은 월급이더라도 배울 것이라고 생각한 일은 모든 감각을 곤두세워 배웠다. 그런 덕분에 1년도 되지 않아 매장 내 서열 둘째가 되었다. 백화점 판매직에서는 매장 매니저 바로 보통 시니어라고도 하는, 곧 매니저를 할 수도 있다는 의미와 매니저가 없을 때는 매장을 책임지고 매출까지도 생각해야 하는 중한 자리에 내가 올라가 있었다. 꿈같은 시간, 감사한 시간들이었다. 초보 둘째 자리에 스카웃되던 날, 나에게 해볼 수 있겠느냐고 면접을 진행하던 매니저님이 내게 했던 말은 지금까지도 잊혀지지 않는다.

“내가 바라는 것은 많지 않아. 그저 너에게 월급을 줄 때, 아깝다는 생각이 들지 않게 해주길 바랄 뿐이다.”

“네 그런 마음이 들지 않도록 노력하겠습니다.”라고 대답은 했지만 걱정이 되었다. 겨우 일 년여의 경력으로 상사에게 돈의 가치만큼의 실력이 아니라는 평가를 받을까봐 두렵기도 했다. 하지만 ‘까짓거 해보자’,‘지금 내입장에서 못할 게 뭐가 있어’,‘안 시켜준다는 것도 아니고 기회를 준다는데 걱정이나 두려움은 던져버리자.' 했다. 그리고 너무나 다행이었던 것은 아깝다는 생각이 들지 않게 해달라던 매니저님은 모든 일에 그냥 넘어가지 않는 열성적인, 배울 점이 많은 매니저였다. 말만 앞서는 매니저가 아니었고, 미래의 내 모습이기도 할 모습이라고도 생각하며 배우며 함께 하는 시간들을 즐겁게 임했다. 그렇게 일년을 보내고 급여를 다시 책정하며 계약을 연장하는 시기가 다가왔다. 평소 잘 지내왔다 하더라도 아깝다는 생각이 들었을지도 모를 일이었기에 긴장했다.

어느 날 오후 매니저님의 "선민아, 이야기 좀 할까?" 하는 부름을 듣고, 매니저님의 눈을 바라보았다. 머쓱하게 눈치를 보며 다가간 나에게 매니저님은 내 손을 덥석 잡고 말했다.

"일 년동안 너무 고생많았어. 네 덕분에 언니근무 경력중 최고 매출도 할 수 있었어. 너무 고맙다. 그런데 원래는 알고 있지? 여기 월급 책정이 은근 짠거.. 그래서.. 내가 준비한 건 이만큼 뿐이야. 더 챙겨주지 못해 미안하고 고맙다. 그리고 나는 네가 나와 앞으로도 함께 해주었으면 좋겠어." 라며 봉투를 건넸다. 봉투에는 파격적인 금액이 들어 있었고, 나는 굳건한 자리매김을 했다. 조금씩 나의 미래가 그려지는 매일매일을 살았다. 아이들 앞에서도 어깨도 폈고 월급이 올랐다고 말해 주며 마음속으로 다짐했다.

'엄마는 너희들의 미래에 걱정거리가 아닌 든든한 언덕 위 나무 같은 사람이 되고 싶어.'

그때는 몰랐다. 이 다짐이 지켜지기가 얼마나 어려운 것인지를.

1년 반 만에 최고 인상의 월급, 그리고 다시 2년 후 나는 작은 매장에 매니저가 되어있었다. 아는 사람 하나 없는 여성의류 판매직 막내에서 4년여 만에 정식 절차를 거쳐 매니저가 되었다. 회사와 백화점의 윗사람들의 전폭적인 지지로. 하지만 나중에서야 알았다. 튼튼하게 쌓아올렸다고 믿었던 나의 승승장구가 결국 독이 되어 나를 주저앉혔다는 것을. 잘 쌓아올렸다고 생각한 속을 더욱 단단하게 채울 깊은 사유가 빠져있었다는 것을 알았다. 급히 먹은 밥은 체할 수밖에 없었다는 것을. 나만의 것이 없었다는 것을.

노력하는 엄마의 모습을 보여주고, 한 계단씩 올라가고 있는 모습을 보여줄 수 있어 다행이라고 생각했다. 사람은 보고 들어 경험한 만큼으로 살아가는 것이기에 조금 더 좋은 모습, 조금 더 발전하는 모습을 아이들에게 보여주고 싶어한다. 별거 없이 작고 또 작은 우물 안 쬐끄마한 개구리 같은 나와는 다르게 살아가주길 바라는 마음이 나를 재촉했는지도 모른다. 부모가 내게 주지 못했던 것들을 나는 주고 싶었다. 풍족한 삶을 살게 해주지는 못하더라도 뒤처지고 무너지는 모습을 보여주고 싶지 않았다. 그것이 내게 무리였음에도.

나를 괴롭히는 나의 어린 시절, 나의 과거가 발목을 잡고 있는 것을 아는데 까지는 너무나도 많은 시간이 걸렸다. 잘 되어가던 일들도 어느 순간 돌아보면 논두렁에 처박혀 있었다. 내가 경험한 삶이 고만고만했기에 내가 살아가는 삶이 이 정도 밖에는 안되는 것인가 자책하는 시간들이 늘어갔다. 겨우 이겨내 한숨 돌리고 나면 다시 제자리. 결국 비슷한 길을 걷게 되었다는 자괴감을 이겨낼 방법을 찾아야만 했다. 조금 더 현명해져야 했다. 방법을 몰라 주춤거리고 있던 내게 동생이 불쑥 내민 책 한 권은 과거에 파묻혀 있던 나를 꺼내주는 지렛대가 되어주었다. 지렛대를 이용해 과거의 나를 만나고, 나를 아프게 했던 엄마를 만나고, 깊은 사유의 시간을 거치며 단단한 미래의 나도 만나게 되었다.

어설프게 엄마가 되고

밋밋한 배를 만져보면서도 은근히 겁이 났다. 몸의 변화가 며칠째 이어지면서 혹시나 하는 생각이 들었지만 워낙 생리가 불규칙했기에 이번에도 지나치나보다 했다. 그렇게 2~3개월이 흘렀다.

그와는 나이 차이가 많이 났다. 사무실에서는 웬만한 한자는 모두 그에게 물어보라고 할 정도로 똑똑한 사람이었다. 알고 보니 야간대학 전자공학과를 다니고 있었다. 말투는 조금 투박했지만 내게 친절했고, 업무상 서로 묻고 도울 일이 많아 자연스럽게 가까워졌고, 일을 도와줬다는 핑계로 내게 저녁을 사겠다는 그와의 시간은 늘어갔다.

20살, 꿈을 잃은 아르바이트생이었던 나는 늘 공부에 미련이 남아 있어 그에게 끌렸다. 어려운 한자를 많이 알고 척척 써 내려가는 필체가 참 좋았고, 나이에 비해 어려 보이는 것도 한몫했다. 가까워지며 내 고민을 이야기하는 시간을 많이 갖게 되었고, 그에게 위로받는 시간이 늘어 갔다. 그와 함께 있으면 많은 걱정을 잊을 수 있었다. 내 삶이 연분홍빛으로 변할 수도 있겠다는 착각에 빠지기도 했다.

몇 달이 지나고 내 몸에 변화가 나타나기 시작했다. 겁이 났지만 병원을 찾아갈 자신은 없었다. 주저하는 사이 시간은 흘러갔다. 그는 결혼 허락을 받아보자고 했다. 그는 우리 집을 찾아왔고, 임신 사실은 숨긴 채 나와 결혼을 하고 싶다고 했다. 엄마는 갑작스런 이야기에 혼란스럽다며 완강히 반대하셨다. 그가 돌아가고 키워놨더니 은혜도 모르고 돈도 없어 보이는 남자한테 시집을 가려고 한다는 말과 함께 크게 화를 냈다. 영화에나 나올 법한 표정과 모습으로 몇 시간 동안 나를 때렸다. 엄마의 반응을 예상못한 건 아니지만 다 큰딸을 때리며 딸의 결혼에 대해 이렇게 말을 하다니 그나마 갖고 있던 정마저도 다 떨어졌다. 그런 마음을 먹으면서도 아무런 대응도 못하고 맞고만 있으니 보다 못한 동생이 울먹이며 말했다.

"왜 그렇게 그냥 맞고만 있어? 그냥 짐 챙겨서 나가. 그냥 도망쳐 언니." 그 말을 듣고도 난 무서웠다. 이대로 나간다면 내가 잘 살 수 있을지. 혹시 그가 나를 받아들이지 않으면 어떻게 될지. 엄마는 아마도 그의 직장에 찾아가서 망신을 줄지도 모르고, 그렇게 되면 그가 나를 끝까지 지켜줄지, 아무런 확신도 없었다. 동생의 말을 듣고 엄마가 잠시 방을 나가 있는 아주 잠시동안 수만 가지 생각을 했지만 단 한 발자국도 움직일 수 없었다.

아이는 아무 문제 없이 쑥쑥 자랐다. 첫 아이여서인지 7개월이 지나서야 배가 조금씩 나오기 시작했다. 그와 함께 병원엘 갔다. 겁이 났다. 온몸이 긴장한 채로 소변검사와 초음파를 했다. 아이를 만나게 될 예정일은 3개월도 채 남지 않았다고 했다. 엄마 몰래 손에 쥔 아기 수첩을 바라보는 내 마음은 기대보다 두려움이 앞섰다. 누워도 잠이 오지 않는 날들이 계속되었다.

그러던 어느 날 안채에 살고 있는 아주머니가 내 모습이 이상하다며 엄마에게 전했고, 그제 서야 나의 임신을 알게 되었다. 엄마는 당장 병원에 가자고 했다. 아이는 지우면 된다고, 세상 챙피하게 이게 도대체 무슨 일이냐고. 나는 이미 7개월이 넘어 병원에 가도 소용없다며 아기 수첩을 꺼내 놓았다. 수첩을 보며 망연자실해 하는 엄마를 보며 오히려 통쾌하다는 생각이 들었고, 늦게 알려져 다행이라는 생각도 했다. 만일 결혼이야기를 꺼냈을 때 알려졌더라면 아이는 빛을 보지 못했을 것이다. 게다가 늘 벗어나고 싶었던 엄마에게서 벗어날 수 없었을 것이다. 뱃속 아이는 나를 살려준

은인 같았다.

3개월 후 딸을 낳았고 백일이 지나서 결혼식을 올렸다. 준비 없이 엄마가 되는 과정은 참 어설프고 힘들었다. 그렇게도 받고 싶던 사랑은 비켜 갔지만 딸에게는 최선을 다해 사랑을 전하는 엄마가 되리라 다짐하며 꼬옥 안았다.

그런 행복을 전해주었던 귀한 딸은 서른이 넘도록 아직 나와 함께 산다. 친구같은 모녀지간으로 서로의 삶을 응원하며 살아가고 있다. 며칠 전 퇴근길에 매운 새우깡이 먹고 싶어 사들고 들어갔는데 딸이 깜짝 놀라며 이미 먹고 있는 똑같은 과자 봉지를 들어 보이며 활짝 웃는다. 제대로 통한 날이었다. 대책도 없이, 준비도 없이 엄마가 됐고, 난 여전히 부족하고 어설픈 엄마다. 하지만 괜찮다. 늘 엄마의 자리에서 단단한 모습으로 딸아이 곁에 있어 주려 노력할 테니까.

선택할 수 있는 게 아니야

부모가 되는 건 어려운 일이었다. 꼬물꼬물 하염없이 자그마한 녀석을 품에 안고 어찌 될까봐 겁이나 손놀림도 함부로 하지도 못하고 매사에 조심스러움이 몸에 스며들게 했다. 임신했을 때를 떠올리면 더욱 어려웠던 기억만 가득하다. 3개월 가까이 입덧을 시작으로 새 생명을 잉태한 티는 곳곳에서 찾을 수 있었다. 울렁거림이 어느 정도 자리 잡기 시작하면 배가 제법 나오고 그때부터는 앉아 있기도, 일어서기도, 눕기도 불편한 부른 배를 움켜쥐고 일상생활을 해나가는 것은 보통의 시간은 아니었다. 두 녀석 모두 입덧이 심했다. 둘째가 조금 더 심해서 임신 초기에는 변기통을 끌어안고 위액까지 토를 하느라 하늘이 노랬다.

입덧이 이렇게도 심하던 건 바로 엄마에게 물려받은 것이기도 했다. '아이참, 뭐 이런 걸 닮았을까.'하며 투덜거리다 지쳐 쓰러졌다. 배가 불러오면서는 자궁후굴로 자궁이 허리를 누르는 탓에 일자로 눕지도 못하고 항상 옆으로만 누워 잤다. 또 혈액순환이 안되는 탓에 종아리 쥐가 자주 났다. 새벽에 자다가 종아리 쥐가 나서 일어나 종아리를 주물러야 하는데 허리가 아프니 이러지도 저러지도 못하고 눈물이 흘렀던 기억도 있다.

첫째 출산 때는 워낙 이른 나이에 낳기도 했고 진통인지도 모르고 혼자 12시간을 참고 병원에서는 6시간 만에 아이를 낳은 것은 엄마가 젊고 건강해서라고 했다. 덕분에 엄청 빠르게 뚝딱 나은 느낌이었다. 둘째는 첫째의 진통을 온몸이 기억했고, 준비하며 낳았지만 출혈이 많았고 혈압이 떨어져 저혈압으로 쓰러져 병원을 잠시 긴장하게 만들기도 했다.

남자가 군대 간 이야기와 여자들이 출산이야기는 밤을 새워 이야기해도 끝이 없다고들 한다. 아마도 사람마다 생김새가 다르듯 모두 다른 과정을 통해 아이를 만나게 되기 때문이 아닐까. 나만의 이야기로 내 곁에 다가와 준 아이들의 삶은 또 어떻게 만들어져 갈지 무척 궁금했다. 나처럼 아픔을 많이 품고 자라지 않기를 바라는 마음이 무척 컸다. 스스럼없이 자유롭게 하고 싶으면 하고 싶다고 당당하게 말할 수 있기를, 좋으면 좋다고 그래서 너무 하고 싶다고 욕심도 낼 수 있는 아이들로 키우고 싶었다. 그렇게 자라기를 기대했다. 그러기 위해서 부모라는 자리가 얼마나 많은 노력과 인고의 시간, 그리고 강한 의지가 필요한지 잘 알고 있었다. 하지만 고뇌하는 시간은 부족했다. 바라고 기대하기만 한다고 이상적 부모가 되는 것을 아닐 텐데 말이다.

직장에서 자리를 잡고 직장인으로의 모습을 갖춰간다고 생각했지만 깨진 독을 채워나가는 것은 무척 버거운 일이었다. 처한 상황에서 가장 괜찮은 선택을 했다며 당당하려 했지만 상황은 만만치 않게 흘러갔다. 둘째는 누나보다는 여리게 태어났다. 다섯 살 때까지만 해도 그런 무법자가 없었다. 투정이 심해 길에서 누워 고집을 피우기도 여러 차례였다. 하지만 내가 직장을 다니기 시작하면서 어린이집을 보냈더니 그 고집이 일 년 만에 사라져버렸다. 아마도 살기 위한 선택이었는지도. 어찌 되었든 길을 함께 걷기가 조마조마했던 녀석의 변신은 직장을 다니는 나에게는 너무나 감사한 변화였다. 그렇게 나를 찾아온 두 아이와 함께 꾸려가는 삶의 시작은 선택하지 않았지만 하루하루 살아가는 모습은 선택할 수 있었다.

결국 닮아가는

걱정스러웠다. 닮아갈까 봐. 하지만 아니라고 강하게 부정해봐도 어쩔 수 없이 닮아가고 있었다. 엄마의 모습과. 그리고 삶이. 외모나 분위기가 닮은 것도 부족했을까. 가장이 되어 자식들을 건사하는 고되고 지난한 삶을 살아가는 모습이 닮아가고 있었다. 고개를 저으며 절대 그리 살지는 않겠노라고 다짐했다. 나는 다르다며 보란 듯이 다르게 살아갈 거라며 엄마의 삶을 부정했다. 그런데 지금 가만히 생각해 보니 내가 놓친 부분이 있었다. 엄마도 여자였고, 누군가에게는 사랑받고 싶었을 것이고, 인간의 가장 기본적인 욕구라는 인정욕구가 작용했을 것이다. 예쁘다 해주고 고맙다고 해주고, 함께 하자고 하는 사람이 그녀 곁에 나타났었다면 당연히 흔들렸을 텐데. 나도 살아보니 사랑받고 싶고, 누군가의 품에 안기고도 싶고, 서로 의지하며 살고 싶어지는 순간들이 있었으면서 왜 엄마는 그런 마음을 품고 살았을 거라 미처 생각하지 못했을까.

이혼을 하고 3~4번의 만남이 있었다. 모두 1년 이상의 만남이었지만 제대로 된 남자상이 없던 나에게 좋은 사람, 좋은 배우자감을 고르는 안목은 더욱 없었다. 스스로에 대한 단단한 믿음이 없었고 착한 여자 콤플렉스에라도 걸린 것처럼 상대에게 뭐든 다 맞춰주는 버릇이 있었다. 다만 내가 해줄 수 있을 만큼 다 퍼주고 이젠 아니다 싶을 때는 내 의견을 정확하게 전달하고 지켜지지 않을 때에는 옐로우카드 두 장, 그리고 레드카드로 퇴장을 나타내듯 관계를 끝냈다. 뭐든 처음이 어려운 법. 사람은 고쳐쓰는 게 아니라는 옛말을 온몸으로 경험하고 싱글로 돌아왔다. 사람은 아무리 겪어봐도 한 눈에는 알 수 없다. 몇 번의 만남으로 얻은 결론이 아무나 만나지 말자였다. 자신이 인정한 것이다. 내가 만난 남자들은 그저 '아무나' 수준이었다는 것을. 그리고 자존감은 바닥으로 곤두박질치고 말았다.

쉽게 미래를 약속하는 사람, 나를 귀하게 여기지 않는 사람, 자기가 나를 구원해주는 것처럼 말하는 사람, 자기가 아니면 나는 아무 의미도 없다는 듯이 말하는 사람. 내가 바랐던 사람은 미래를 함께 그려나가는 사람, 다른 사람을 만났다면 더 귀한 대접을 받았을 거라고 생각해 주는 사람, 자기 자신에게 분에 넘치는 사람, 언제나 한결같은 사람이었다. 하지만 내가 바랐던 사람은 스스로도 되기 어려웠던 사람이었던 것 같다. 그래서 더욱더 그런 사람을 바라고 그려왔을지도 모른다. 누군가에게 그런 대접을 받기를 바라기 전에 내가 그런 사람이 되려고 먼저 노력했어야 했는데 그걸 미쳐 깨닫지 못한 채로 생각 없이 그저 하루하루 살아가는데 급급한 삶을 살았다. 그러니 달라지지 않을 수밖에.

내가 그렇게도 탐탁지 않게 여기고 부정하고 싶었던 엄마의 삶과 내 삶이 다르지 않았다. 가끔은 자식보다 자신의 삶이, 자신의 감정이 더 중요했던 엄마를 보고 자라며 서운했고 서러워했으면서, 나는 절대 그러지 않을 거라고 되뇌였으면서, 정작 내가 살아가는 삶도 별반 다르지 않았던 거였다. 엄마가 나에게 더 다정하고 더 따뜻하게 대해주는 것은 바라지도 않았다. 그저 화내고 불안정한 느낌만이라도 전해주지 않길 바랐던 나는 나의 아이들에게 그렇게 화내지 않고 덜 불안정한 분위기만을 전해주려 노력했고, 조금 더 다정하고 조금 더 따뜻하려 했던 것 같다. 가난을 전해주지 않으면 좋겠다는 생각도 무척 많이 했지만 혼자서는 역부족이었다. 삶이 생각처럼 흐르지 않고 무수한 장애물만 가득한 어떤 게임과도 같다고 느낄 때, 부정적인 생각으로 머릿속이 가득했을 때, 핑계를 찾느라 오히려 바빴을 때를 떠올리면 부끄럽기 그지없다. 혼자의 힘으로 자식들 대학공부 다 시키고 잘 키워준 엄마들이 어디 한둘인가. 내 능력이 그것밖에 안 되는 것을 탓했어야 했다. 부모 탓, 엄마 탓, 환경 탓을 할 게 아니라. 그렇게 엄마와 별반 다르지도 않은 삶을 살게 될 거면서 뭐 그리 잘났다고 탐탁치 않게 여기며 부정했는지 바보같았다는 생각이 들었다.

가끔 딸아이가 나에게 서운하게 할 때가 있다. 그럴 때마다 나는 생각했다. '보여준 게 없으니 서운해도 참아야지. 이게 바로 내가 뿌린 씨인 거지. 딸 보는 앞에서 엄마를 걱정하거나 안쓰러워하거나 하는 마음을 제대로 표현해본 적이 없다. 혹여 딸아이가 내게 그렇게 한다고 한들 내가 무어라 훈계를 할 수 없다.

딸아이의 천성은 나와는 달라 뭔가 아니다 싶으면 어릴 적부터 바로바로 의견을 말했다. 나는 그런 딸아이가 기특하고 자랑스러웠다. 내가 해보지 못한 것은 모두 해보길 바랐고 다행스럽게도 딸아이는 궁금한건 참지 못하고 직접 몸으로 부딪혀 보는 아이였다. 게다가 싫은 것은 절대 하지 않는 고집도 있었다. 바로 내가 바라던 그런 모습이었다. 그런 딸아이는 나에게는 희망이었다. 조리 있게 조목조목 자신의 의견을 말하는 걸 수용하는 일이 힘들 때도 있었지만 참을 수 있었다. 그래야 한다고 생각했다. 나는 엄마에게 꼭 해야하는 말도 제대로 하지 못 한 채 마음에 쌓아놓기만 했다. 그럴 수밖에 없었던 이유는 몇 마디 더 했다가 매 맞기 일쑤였기 때문이었다. 그런 탓에 속으로 쌓이는 말들은 마음속 높은 산을 이루었고 엄마에게로 향하는 마음은 바다만큼 멀었다. 그래서 딸아이를 보며 대리만족을 느끼기도 했다.

엄마의 따뜻함을 배우지 못하고 자란 나와 나에게 작지만 나름의 따뜻함을 전해 받은 딸아이의 삶은 무척 달랐다. 주도적이고 자존감이 높은 사람으로 자라는지 아닌지가 결정되는 것 같았다. 나는 수없이 많은 야단을 맞고 컸기에 자존감이 무척 낮았지만 딸아이는 스스로에 대한 자부심과 뭐든 해보면 된다는 도전의식도 강했다. 내가 이성을 잃고 때리는 매를 맞으며 컸기에 딸아이에게는 화를 최대한 절제하며 감정에 휘둘리지 않는 모습으로 대하려고 노력하며 키웠다. 중심이 바로 선 일관성 있는 부모가 되기 위해 혼자 공부도 했고, 교육에 관련된 책과 강의를 찾아 듣고 보려고 노력했다.

하지만 이런 내 육아는 둘째 아이에게는 잘 통하지 않았다. 아들에게는 강하게 키워야 한다는 말들 때문이기도 했고, 혼자 키우는 아들이라서 그랬는지 모르겠지만 다정함이 부족했다. 남자의 감성을 모르니 어느 부분에서 어떻게 맘이 상하는지도 잘 모르겠다고 느꼈고, 뭔가 물어보면 자세하게 대답하는 딸아이와는 다르게 대충 얼버무리며 괜찮다고 하는 아들이 어려웠다. 그 맘을 헤아리기가 깊은 바닷속 같기만 했다. 중학교 때까지는 마냥 어린아이 같고 몇 마디 말에도 잘 따라주어 귀엽게만 여겼지 그 속을 알려고 큰 노력을 하지 못했다. 누나와 엄마를 잘 챙겨줬고 타고난 심성대로 순하디 순하게만 자라줘서 그저 고맙다 생각했다. 가끔 일요일 생리통이 심한 누나를 위해 동네를 뒤져 문을 연 약국을 찾아 생리통약을 사다가 먹여주곤 했다. 15년 전만 해도 주말 운영하는 약국을 찾는 일은 보통 일이 아니었다. 이리도 다정하고 섬세하게 누나를 챙기던 아들이었다.

아들은 공부하는 것도 좋아했고 성적도 상위권이었다. 엄마의 정성이 더해진다면 상위권을 유지하기 어렵지 않았을 것이었다. 하지만 내가 운영하던 매장의 매출이 떨어지고 형편이 안 좋아지면서 학원도 제대로 보내주지 못했다. 아들은 학원 안 보내줘도 괜찮다고, 혼자 공부해 보겠다고 했다. 나는 그 말을 철썩같이 믿으며, 아들과 경쟁하는 친구들의 실력이나 공부환경은 미처 신경 쓰지 못했다. 고등학교 1학년 때만 하더라도 좋은 대학에 입학을 예상하며 담임선생님과 면담을 진행하기도 했던 아들은 경쟁관계 친구들과의 격차를 줄이지 못했고, 결국 예상했던 대학에 진학하지 못했다. 만족스럽지 못한 대학을 진학한 아들은 조금씩 말이 없어져 갔다. 고등학교 때는 그나마 적극적인 모습이 있었는데 더이상 그런 모습을 찾아보기는 어려웠다. 자신에게 실망하며 자꾸만 작아져가는 아들을 바라보는 시간은 힘들었다. 내가 못난 엄마라서 아이가 힘든 상황에 내몰린 것은 아닐까 속이 탔다. 마음을 터놓고 이야기하고 싶었지만 선뜻 입이 떨어지지도 않았고, 아들도 부담스러운지 회피하는 것 같았다. 그래도 엄마인 내가 더 노력했어야 했다.

그때라도 마음을 열고 아들의 이야기를 들어 줬어야 했다. 엄마니까 그랬어야 했다. 누나도 바빠 제대로 이야기 나눌 가족이 없었던 아들은 얼마나 외롭고 지쳐갔을까. 자신이 힘들어진 상황을 이야기할 친구들이 있긴 했겠지만 얼마를 이야기 나눌 수 있었을지. 말하지 못하고 쌓아둔 이야기는 얼마나 많았을지. 삶을 이야기하고 세상을 이야기하며 함께 헤쳐나갈 수 있도록 힘이 되어주는 엄마가 되고 싶었는데, 아들에게 엄마가 필요할 때 단단하게 곁에 있어주지 못했다. 나조차도 중심을 제대로 잡지 못하고 휘청거리고 있었다. 조금만 더 나아지면 이야기 나누자고, 그러니 조금만 버텨주기를 바라며 시간을 차일피일 미루고 있었다. 항상 곁에 있을 줄 알았기에, 조금 소홀해도 괜찮다 생각했다. 나중에 그렇게 커다란 후회로 다가와 가슴을 치며 소리 없는 눈물을 흘리게 될 줄 그때는 미처 알지 못했다.

따뜻한 엄마가 되어주고 싶었다. 아니 되어줄 수 있을 거라 믿었다. 받지 못했지만 나니까 충분히 할 수 있을 거라는 오만함이 있었다. 아들이 떠나고 나서야 아들이 너무나 보고 싶을 때, 이제는 들을 수 없는 아들의 목소리가 너무나 듣고 싶을 때 후회는 더욱 밀려왔다. 내가 조금 더 따뜻한 엄마였었다면, 내가 조금 더 능력 있는 엄마였었다면, 내가 조금 더 아들에게 희생하는 엄마였었다면, 내가 조금 더 빨리 책을 읽고 삶을 제대로 살아갔더라면 그렇게 허망하게 떠나보내지 않았을지 모른다. 지금도 마음 한 켠에 남아 있다.

아들을 낳았던 29년 전 12월의 그 날, 거친 숨을 몰아쉬며 새 생명이 태어나던 그 날, 꿈같이 찾아온 누나와 똑같이 생겼던 아들. 나도 모르게 목이 메어왔던 그 날. 임신한 걸 알고 아이를 낳아야 하나 말아야 하나를 며칠 동안 고민했던 시간이 미안했다. 그걸 아는 건가 싶을 만큼 엄마에게서 떨어지지 못하고 떼를 썼던 아이. 어디를 가도 꼭 엄마 손을 잡아야 했고 애착 이불을 꼭 붙들고 잠드는 아이. 그 모든 행동이 임신 초기 자신을 부정하고 있었던 엄마로부터 받은 불안함에서 기인한 것은 아닐까 노심초사하게 했던 아이다. 직장을 다니기 시작하면서 혼자인 시간이 많아지면서 손톱을 물어뜯었던 아이. 속상해도 티 내지 않고 퇴근하고 돌아온 엄마를 향해 두 손 모아 '다녀오셨어요'를 큰소리로 외쳤던 아이다. 누나 때문에 속상해서 표정이 안 좋아지면 조용히 책상에 앉아 공부했던 아이. 열심히 일해 월급이 조금 오른 후 함께 외식을 나가자고 하니 '엄마 우리 돈 있어?'하며 걱정스럽게 묻던 아이. 엄마가 차려준 밥상 앞에서 언제나 엄지척을 날려주던 아이. 나를 닮아 수학을 너무나 좋아해 수학 경시 대회에서 상을 받아오던 아이. 늦잠꾸러기 누나와는 달리 나처럼 항상 일찍 학교에 등교하던 아이. 꿈꾸던 미래를 향해 어떻게 해야 할지 몰라 애태웠던 아이. 너무 일찍 철이 들어 엄살도 한번 부리지 못하고 늘 덤덤한 척 애썼던 아이. 지쳐 퇴근하고 들어오는 엄마와 누나를 두 팔 벌려 안아주며 어깨를 토닥여 주던 아이. 끝내 하고 싶던 일은 제대로 해보지도 못한 채 마음의 짐을 품고 하늘나라로 떠난 아이. 너무 미안해서 아무 말도 남기지 못하고 떠난 아이. 정말 좋아했던 누나 주려고 밥 1인분을 전기밥솥에 해놓은 것으로 마음을 대신하고 떠난 아이. 퇴근하고 들어온 엄마가 힘들게 설거지 하지 않도록 주방을 깨끗하게 치워놓은 것으로 미안함을 전하며 떠난 아이. 이젠 모든 고민 내려놓고 하늘에서 누나와 엄마의 앞날에 축복만을 내려주는 아이. 파란 하늘만 보면 잊지 말라고 장례식 내내 눈부시게 파란 하늘만 보여준 아이.

아들과 마지막으로 함께 보냈던 여름 어느 날 오후였다. 뭐하다가 그랬는지는 기억에 없지만 갑자기 궁금한 마음에 아들에게 물었다.

“아들은 미래에 뭘 하며 어떻게 살고 싶어?”라고 물었다.

그때는 한참 자기계발서 위주로 책을 읽을 때였기에 아마도 미래를 그리는 책을 읽고 있어서 그랬는지도 모르겠다. 아들은 불쑥 꺼낸 내 질문에 “왜?”라며 고개를 숙였다.

“그냥 궁금해서, 아들이 살고 싶은 미래의 모습은 어떤 모습일까 궁금하네. 말해주라.” 내 말을 듣고 아들은 가만히 생각하더니

“난 철없이 살고 싶어. 그냥 철없이.”라고 답했다.

답을 듣고 “응? 그게 뭐야. 어떻게 사는 게 철없이 사는 건데?”라고 내가 물었고, 아들은 “아 몰라, 그냥 그렇다는 거지.” 하며 더이상 대꾸를 하지 않았다. 그 말을 들었을 때 속으로는 생각했다. ‘뭐지 이 녀석은 지금도 철이 없어 보이는데, 언제까지 이렇게 살고 싶다는 건가.’하고 생각했다. 그리고는 묻지도 않는 녀석을 향해

“엄마는 책을 읽고 운동을 하며 책과 함께 살 거야, 나중에는 강의도 하면서. 어때? 괜찮겠지? 엄마 그렇게 살 수 있을 것 같아 보여?”라고 물었다. 그 말에 “응, 엄마는 그렇게 살 수 있을 거 같아. 좋네.” 했다. 하지만 얼굴이 그렇게 밝지 않았다. 이 장면이 자꾸 기억나 잊히지 않는다.

장례식 내내 왜 철없이 살고 싶다고 했을까를 수없이 묻고 또

물었다. 그 말의 깊은 의미를 그때는 전혀 생각해 보려고도 하지 않았다. 무슨 엄마가 그랬을까. 엄마라면 아들이 왜 그런 마음을 먹었고, 그런 마음을 먹은 이유가 뭔지, 그렇게 살기 위해서 하고 싶은 일은 뭐가 있는지도 궁금해하며 아들과 더 많은 이야기를 나눴어야지.. 무슨 엄마가 그러냐며 스스로를 나무랐다. 나를 탓하고 핀잔을 주며, 책은 읽어서 뭐 하는 건가 싶었다. 아들과 제대로 된 대화도 나눌 줄 모르면서 무슨 책을 읽고, 누군가에게 용기를 주는 강의를 하고 싶어 하느냐고 자책하는 시간들이 이어졌다.

하지만 생각지도 못한 시간들이 나에게 다가왔다. 책을 통해 위로를 받았고, 책으로 이어진 사람들에게 커다란 사랑과 힘을 얻었다. 태어나서 처음으로 받아본 관심과 따뜻한 말들이 전해왔다. 사람들과 이야기를 나누며 마음속 무거운 무언가가 조금씩 건드려졌다. 작은 연대에서 오는 치유였을까. 그때 사람들과 루이스 헤이의 <치유수업>과 빅터 프랭클의 <죽음의 수용소>를 함께 읽으며 책을 통해 많은 힘을 얻고, 조금씩 가벼워짐을 느꼈다. 아들을 마음 깊은 곳에 품을 수 있게 되었다. 수시로 울컥하던 감정도 이제는 많이 잦아들었다. 해주지 못한 게 너무 많았고, 함께 했으면 좋았을 시간들은 점점 더 많아지고 있는 요즘. 책과 함께 살아가겠노라 아들에게 말했던 그 날, 내게 잘 어울린다고 해주었던 아들이 하늘에서 내려다보고 있다고 생각하니 오히려 책에 더 몰두하게 되었다. 책을 보면 아들이 떠올랐고, 아들을 떠올리면 힘이 났다. 더 잘 읽고 싶었고, 더 깊이 있게 읽으며 더 진한 내음을 풍기는 삶을 살고 싶어졌다.

그렇게 살다가 내 생이 끝나는 어느 날, 아들과 재회하는 그 날이 오면 언제나 그렇듯 엄마에게 엄지척을 날리며 달려와 두 팔 벌려 꼬옥 안아주며 내 어깨를 토닥거려줄 아들에게 미리 말해 본다.

"엄마 아들로 태어나줘서 정말 고마워. 사랑한다 아들. 너의 엄마여서 행복해. 너의 엄지척이 너무 그리웠단다."

엄마로 살게 해준 딸, 아들

"엄마, 나 집을 사야겠어. 집을 살래. 지금이 아니면 안 될 것 같아. 엄마 생각은 어때?" 갑작스런 질문이었다.

"어.. 그래 사야지, 사면 좋지. 그런데 이렇게 갑자기?" 딱히 적당한 답이 떠오르지 않았다. 지금 우리집 상황에 집이라니, 사면 좋지만 가능할까 싶었다. 하지만 늘 뭐든 꽂히면 끝을 보고야 마는 성격의 딸은 가능할지 말지를 따지는 표정이 아니었다. 제법 신중한 표정이었다. 어쩌려고 저러나 싶기도 했다.

작년 가을에도 갑자기 차를 사야겠다고 야단을 피웠다. 생각보다 관리비가 많이 들거라며 반대의사를 계속 밝혔지만 의미가 없었다. 그러더니 생일에 중고차를 떡하니 계약해서 타고 들어왔었다. 입이 떠억 벌어져 할 말이 없었고, 그 행동력에 깜짝 놀랐지만 나름대로는 대책없고 주책도 없는 막무가내 추진력이 좋았다. 그런 딸이 나는 좋았다.

늘 내가 못하는 것을 대신 해주는 것만 같았다. 나중을 생각하며 돈 걱정을 하면 답답하긴 했지만 그래도 뭐든 경험해보는 것이 더 좋겠다 싶었다. 어찌 보면 이런 면은 나를 닮았나 싶기도 하며 예전의 내 모습이 떠올랐다.

10년 전쯤의 나도 중고차를 무턱대고 사서 타고 다닌 적이 있었다. 뭣도 모르고 벌인 일이었다. 중고차에 비용이 너무 많이 들어간다며 새 차로 바꾼 지 딱 6개월 만에 차를 팔아버렸다. 내게는 어울리지 않는 물건이라는 것을, 차를 끌고 다닐 수 있는 형편이 어떤 정도여야 하는지를 제대로 깊이 알게 되고 나서야 '내 차'를 포기했다. 포기해야만 했다. 이런 경험을 딸에게 전했지만 전혀 귀담아 듣지 않았고, 결국 무리한 운영으로 딸의 제정상태는 제법 휘청거렸다. 이모의 긴급 수혈을 받은 지 막 6개월 정도가 지났는데 갑자기 집이라니 될 말인가 싶어 대충 대답을 했던 것이다. 갑자기 무슨 마음으로 저럴까 궁금하기도 했다.

사실 집을 사고 싶은 마음은 누구보다 더 간절한 사람이 나였다. 이혼을 하고 아이들과 살면서 생활비의 가장 큰 부분을 차지했던 것이 '월세'였다. 목돈이 있을 리가 없던 빚쟁이 이혼녀, 두 아이의 엄마가 무슨 돈이 있었겠나. 20여 년 가까이를 월세로 50~60만원을 부담하며 아깝다는 생각도 많이 했다. 하지만 목돈을 모아야 전세로도 가고, 집을 살 생각도 할 터인데 한두 푼도 아닌 목돈을 빚(전남편이 내 명의로 남긴) 갚으랴 아이들 키우랴 언감생신 꿈도 못 꾸었다. 그저 로또나 되면 좋겠다는 허황된 생각만 하며 살았었다.

나의 어린 시절에도 늘 '월셋방'을 벗어나지 못했다. 집 이야기만 나오면 주눅 들고 서글픈 마음이었다. 나에게 '집'이라는 개념은 안정감이나 따뜻함보다는 고단하고 이기적이고 아픈 것이었다. 가질 수 없고, 늘 약자의 입장에 있어야 하고 '내 것'이 아니라는 정해진 명제 앞에서 늘 작아지는 나였다. 그런 게 '집'인데 갑자기 앞뒤 없이 집을 사자고 하니 속으로 놀라면서 머릿속은 내가 할 수 있는 것은 아무것도 없을 거라는 착잡함만 가득 차올라 기어들어가는 목소리로 말했다.

"그런데 어떻게 집을 사? 그게 가능해?"

"가능하겠지, 아니 가능해!"라며 큰소리를 치는 딸을 바라보니 왠지 정말 그런 일이 일어날지도 모르겠다는 생각이 순간 들기도 했다. 그렇게만 된다면 얼마나 좋겠는가 말이다.

뭐든 끝을 봐야 하는 딸은 그날부터 폭풍 검색에 돌입했다. 워낙 하는 일도 그렇고 배우고 잘하는 것도 컴퓨터와 연관 있는 일을 하기에 뭐 그러려니 했다. 말하는 대로 된다고들 말한다. 나도 그 말을 부정하지 않는다. 그렇다고 당장 우리집을 과연 어떻게 살 수 있을지 머릿속엔 물음표가 백 개쯤 떠다니고 있었다. 혹여라도 집을 산다고 하면 나에게 얼마를 부담하라고 할지 나는 또 어떤 대답을 해야 할지 이런저런 걱정이 앞섰다. 무심하게 대답했지만 머릿속은 뒤죽박죽 많은 생각들이 뒤엉켜 있었다. 그렇게 며칠이 지났다.

그날도 여전히 노트북을 정신없이 두드리며 뭔가를 열심히 보던 딸이 나를 불렀다.

“엄마, 지금 시간 좀 돼? 이야기 좀 하자.”

“응, 괜찮아. 책을 읽어야 하긴 하는데 왜? 무슨 일이야?”

“엄마는 내가 집을 산다고 하는데 왜 딱히 이렇다 저렇다 말이 없어?”

“아니, 나는 뭐, 딱히 할 말이 없네.”

“왜? 내가 집을 사면 엄마도 좋잖아. 안 그래? 별로야? 싫어?”

“싫기는 왜 싫어. 우리 집이 생기고 평생의 꿈이 이뤄지는데, 다만 엄마가 지금 당장 집을 산다고 하면 돈을 보태거나 대출을 생각해 봐야 할 텐데, 매장 폐업하면서 파산한 지 아직 5년도 안 되었고 하니 자신이 없기도 하네.” 라고 말하며 목이 메었다.

야단맞는 것도 아닌데 목소리는 힘이 빠지고 눈앞은 자꾸 흐릿해지고 목이 뻐근해졌다.

“엄마 왜 그래. 내가 집을 사자고 하는 건 엄마 노후도 생각해야 하고, 나 시집가려면 엄마를 편안한 집에서 살게 해주고 나서 결혼하고 싶기 때문이야.. 그래야 엄마 혼자 있어도 내 마음이 놓일 테니까. 안 그래?” 생각도 하지 못한 이야기에 깜짝 놀랐다. 이렇게 많은 생각을 하고 있었다니.

“그리고 지금이야 여기 이사 올 때 사업 때문에 공간이 필요하기도 해서 내가 안방을 썼지만 이제 이사 가면 엄마가 안방을 써야지. 그래야 내가 결혼해서 나와도 방은 그대로 사용할 테니까. 그치? 그리고 엄마는 방을 어떻게 꾸미고 싶어? 집은 어떤 분위기로 하고 싶은지 같이 생각하고 집도 같이 찾아보면 좋겠어. 미래의 엄마가 살 집이니까. 생애 최초 대출받으면 일반 대출보다는 이율이 많이 낮아서 지금 월세 내는 것보다는 더 내겠지만 괜찮을 거야. 엄마가 대출금은 월세 내듯이 낼 수 있잖아. 그럴 수 있지?”

“그렇게만 된다면야 엄마는 월세보다 더 낼 수도 있지. 당연하지.”

딸의 속 깊은 이야기를 듣고 고마움이 밀려들었다. 그러니까 이 녀석을 누가 낳았고, 누가 키웠더란 말인가. 나에게 딸이 있어서, 이렇게 신중하고 엄마 걱정을 해주는 딸이 있어서 얼마나 행복한지 말로 다 표현할 수 없었다.

우리 둘은 함께 머리를 맞대고 집을 찾았다. 세상 널린 게 집이고 그중 내 집만 없다고 투덜대던 내가 딸과 함께 인터넷 부동산으로 매물을 찾고 있으니 그렇게 평안할 수가 없었다. 곧 정말로 우리 집이 생길 것만 같았고, 이런 감정이 변하지 않고 영원할 것만 같았다. 그런 마음으로 집을 찾던 중 유난히 눈에 띄는 집이 하나 나타났다. 주변 환경과 집 위치, 그리고 금액도 괜찮아 보이는 집이었다. 지체하지 않고 그다음 날 바로 집을 보러 딸이 출동했다. 나는 주말 근무로 몸이 묶여 있었기에 함께 가지 못해서 조금 아쉬웠다. 하지만 딸은 전날 밤 우리 눈에 띈(그 집은 아들이 하늘나라에서 보내준 집 같다) 집을 보러 발걸음을 옮겼고, 그날로 그 집은 우리 집이 되었다. 직접 가보니 주변 환경과 집 위치도 너무 마음에 들었다고 했다. 다녀오는 길이 너무 좋았다고 했다. 그 말을 전해들은 나는 가보지도 않은 곳인데도 그냥 좋았다. 딸이 좋다니까 나는 더더더 좋았다.

이렇게 좋은 마음 덕분인지 집 잔금도 어찌어찌해서 다 치루고 딸이 진행하는 셀프 인테리어로 공사가 한창이다. 이 글을 쓰고 있는 지금은 아직 이사 전이지만, 책 발간이 결정되고 난 24년 1월엔 이사 완료 되었을 것이다. 그래서 요즘은 설레이는 마음으로 산다.

언제나 나를 살게 하는 사람이 바로 딸이었다. 엄마와의 암흑 같은 시간을 벗어나게 해주었던 딸. 남편과 아이들을 두고 멀리 떠나려고 했을 때 40도 고열의 홍역을 앓아 내 발목을 잡아준 딸.

아들을 잃고 세상을 어찌 살아갈까, 먹먹한 가슴을 어찌할까 싶다가도 형제를 잃은 슬픔은 또 어떠할지, 엄마가 세상 떠나면 홀로 외로워 어찌할까 싶어 떠나보낸 아들만큼이나 애틋한, 나를 살게 해준 딸. 엄마 노후가 걱정되어 영끌로 집을 장만하고 차곡차곡 계획을 세워 단단하게 일어서주는 딸 덕분에 오늘도 나는 살아갈 힘을 얻는다. 함께 계획하고 함께 준비하고 함께 일어나 앞으로 걸어나가니 감사하고 고마운 마음 가득하다.

딸의 깊은 속을 알게 된 후 내 행동은 예전보다 더 활력이 넘친다. 사랑받고 있다고 느끼기 때문인지도 모르겠다. 딸이 주는 관심과 사랑이 나에게 커다란 힘이 되어 주고 있다.

그래도 엄마 덕이야

말 한마디를 해도 차가운 느낌이 전해지던 엄마였다. 학창시절 친구들에게 전화가 걸려와 엄마가 나를 바꿔주면 항상 들었던 말이 있다.

"선민아 너네 엄마 화났어? 전화 괜히 했나. 지금 통화 괜찮은 거

맞지?"

"아니, 괜찮아. 왜 그래?"

"그냥 너네 엄마 목소리가 좀 무서워서.." 사실 내가 옆에서 들어도 좀 차갑고 무섭긴 했다. 날카롭게 날이 선 말투는 듣는 사람을 늘 위축시켰다. 그래서 벨이 울리면 엄마가 받기 전에 내가 먼저 받으려고 거의 몸을 날리다시피 해서 달려갔지만 늘 엄마보다 한 발 늦었다.

그런 탓에 난 언제나 부드럽고 따뜻하게 말하고 싶어 했다. 마음은 그렇지 않더라도 한마디를 해도 상대가 위축되지 않았으면 했다. 하지만 이런 나의 행동은 엄마에게 칭찬을 들을 수 없었다.

"애가 똑부러지게 말해야지 왜그렇게 답답하게 말을 하니. 그런다고 사람들이 칭찬할 줄 알아. 아니야 그저 우습게 생각하기만 할 뿐이란 말이야."

어떤 상황에서든지 장점을 찾아 진심을 담은 칭찬을 해주기보다 깐깐한 평가와 타인의 눈을 의식하며 엄마 자신도 피곤한 삶을 살았다. 그래서 언제나 너무 먼 거리에 있는 사람이었다.

내가 알고 있는 엄마는 어린 나이에 시집와 부모님의 사랑이 그리웠을 엄마였다. 남편은 아내에게 무관심했고, 며칠에 한 번씩 집에 들렀으며 게다가 바람도 폈다고 했다. 제대로 된 가정생활이 이뤄지지 않았고, 생활비도 제때 가져다주지 않아 가난하게 살았다고도 했다. 나중에 조금씩 생활이 나아지긴 했지만 이미 마음의 상처로 인해 엄마는 아빠와 함께 사는 동안 항상 불만이 가득했다. 부정적인 말로 엄마 자신을 볶아댔고, 불안정한 모습으로 살았다. 그런 가정 분위기는 우리 삼 남매에게도 큰 영향을 끼쳤다. 오빠도 엄마와 무척 힘들게 학창시절을 보냈고, 절대 결혼은 하지 않겠다고 했었다. 자식을 낳고 제대로 책임지지 않는 부모가 될까 봐 걱정스럽다고도 했었다. 그리고 여동생은 늘 엄마 눈치를 보며 눈물짓는 날이 많았다. 이렇게 엄마의 불안함은 거칠게 집안을 휘저어 놓아 가족들을 힘들게 했다.

학창시절의 상처가 오빠에게는 선택적 기억상실로 남아 아무것도 기억나지 않는다고 했다. 가끔 내가 오빠의 모습이 떠올리며 이야기하면,

"너는 별걸 다 기억한다. 나는 아무것도 기억나지 않는데 말이야. 거참." 이라며 고개를 갸우뚱했다. 처음 오빠에게 그런 말을 들었을 때 마음이 너무 아팠다. 얼마나 큰 아픔이었으면 아무것도 기억하고 싶지 않았을까. 하나도 남기지 않고 지워버렸을까 하고 말이다. 여동생 또한 불안정한 마음은 아무리 좋은 상황이 다가와도 가장 최악을 계산하고 대비하며 걱정하며 지내고 있다. 스스로도 알고 있다. 그런 행동이 마음 깊은 곳에 자리한 불안함에서 왔다.

그런 부모를, 엄마를 우리가 선택해서 태어난 것도 아니고, 엄마 역시 우리 셋을 선택해서 낳은 것은 아니다. 엄마도 어쩌다 보니

어린 나이에 결혼을 했고, 엄마가 되었으며, 뜻하지 않게 가난하게 살았다. 가난에 지쳐 시들어갔을 엄마. 가난하게 살았지만 행복하고 웃음꽃이 가득한 집을 바라보며 늘 부러워했지만 알고 보면 그들도 가까이 들여다보면 속 끓고 아픈 시간들이 있었을 것인데 그런 생각은 미처 하지 못했다. 나만, 우리 집만 불행의 연속이었다고 생각했고, 그런 상황을 만든 건 모두 엄마 탓이라고 생각했던 시간들. 나는 피해자고 엄마는 가해자라고 원망했던 시간들을 지나 이제는 모두 사그라들어 잔잔해진 마음을 받아들이고 있다. 엄마도 어쩔 수 없었을 거라고, 힘들었을 거라고. 언제 사라진 지도 모르는 엄마의 젊은 시절을 생각하니 내 마음이 조금 흔들린다,

이제 세월이 이렇게나 흘러 엄마는 곧 팔순이 된다. 결혼을 절대 하지 않겠다던, 제대로 책임지지 않는 부모가 될까 봐 걱정된다던 오빠는 딸 둘에 아들 하나를 낳고 다둥이 아빠로 무척 바쁘게 살아가고 있다. 착하고 생활력 강한 올케를 만나 아주 잘 살고 있고, 엄마도 살뜰하게 챙기는 아들로 살아가고 있다. 늘 걱정만 앞서던 여동생은 엄마를 가장 가까이에서 살갑게 챙기며 불안에 휘둘리지 않기 위해 늘 공부하는 삶을 살며 바삐 지내고 있다.

삼 남매가 각자 자리에서 어긋나지 않고 잘 살아갈 수 있는 원동력은 무엇이 있을까 곰곰이 생각해 보았다. 아마도 그건 아픔을 품은 절절한 결핍이 아니었을까 싶다. 책임지지 못할 거면서 낳았다고 원망했지만 스스로는 그런 사람이 되지 않기 위해 노력했으니까. 결핍이 주는 자극이 우리를 성장하게 하고 멈추지 않도록 해

주었다는 생각이 들었다.

아들을 하늘나라로 먼저 보내고 나서야 깨달았다. 함께 할 수 있다는 것만으로도 충분히 감사해야 한다는 것을. 엄마가 나에게 전해준 것이 부족하다고 느낀다 하더라도 곁에 살아 계심에, 추운 날씨에 건강 조심하라고 전화 통화를 할 수 있음에, 여전히 맛있는 음식을 해주실 수 있는 건강한 모습을 볼 수 있음에 그럴 수밖에 없었을 거라고 생각할 수 있음에 모든 것이 감사하고 고맙다.

내 나이 쉰다섯. 앞으로 살날은 살아온 날보다 짧을 것이다. 엄마의 딸로 55년을 살았고, 딸의 엄마로 35년째 살고 있다. 엄마를 떠올리면 아픔과 애잔함이 전해진다. 너무 미워했던 시간들이 아쉽고 서글프다. 조금 일찍 마음을 열고 엄마를 받아들여 볼 걸 그랬다고, 그랬다면 나도 지금보다 더 빨리 어둠에서 벗어났을 텐데 말이다. 앞으로 살아갈 날들은 이제라도 마음을 조금 더 열고 엄마와 가까이 지낼 수 있길 바라는 마음이다. 내가 키운 딸과 엄마가 키운 딸의 대결은 앞으로 계속될 것이다. 아무도 이긴 사람이 없는 멋진 대결이 되었으면 참 좋겠지만 엄마가 키운 딸이 내가 키운 딸을 이길 수는 없을 것만 같다. 그러면 어떠한가. 결국은 내가 행복하면 될 테니 상관없겠다.

엄마

조연희

엄마

조연희

<오늘도 당신의 안녕을 빈다>

김수진 작가님의 시집은 엄마를 먼저 보낸 제 마음을 잘 표현해 주어 적어봅니다.

보내드릴 수밖에 없는 엄마

처음이자 마지막 병원 생활

2022년 11월 4일. 일상처럼 일하시고 집으로 오는 길이었다. 그런데 그날은 오시던 중에 엄마의 호흡이 힘들어 하는 모습을 집에 내려가 있던 큰오빠가 발견했다. 시골집 근처 의료원으로 급하게 갔지만, 큰 병원으로 가라는 의사선생님의 말에 다시 한번 놀란 가슴을 단단히 부여잡았다. 수원으로 택시 타고 급하게 출발했다. 먼 거리인 줄 알면서도 자식들이 수원근교에 있기에 만약 길어질 수도 있을 거라는 생각에 큰오빠는 동탄에 있는 한림대 성심병원에 오게 했다. 애뜻하게 엄마를 사랑하는 둘째 오빠와 같이 회사에서 급하게 나와 병원 응급실 앞에서 엄마를 기다리고 있었다. 너무나 초조하게 엄마를 기다리면서 나의 머릿속과 마음으로 계속 엄마가 잘 버텨주길 빌고, 또 빌었다.

"괜찮을 거라고, 괜찮을 거라고…"

시간이 더디게 흘러가는 것처럼 기다리는 중에 큰오빠에게 전화가 왔다. 거의 도착했다고~ 우여곡절 끝에 3시간 만에 도착한 엄마. 우린 서둘러 엄마를 만나기 위해 일어나서 밖으로 나가 응급실 앞으로 오는 택시를 알아보았다. 택시에 내려 걷기조차 힘들 정도로 기운을 잃으신 몸을 휠체어에 맡긴 채, 앉으셨다. 힘든 몸으로 오느라 고생한 엄마를 따스이 안아주었다. 울지 않았다. 아니 울 수가 없었다. 딸이 우는 모습을 보면 엄마가 더 가슴 아파할까 봐 울지 않고, 담담히 엄마에게 말을 걸었다.

"엄마 괜찮아? 먼 길 오느라 힘들었지! 잘 견뎌줘서 고마워"

"엄마 우리 보려고 여기까지 왔네."

엄마와 짧은 대화를 하고 검사받기 위해 준비를 진행했다. 엄마는 응급실에 너무 춥다고 하면서 집에 가고 싶다고 했다. 애기가 되어버린 엄마를 따뜻하게 안아주고, 준비해 온 핫팩을 손에 주면서 조금이라도 따뜻한 온기를 가졌으면 한다. 덜 추우라고…

엄마에게는 병원은 낯설기만 하다. 농사를 지으면서도 병원을 가신 적이 손에 꼽을 정도이기 때문이다. 자신의 의지대로 삶을 살아왔기에 지금 당신에게 벌어지는 상황들을 극구 부인하고 싶을 것이다.

하나, 둘 검사가 끝나가고, 괜찮을 거라는 믿음은 잠시 멈추어버렸다. 의사는 엄마의 혈관이 막혀 수술하지 않으면 위험할 수 있다고 말하고, 또 담당 전문의 선생님이 안 계셔서 다른 대형병원으로 옮겨야 한다고 말하는데, 순간 머릿속이 희미해지는 것을 알 수 있었다. 다행히 오빠들이 함께 있었기에 다시 정신을 차리고 단단히 마음을 먹기로 했다.

다시 가야 한다. 서울에 있는 혈관 전문인 세브란스 병원을 소개를 해주어, 엄마를 모시고, 구급차 타고 혹시 모를 상황에 대비에 간호사 한 분도 동행해주셨다. 금요일 저녁은 역시나 차들이 많아서인지 차들이 엄청 더디게 가는 듯했다. 상황에 따라 보는 것과 느껴지는 일상이 달리 보인다. 나는 둘째 오빠와 같이 구급차의 뒤를 따라가는 동안 다시 주문을 외운다. "괜찮을 거라고, 괜찮을 거라고…" 최근의 시골에서 엄마의 모습이 하나, 둘 떠오른다. 자주 누워있고, 드시는 것도 힘들어 하시고, 자식들 걱정할까 봐 괜찮다고 하시는 엄마. '얼마나 힘드셨을까?' 미안한 마음을 떨쳐버릴 수 없었다.

울지 않았다. 아니 울고 싶지 않았다. 아직 아무 일도 없는데, 그냥 엄마의 몸상태를 더 자세히 보기 위해 병원에 온 거라고 생각했다. 생각을 하는 동안 어느새 세브란스병원에 도착했다. 낯설기만 한 병원의 모습. 엄마가 탄 구급차는 먼저 도착해 응급실로 들어갔다. 코로나19로 인해 다 들어갈 수 없다고 한다.

그래도 첫날이니까 한 명씩 들어갈 수 있다고 말씀해 주셔서, 큰오빠, 큰언니, 둘째 오빠까지 순서대로 들어가서 만나고, 마지막 내가 들어갔다. 주사바늘을 꽂고 계신 환자복을 입은 엄마의 모습을 보니 나도 모르게 눈물이 나려는 것을 꾹~입술을 깨물며 이겨내고 참았다.

"엄마, 엄마 힘들지? 엄마 조그만 참고 기운 내자. 검사 잘 받고 집에 가자 응!" 계속 엄마라는 말만 되뇌었다. 엄마가 침대에서 일어나면서 말씀하셨다.

"막내야 내가 몹쓸 병도 아닌데, 기운만 없을 뿐인데 괜찮겠지? 집에 가고 싶어"

지친 몸으로 많이 힘드셨을 텐데, 자신의 아픔을 제대로 말씀을 안 하시고 있다. '입맛 없다.' '잠이 온다.' '기운 없다.' 이렇게만 표현하시는 엄마의 말.

짧은 대화를 뒤로한 채 엄마와 보호자 한 명만 있어야 한다고 한다. 우선 큰언니가 오늘 밤에 엄마 곁에 있겠다고 했다. 응급실에서 기다렸다가 병실이 나오면 가야 한다고 한다. 기다리는 동안 필요한 물건들을 사고, 내일 다시 오기로 하고 엄마와 언니를 남겨 둔 채 집으로 향했다.

차 안에서는 각자 생각에 잠겨 정적만이 흘렀다. 엄마의 모습을 보면서 놀랐을 가슴을 쓸어내리면서 무사히 택시로 지방에서 수원. 수원에서 서울. 긴장을 풀지 않고, 곁에서 지킨 큰오빠. 엄마의 증상을 여기저기 알아보면서 조언을 구하는 둘째 오빠. 엄마 곁을 지키고 있는 큰언니. 어떻게 될지 모르는 상황에서 대기하고 있는 둘째 언니. 그리고 막내인 나.

힘든 상황에서 각자의 역할을 잘 해주고 있는 언니, 오빠들이 함께 있어 너무 든든하고, 고마웠다. 낯선 병실에서 엄마와 큰언니가 그렇게 이틀 밤을 보내고, 교대를 하기 위해 둘째 언니랑 같이 병원을 갔다. 병실로는 들어가지 못해 큰언니가 엄마를 모시고 내려왔다. 휠체어 실린 엄마의 모습. 그새 많이 수척해지셨다. 애써 웃으며 엄마를 웃게 해드렸다. 우리 이쁜 엄마. 우리 사랑스런 엄마.

아기가 되어버린 엄마. 엄마의 모습을 이렇게 찬찬히 본적이 있었을까라는 생각이 든다. 의사 선생님이 수술 날짜를 잡았다는 소식을 접한 후, "다행이다"라는 말을 나도 모르게 하고 있었다. 수술을 한다는 것은 희망이 있다는 것이기 때문이다. 이틀 뒤에 회사

휴가를 내고, 큰언니는 몸이 아파 못 오고 나. 먼저 4남매만 수술실 앞에 들어가기 전 엄마의 모습을 보기 위해 기다리고 있었다.

수술하기 전에 자세한 수술 방법, 후유증에 대한 설명을 들었지만, 머릿속에 들어오지 않았다. 자꾸 정신을 잡으려 해도 다시 희미해지는 것을 느낄 수가 있었다. 다시 정신을 차리기를 반복하며서 병실에서 내려오는 엘리베이터의 문이 열리고 침대에 누워 계시는 엄마의 모습이 보였다. 힘이 없는 눈, 팔에는 주사 자국으로 멍들고, 살이 없이 앙상한 뼈만 보인 채 환자복을 입으신 엄마! 그래도 총기가 있어서 우리들을 다 알아보았다. 나는 엄마의 손을 잡으면서 나의 따뜻한 온기가 전해졌으면 하는 바램으로 웃어주었다.

“엄마 괜찮을 거야 한숨 푹 자고 나오면 괜찮을 거예요.”라고 말했다. “야들아~수술하기 싫어. 몸에 칼 대는 것 싫다. 내 몸에 칼 대면 나 그냥 나올 거다.”라고 계속 말씀하신다. 얼마나 무섭고 두려우셨을까? 생전 병원에 계신 적도 없는데, 큰 수술을 앞두고 겁이 났을까? 라는 생각에 가슴이 저며온다.

우여곡절 끝에 그렇게 5시간이라는 긴 수술을 무사히 마쳤다. 우리는 ‘감사합니다.’라고 가슴속으로 말하고 있었다. 무사히 잘 이겨내 준 잠자고 계신 엄마의 모습을 보면서 “엄마 고생하셨습니다. 잘 이겨 내줘서 고마워요”라고 말해주었다. 엄마는 수술실에서 나와 회복실로 들어가시는 것을 보고 우리는 엄마에게 한 번 더 힘을 내라고, 고맙다고 말해주었다.

엄마 집에 가자

코로나19로 보호자도 한 명만 들어갈 수 있는 병실. 둘째 언니의 지극 보살핌으로 엄마의 상태가 많이 좋아져서, 큰 수술한 지 2주 만에 퇴원을 할 수 있었다. 하지만 엄마가 가고 싶어하는 시골집은 바로 갈 수가 없다. 아직은 경과를 보기 위해 정기적으로 병원을 가야 하기 때문에 가까운 우리집으로 모시고 와서 낮에는 언니가 돌보고 저녁에는 퇴근해서 내가 엄마와 함께 했다.

아침에 출근하기 전에 꼭 일어나시는 엄마. 군고구마를 좋아하셔서 따뜻한 군고구마를 챙겨서 드리면 하나씩 드셨다. 그 모습이 너무 이뻐보였다. 엄마도 자식이 먹는 모습을 보면 항상 웃어주시던 모습이 생각난다. 아기가 되어버린 엄마지만, 함께 있다는 자체만으로도 좋았다.

현실을 바쁘게 살면서 엄마의 모습을, 행동을, 생각을 제대로 보거나 들어본 적이 없다. 그냥 당연함으로 살아왔다. 아직은 대소변을 조절하는 게 힘드신데도 당신의 부끄러움으로 기저귀의 모습을 보이기 싫어 스스로 하신다고 하고, 화장실도 혼자 간다고 하시는 엄마. 살아오시는 동안 누구의 도움을 받지 않고 스스로 이겨내신 엄마. 그렇게 강한 정신력으로 하루하루가 나아지시는 엄마를 보면서 눈물을 흘리기도 했다.

지난날 자식들 집에서 불편하다고 항상 그냥 가셨던 모습이 생생한데, 제는 막내집이 좋다고 시골 가기 전까지 집에서 손자 손녀와 함께 지냈다. 아마도 아이들의 모습을 더 보고 싶어서 그럴 수도 있다는 생각이 든다.

아침에 아이들이 학교가기 전까지 할머니와 얘기하고 밥 먹으면서 아이들을 오래 지켜보았던 엄마. 우리집에 계시는 동안 엄마의 자신만의 성격대로 표현하기도 했다. 좋아하거나 드시고 싶은 음식을 얘기하기도 하고, 지난날 과거 얘기도 하고, 아버지 흉도 보고 웃으면서 도란도란 얘기를 하면서 엄마가 아닌 여자 대 여자로 들어주고 공감해주니 더 쉽게 대화를 할 수 있었던 값진 시간이었다.

엄마의 살아오신 삶을 알게 되었고, 지금 이 시간, 오늘이 지나면 오지 않을 이 시간. 왜 의미 있게 보내야 하는지. 왜 중요한지 알게 해주었다. 2개월 정도 우리 집과 언니, 오빠 집에서 몸을 잘 추스리고, 기력도 많이 회복되어 병원에 오지 않아도 된다고 한다.

"엄마 집에 가자. 집에 갈 수 있어." 그렇게 좋으면서도 때론 답답한 도시 생활을 마치고, 시골집으로 가게 되었다. 아버지가 싫다고 하셔도 좋으신가 보다. 항상 함께 해오셨기 때문인가보다.

"엄마 집에 오니까 좋지?" "그럼 너무 좋다." 엄마는 시골에서 자신이 하고 싶은 대로 해서인지 내려가서 볼 때마다 웃음이 많아지셨다. 병원 얘기만 하면 싫다고 하신다. 병원에 계시는 동안 주사바늘과 고통이 얼마나 힘드셨으면 엄마의 기억 속에 병원은 아픔으로 남아 있었다. 그렇게 힘들었던 아픈 기억 속의 병원은 이제 더이상 가지 않아도 된다. 이젠 아프지 않은 곳에 있기 때문이다.

엄마는 나비가 되어

2023년 7월 22일 부모님의 구순 생일잔치를 가족들이 분주하게 준비했다. 부모님의 고마움과 감사함을 표현하기 위해 현수막도 만들고, 가족들에게 선물해 줄 수건도 만들었다. 해마다 챙기는 부모님 생신이지만, 엄마의 큰 수술을 하고 나서 더욱 애틋하게 다가왔다. 잘 이겨내 준 엄마에게 진심으로 축하해주고 싶었다. 준비하면서 눈물이 왜 이렇게 나는지 알 수가 없었다. 가족들은 말을 조심하면서 최대한 많이 아꼈다. 좋은 말과 힘 나는 말로 위로를 해주었다. 엄마는 항상 말씀하셨다. “너희들은 우애 있게 지내야 한다. 싸우지 말고 사이좋게 지내야 한다.” 항상 그렇게 자식들만 걱정해주시고, 항상 챙겨주시던 엄마.

20명 정도 되는 가족들이 미리 예견이라도 한 듯이 다 같이 모여 부모님의 뜻깊은 구순을 축하해 주었다. 기쁜 마음과 혹시 모를 마음을 조리며, 일어나지 않기를 빌며, 더 건강하고 오래 사시라고 예쁘게 한복을 입히고, 이쁜 공간에서 사진도 찍고 맛있는 음식을 먹었다. 너무 예쁜 우리 엄마. 그렇게 환하게 웃으시는 사진이 영정사진이 될 줄 몰랐다. 사람 일은 한 치 앞을 모른다는 말을 큰 일을 치르고 나서야 알았다.

그날도 아침마다 전화하면 들려오는 엄마의 목소리.

“밥 먹었냐? 애들은 학교 갔니?” 항상 같은 말로 물어보신다. 하지만 전화 목소리 너머로 들려오는 엄마의 떨면서도 기운이 없는 힘 없는 목소리가 느껴진다. 그게 마지막 통화가 되리라고 상상도 못 했다. 항상 반복되는 아침의 일상일 뿐.

그날 병원으로 간다는 전화를 받고, 흐르는 눈물을 멈출 수가 없었다. 여름에 내리는 장마비처럼 나의 눈물도. 웃으시면서 찍은 사진 속의 모습도 마지막이고.

"엄마 건강하세요"라는 말을 전한 것도 마지막이고. 가시는 모습조차 보지도 못한 채 차가운 영안실에서 누워계신 엄마의 모습을 보고 오열하며 소리를 지를 수밖에 없었고 누워계신 엄마를 보며 무슨 말을 어떻게 해야 할지 몰랐고, 언젠가는 가실 줄 알면서도 이날이 이렇게 빨리 올 줄 몰랐고, 누구를 원망할 수도 없다.

준비 없이, 아니 준비를 했더라도 사랑하는 사람을 떠나보낸다는 것은 어떤 말로도 표현할 수가 없다. 나는 마음속으로 다짐을 했었다. 보내더라도 너무 슬픔에 머물러 있지 않기로, 대신해주고 싶었던 말을 하고, 마지막 모습을 어루만졌다. 나의 눈에 담아두어 그리울 때, 보고 싶을 때 마음으로 꺼내 볼 거라고. 하지만 다시 보지도, 만질 수도 없는 상황을 도저히 받아들일 수 없다는 것을 알게 되었을 때, 울고 또 울고 계속 눈물만 흘렸다. 감정을 제대로 추스리지 못한 채 그렇게 엄마와의 마지막 인사를 했다. 숨은 쉬지 않지만 나의 말을 들어주시라 믿고, 누워계신 엄마에게 꼭 얘기를 해주고 싶은 말을 해주었다.

"엄마 그동안 살아내느라 고생하셨습니다. 우여곡절 많은 이 세상에 와서 엄마라는 이름으로 우리에게 와줘서 고맙고, 감사합니다. 우리와 인연이 되어 저희를 사람됨으로 잘 키워주시고, 언제나 나무처럼 변함없이 옆에 함께해 주어 저희는 행복했습니다. 이젠 엄마를 볼 수 없지만, 저희 마음속에 항상 함께한다는 것을 알기에 엄마를 보내려 합니다. 사랑하는 엄마 이젠 가고 싶은 곳, 하고 싶은 것 하시면서 노란 나비가 되어 훨~훨 날아다니세요. 이젠 편안히 쉬세요. 엄마 사랑합니다. ”

2023년 8월 2일 무더운 여름날에 엄마는 나비가 되어 우리 곁을 떠났다. 엄마를 그렇게 보내고, 한동안 우리 가족들은 아무 말 없이 각자 삶에서 엄마를 그리워하며 보냈다. 홀로 남으신 아버지를 위해서라도 우리는 다시 일어서야 한다.

엄마에게 약속했다.

“걱정하지 말고, 남겨진 우리는 잘 지낼게, 엄마.”

남겨진 자

김수진

그날의 공기

그날의 온도가

잔상처럼 남아있지만

그날의 시간이 모두

멈춰버린 듯하지만

그래도 웃어지고

그래도 살아지고

엄마의 삶이 최선일 수도

억척이 정옥희 여사님

농사꾼인 아버지의 얼굴도 모른 채 시집을 온 새색시 엄마. 지금 생각하면 상상도 못 할 일이다. 7남매를 낳고, 두 아이는 병으로 가슴에 묻었고, 남은 자식들을 위해 억척이가 될 수밖에 없었던 엄마. 90세를 살아오시는 동안 농사만 지으시면서, 자신의 목소리를 내지 않고, 아버지의 그늘에서 묵묵히 엄마라는 직업으로 사셨다.

자식들이 커갈수록 돈이 필요했기에 돈을 벌기 위해 어떠한 일도 마다하지 않으셨다고 한다. 엄마의 이마의 주름과 손등의 마디마디마다 굵은 핏줄이 살아오신 삶이 평탄치 않았다는 것을 알게 해준다.

엄마는 그런 삶을 그냥 당연하게 생각하고 사실 수도 있고, 아니면 생각조차 할 겨를도 없이 살아오셨을 수도 있다. 어린 자식들의 짜증 내는 것, 화내는 것, 섭섭함을 무엇으로 달래었을까? 라는 생각이 들었다. 아마도 이때부터 엄마는 담배를 피우지 않았나 싶다. 엄마의 담배 피우시는 모습을 바라보면서 건강 걱정을 매일 하면서, 그만 끊으시라고 했던 말이 미안함으로 몰려온다.

유일한 엄마의 쉼의 공간이자 애가 타는 속을 달래고 있었을 것일 수도 있었기 때문이다. 젊어서 식당일 하면서, 힘듦을 달래고 내일이면 나아지겠지라는 생각으로 사신 거다.

5남매 자식들이 하나, 둘씩 결혼하고 각자의 가정을 꾸리면서 아버지와 엄마는 다시 고향으로 가서 새로 집을 지어 제2의 인생을 시작했다. 70세에 다시 시작한 것이다. 이젠 여유롭게 지낼 법도 한데, 아버지의 농사 욕심으로 벼부터 시작해 다양한 농사를 지었다. 다시 엄마는 억척이가 될 수밖에 없다.

자식들 오면 일 시키지 않으려고, 어쩌면 바쁜 일상들이 몸에 밴 습관일 수도 있다. 엄마는 돌아가신 그날까지도 일을 하시고 오셨다. 자신의 몸은 돌보지 않은 채 하루의 삶을 충실하게 살기 위해 미련하지만 억척스럽게 사셨기에 90세가 되어도 일을 하신 것이다.

삶을 살아오는 동안 최선의 삶을 살아온 엄마

5남매를 키우면서 사건과 사고가 많았다. 가지 많은 나무에 바람 잘 날 없을까? 매일 걱정과 조바심 속에 살아오면서 자식들만 생각했던 엄마. 우리는 엄마가 살아온 삶을 보면서 "왜 이렇게 힘들게 살까? 변하지 않는 생각과 행동들 이해가 안 돼"라는 생각이

들기도 했다. 그때는 철부지라서, 우리의 생각이 짧았기에 보이는 것만 보고 판단을 했다.

우리의 몸도 마음도 변해가는 시절이 있듯이 엄마의 그런 시절은 일하느라 바쁘고, 당신을 챙길 마음의 여유도 없었을 것이다. 엄마의 마음속에는 오직 자식들 사는 걱정으로 가득 차 있었을 것이다.

엄마에게는 농사일과 자식들밖에 없기 때문이다. 속상하면 담배 한 모금, 화가 나도 담배 한 모금 그렇게 담배 연기로 다 보내버린 것이다. 자식들이 아무 일 없이 잘 살아가는 것이 엄마인 당신 스스로가 해야 할 행동이 무엇인지 알고 있었기에 엄마의 삶은 최선일 수밖에 없다.

어른은 내가 지금 어떤 행동해야 하는지 아는 것. 그것을 또 실천하는 것. 나는 지금은 엄마를 원망하지 않고, 속상해하지도 않는다.

나에게 엄마는 지혜롭고 존경하고 멋진 여사이다. 자신이 어떻게 살아야 하는지, 항상 겸손하라고 알려주시면서 실천하는 것을 보여주었다. 힘든 삶 속에서도 꿋꿋이 자신의 자리를 지켜준 엄마의 삶은 배우게 되었다. 엄마에게 삶을 대하는 자세를 배우고, 항상 우리에게 당부하셨던 말이 있다.

첫째, 절대 포기하지 않기

인연의 끈은 무섭다. 엄마와 자식으로 만나 어떠한 상황에서도 끈을 놓지 않았다. 두 자식을 먼저 보내 가슴에 품고 살아내신 엄마는 포기하지 않고 살아오셨다.

둘째, 엄마로서의 무한한 사랑 주기

남은 자식들 키우면서, 자신보다는 자식들의 커감에도 변하지 않고 그 자리를 지켜주신 엄마.이기에 무한한 사랑이 아닌가 싶다.

셋째, 상대방에게 기대하지 않기

엄마는 항상 말씀하셨다. “우리 걱정은 하지 말고 너희만 잘살면 돼. 형제들끼리 우애 있게, 가족들과 행복하게 살면 돼.” 기대보다는 엄마의 바램일 수도 있다.

넷째, 항상 겸손하기

엄마에게 혼나는 가족 중에 유일한 한 사람 바로 아버지다. 노인회장이신 아버지는 동네에 마을 회관에 가면 자신의 자랑하는 말을 많이 하신 모습을 지켜보다 집에 와서는 엄마에게 잔소리를 듣는다. “제발 말조심하고 함부로 자랑하지 말고 겸손 하라고” 삶의 처세술을 엄마는 알고 그렇게 살아오셨다.

뭐든지 지나치면 탈이 나는 법이다. 지금도 아버지를 보고 있으면 엄마의 목소리가 들리는 듯하다.

다섯째, 남 험담하지 않기

동네 아줌마들이 삼삼오오 모이면 누군가를 험담하기 시작한다. 엄마는 그런 모습이 싫다고 얘기한다. 그래서 집에만 계시려고 한다.

다 부질없다고 하면서. 집에서 일하기 바쁘다고 하면서, 동네 사람들과 말하는 것을 좋아하지 않으셨다. 워낙 노는 것을 좋아하고 사람들을 좋아하시던 엄마인데 사람들에게 지쳐있을 수도 있다. "절대 없는 사람 얘기하지 말고, 욕도 하지 말고 알것제." 우리에게 말씀하시곤 했다.

엄마의 삶은 그 시대에 맞는 엄마로서 살아가는 최선의 방식일 수도 있다는 생각을 한다.

엄마와의 추억을 마주한다.

<u>항상 대문 앞에서 기다리고 있는 엄마</u>

"엄마 거의 다 왔어요."

도착하기 전에 엄마에게 전화를 한다. 내려간다고 전화를 하면 언제나 대문이 활짝 열려 있다. 오늘도 어김없이 대문이 활짝 열려 있다. 엄마가 미리 들어오라고 문을 열어놓고 기다리고 계신다.

어느 날은 집 앞 다리까지 나와계셔서 나는 차에서 내려 엄마와 집에 가는 길까지 걸어가면서 얘기를 나눈다.

“엄마 오래 기다렸어?”

“아니 이제 금방 나왔어. 온다길래 집에 있으면 심심해.”

항상 엄마를 만나면 안아주면서, 몸은 괜찮은지 다시 한번 본다. 엄마의 팔짱을 끼며, 걸을 때가 너무 행복하다. 세상을 다 가진 어린아이처럼.

90세가 다 되어가도 언제나 꼿꼿하게 걸으시는 엄마의 모습은 나를 더욱 힘나게 한다. 시골집에 다녀가면 좋은 힘을 얻어가는 느낌이 든다. 어릴 때는 크셨던 모습이 이제는 내가 훌쩍 커서인지 나보다 작은 체구로 변해가는 엄마이지만, 농사일하실 때는 어디서 힘이 나는지, 묵묵히 해내신다.

대문 앞은 또 다른 엄마의 쉬는 공간이다. 그늘 밑에 앉아 담배를 피우면서 저 멀리 보이는 높고 시원하게 뻗은 산을 보기도 하고, 담벼락 뒤로 보이는 차들도 보면서 자식들 차가 언제 들어오는지 보고, 앞마당에 풀들이 자란 것을 쉬엄쉬엄 뽑기도 하면서 엄마는 그곳에서 하루를 보내고 계셨다.

가끔은 대문 앞 자갈밭에 앉아서 엄마가 해주시는 맛있는 밥도 먹기도 하고, 도란도란 이야기도 하면서 엄마의 얘기도 들어주었다. 추억이 많은 그곳은 하늘에 흘러가는 구름처럼 나의 머릿속에도 하나, 둘 흘러가면서 떠오르곤 한다.

항상 웃어주는 엄마

엄마의 말에는 사랑이 느껴진다. 엄마가 살아계실 때에도 아버지 혼자 계신 지금도 아침에 출근하고 제일 먼저 시골에 계신 부모님에게 안부 전화를 한다.

결혼하고 나서 아주 오래된 습관 중 하나다. 전화를 하면 엄마가 받으면서 하는 말.

"밥은 먹었냐? 꼭 챙겨 먹어 알겠지." 바람이 세찬 겨울에는 "옷 따습게 입었냐? 애들은 학교 잘 가지?." 매일 같은 안부 말이지만, 전화 속으로 들려오는 엄마의 목소리는 하루의 시작으로 나를 기쁘게 해준다. 아침에는 어떤 말을 하느냐에 따라 그날을 결정하기도 한다.

친정집에 가면 눈가의 주름진 엄마의 모습도 웃음소리도 너무 좋았다. 한 달 동안 지친 몸을 이끌고 친정집에 가면 다시 기운 얻어 또 한 달을 살기도 한다. 그래서 한 달에 한 번씩은 간다. 항상 웃어주시는 엄마는 아마도 막내인 나에게 미안해서 그럴 수 있다는 생각도 들었다.

아이도 8년 만에 생겨, 그동안 맘고생했을 딸. 아이 키우며 회사 다니는 안쓰러운 딸. 엄마가 바라보는 딸의 삶이 힘들어 보였나 보다. 나만 내려가면 이쁜 말도 해주고, 농사일 하느라 힘드시면서도, 짜증을 낼 법도 하는데 나에게만은 항상 웃어주셨다.

따뜻한 미소와 따뜻한 말을 해주어 철부지 막내인 나는 그런 엄마의 모습이 좋았다. 힘든 삶에도 내색하지 않은 엄마. 나로 인해 엄마도 기운 나는 존재이지 않았을까라는 생각이 든다.

꿈에

김수진

허허 웃던 모습

지그시 바라보던 미소

오랜만에 만난 꿈속에서

끝내 아무 말이 없었네

함께할 땐 미련스럽게도

영원할 것만 같고

떠난 후엔 속절없이

그리워만 지네

무엇이든 아낌없이 주는 엄마

부모 마음은 다 같은가 보다. 자식들에게 하나라도 빠짐없이 주고 싶은 마음. 시골 내려갈 때마다 무언가를 하나라도 챙겨주시던 엄마. 시골집에 가면 나는 쉬면서, 놀다가 온다. 결혼하기 전에는 엄마가 해주시는 밥 먹고, 맛있는 음식도 해주시면 먹고, 자고 쉬고 유일하게 쉬었다 온다. 돈 번다고 고생한다고 하시면서 집에 오면 아무것도 하지 말라고 말씀하신다. 나는 아무것도 하지 않고 정말로 쉬었다 온다. 지금 생각해 보면 정말 철부지 딸인 것이다.

결혼을 하고 난 후 두 아이의 엄마가 되면서 아이들과 친정집에 가면 부모님이 애써 농사지어 얻어낸 귀한 것들도 항상 챙겨주신다. 이게 부모의 마음인가보다. 손자 손녀에게 주려고 주섬주섬 뭔가를 주머니에서 꺼내 구깃하게 접혀진 돈을 꺼내 주신다. 당신의 필요한 것은 사지도 않으면서 우리를 위해서는 이것저것 사놓으신다. 우리에게 무엇이든 주는 것을 아끼지 않으신 엄마. 철부지 딸은 그저 좋아하기만 했다. 아낌없이 받기만 나는 우리 아이들에게 아낌없이 줄 수 있는 엄마가 될 수 있을지 문득 생각에 잠긴다.

받은 사랑은 고스란히 아이들에게 잘 전해졌으면 하는 바램이 있다. 엄마보다는 부족하지만, 나의 생각과 행동이 아이들의 가슴에도 남아있으면 하는 욕심을 가져 본다.

닮아가는 나, 그리고 엄마

혼자 살아가는 것도

엄마가 어떤 음식을 좋아하는지, 어떤 옷을 좋아하는지 알지 못했다. 아니 관심이 없었다. 엄마한테는 죄송한 마음뿐이다. 엄마와 같이 산 게 15살, 중학교 2학년까지인 것 같다. 돈을 벌기 위해 아버지께서는 수원. 엄마는 식당에서 일을 하고 계셨기 때문에 거의 집에 계시지 않았다.

언니 오빠들도 모두 떨어져 지내고, 나 혼자 시골집에서 학교를 다니면서, 혼자서 아침밥 먹고 버스 타고 학교 가서 있다가 다시 버스 타고 반복되는 일상을 혼자서 해냈다. 누군가에게 짜증을 낼 수도 없고, 질풍노도 사춘기도 무사히 보내게 되었다. 그때 당시 그렇게 할 수밖에 없는 현실을 인정하고 받아들였나보다.

지금 생각해 보면 그때부터 혼자 살아가는 연습을 했을지도 모른다는 생각이 들었다. 엄마와 떨어져 지내면서 학교 시절 추억은 거의 없다. 엄마도 혼자 멀리서 식당일 하시면서 얼마나 힘드셨을까라는 생각을 하게 된다. 지금의 나도 어딜 가더라도 자신을 데리고 살 수 있는 것은 엄마의 살아오신 모습과 닮기도 했다.

엄마와 떨어져 지내면서 나는 혼자서 많은 일을 해야 했다. 아침밥을 혼자서 챙겨 먹고, 버스를 타고 학교에 가서 수업을 듣고,

다시 버스를 타고 집에 돌아왔다. 혼자서 지내는 시간이 많았지만, 나는 그 시간을 나름대로 즐겁게 보냈다.

엄마는 나에게 삶의 지혜와 인내심을 가르쳐주었다. 엄마는 어려운 상황에서도 포기하지 않고 자신의 일을 해내는 모습을 보여주었다. 나는 그런 엄마의 모습을 보면서, 어려운 상황에서도 포기하지 않고 끝까지 노력하는 자세를 배웠다.

엄마와 함께한 시간은 나에게 큰 영향을 끼쳤다. 나는 엄마의 가르침을 잊지 않고, 앞으로도 어려운 상황에서도 포기하지 않고 끝까지 노력하는 자세를 유지할 것이다. 엄마와 나는 서로 다른 환경에서 살아왔지만, 그 속에서도 서로를 지탱해주며 성장해왔다.

엄마와 딸

조연희

나의 모습이

엄마를 닮아간다.

걸음걸이와

말투

행동

생각

아이를 보며

웃는 모습

엄마의 모습이

나를 닮아간다.

오늘도

그렇게 엄마를 닮아간다.

좋아하는 것도

엄마는 나에게 많은 음식에 대한 추억을 남겨주셨다. 그중에서도 가장 기억에 남는 것은 장떡과 김구이이다. 장떡은 장독대에서 된장과 고추장을 가져와서 텃밭에서 따온 매운 고추를 다지고. 양파를 다지고, 진한 향이 나는 깻잎을 송송 썰고 다진 마늘 듬뿍, 거기에 약간의 Msg를 넣은 후, 반죽을 한다. 달구어진 후라이팬에 식용유를 두르고, 숟가락으로 한입 크기로 떠 놓는다. 시간이 오래 걸리기도 한다. 노릇하게 익으면 앞에 앉아서 먹는 재미. 잊을 수가 없다.

재래김을 사다가 오목한 그릇에 들기름과 소금을 섞어 두 장씩 숟가락으로 100장의 김을 움직임 없이 앉아서 다 바르고, 달구어진 후라이팬에 구워주셨다. 고소한 냄새가 집안을 가득 메웠다. 엄마는 그렇게 잊지 못하는 음식으로 해주셨다. 엄마는 자식들이 좋아하는 것만 해주셨다. 당신이 좋아하는 것을 모른 채.

엄마는 자식들을 위해 항상 맛있는 음식을 해주셨다. 하지만, 정작 자신이 좋아하는 음식은 알지 못했다. 장떡과 김구이를 해주실 때도, 엄마는 자식들이 맛있게 먹는 모습을 보며 행복해하셨다. 엄마는 자식들을 위해 자신의 삶을 희생하며 살아오셨다. 자식들이 좋아하는 것을 해주기 위해 자신의 시간과 노력을 아끼지 않으셨다.

이 글을 쓰는 동안에도 그 맛과 향기가 생각나면서 군침이 돈다. "엄마 참 맛있어요."라고 말해주고 싶다. 엄마 삶의 전부는 아니지만 혼자라도 꿋꿋이 초등 6학년인 아들이 외할머니 식성을 닮았다는 것을 알게 되었다.

간장게장 좋아하고, 꽃게탕 좋아하고, 해산물을 좋아하는 것을. 우리는 친정에 가면 엄마가 좋아하시는 송어회를 먹으러 간다. 엄마가 무척 잘 드시고, 우리랑 함께 가는 것을 좋아하신다. 딸인 나도 엄마가 되면서 나보다는 아이들을 먼저 챙기게 되는 모습을 보면 엄마의 생각이 더 난다. "어릴 적 엄마처럼 표현 안 하고 자식만 바라보는 엄마처럼 살지 않을래. 아니 엄마처럼 살 수 없을 것 같아."라는 말은 했던 기억이 어렴풋이 난다. 아이가 간장게장을 맛있게 먹는 모습을 보면서, 엄마가 떠올랐다. 엄마도 간장게장을 좋아하셨는데, 함께 먹지 못하는 것이 아쉬웠다.

어릴 때는 보이지 않았던 엄마가 좋아하는 것이 무엇인지 나이가 들어갈수록 보이게 될 것이라고 생각한다. 무심히 흘려보냈던 엄마와의 일상들이 죄송스럽고 미안한 마음뿐이다.

아이를 키우는 것도

새벽에 눈을 떠서 잠들어 있는 아이를 보며, 혹시 추울까 봐 이불을 덮어주었다. 이불을 덮어주며 잠자고 있는 아이들의 얼굴을 한 번씩 바라보고 쓰다듬어 주면서 나도 모르게 눈물이 흐르고 있었다. 감사함의 눈물이다. 이렇게 바라볼 수 있는 것만으로도 어제 있었던 일은 아무 일 없다는 듯이 사라진다.

제때 기억나고 제때 잊어버릴 수 있는 것은 건강한 삶을 살아가기 위한 인간만이 할 수 있다. 기억하고 싶은 추억만 간직하고 싶다. 시골에서 엄마와 지낼 때, 자고 있으면 문 사이로 살며시 들어오는 불빛을 의지해 더듬거리면서 어두워진 방 안에서 자고 있는 우리들의 이불을 덮어주며 "어이구 내 새끼" 하면서 말씀하시곤 했다. 방문이 열리면서 잠이 깨어 있었지만 일어나지 않았다. 일부러 자는 척하면서 엄마의 따스한 온기를 느끼고 싶었다.

엄마는 그렇게 이불을 덮어주고 농사일을 하러 나가신다. 하루 종일 힘들었을 몸을 이끌고, 자식들을 위해 맛있는 밥 한 끼를 해주신다. 엄마는 된장찌개에 밥을 말아 후루룩 드신다. 정말 빨리 드시는 모습을 보고 놀래기도 했다. 이제야 왜 빠르게 먹었는지. 반찬은 안 드시고 한가지 하고만 드셨는지 알 수가 있었다.

어느덧 두 아이의 엄마가 된 나도 일을 다녀오면 지친 몸을 집으로 다시 육아 출근을 해서 밥하고 챙기고 하면 남아 있던 에너지가 없어져서 밥 먹을 힘도 없을 때 국 하나에 밥을 말아 후루룩 먹고 있는 것이다. 가끔은 놀라기도 한다. 엄마가 하셨던 행동들이 딸인 내가 엄마가 되어 하고 있기 때문이다. "엄마는 왜 국하고 밥만 먹어. 맛있어?" 초등 6학년 아이가 나에게 물어 본다.

나도 모르게 온몸에 소름이 돋는다. 나도 모르게 엄마처럼 행동하기 때문이다. 아이들이 잘 먹는 것만으로 행복하고 감사했다. 엄마도 우리를 키우면서 하나라도 더 먹이고 싶은 마음이었을 것이다.

항상 "맛있는 거, 몸에 좋은 거, 먹고 싶을 때 먹어야 돼, 알것재." 말씀하시곤 했다. 당신은 어릴 적 해주지 못한 게 미안해하면서 성인이 된 우리에게, 아이들에게 잘 먹으라고 말씀하신다.

초등학생인 두 아이에게 할 수 있는 일은 스스로 자립심으로 키우고 있다. 말을 많이 하는 편도 아니다. 아이들이 스스로 자신의 행동을 판단할 수 있는 시간을 주고 있다. 일찍이 엄마와 떨어진 사춘기 때 혼자 살아가는 법을 배우고 있었다는 것을 회사를 다니면서 알게 되었다. 알게 된 시간이 오래 걸리기도 했다.

그런 영향 때문인지, 우리 아이들에게도 잘할 거라는 믿음이 있다. 어떠한 상황에서도 잘 이겨내고 힘들 때 다시 일어설 수 있는 믿음. 엄마에게 받은 언제나 긍정적인 자세로 삶을 살아온 자세이다. 엄마는 그렇게 우리들을 믿고 계셨다. 그때는 몰랐다. 우리가 짜증 내는 행동들, 상처받고 서운한 말들 그냥 다 들어주시면서 우리들의 모습만 보고 계신 것이라는 생각이 든다.

우리가 수십 번 수백 번을 힘들다고 말해도 언제나 그 자리에서 꿋꿋이 있으면서 다 들어주셨다. 엄마인 나는 아직 아이들이 짜증 내면 같이 짜증을 내기도 여러 번 있다. 아마도 앞으로 그렇지 않을까 싶다.

사랑을 표현할 줄 몰랐던 엄마는 우리 얘기를 다 들어주고, 힘든 삶에서도 웃어주던 모습이 사랑이었던 것이다. 말로는 하지 않아도 몸으로 보여주고 있었음을 지금에야 깨달았다. 말씀 한마디 한마디가 사랑스러웠던 엄마.

지금 아이들에게 "사랑해 고마워 감사해."라는 말을 자주 사용하곤 한다. 아이들의 행동이나 말투로 화가 나고 서운하지만 지나가는 과정이라고 생각하며, 매일 다짐한다. '엄마처럼 덤덤히 넘어갈 수 있는 나무처럼 언제나 그 자리에서 있을 수 있는 굳건한 마음과 지금의 모습만 보는 게 아닌 숲을 볼 줄 아는 지혜로운 엄마가 될 수 있다.'라고 다짐을 한다. 엄마에게 받은 사랑이라는 유산을 믿기 때문이다.

엄마로 살아가는 것도

29살에 결혼해서 37살에 귀한 아이들을 만났다. 기나긴 시간 동안 몸도 마음도 많이 지치고 힘들었다. 옆에서 지켜보는 엄마의 마음은 오죽했을까라는 생각을 하게 된다.

막내인 나를 42살에 낳으신 엄마. 늦게 아이를 낳아 키우는 게 힘드신 것을 알기에 나를 더욱 챙기신 듯하다. 아이가 생기지 않아 걱정을 하시면서 "몸에 좋은 거 많이 먹고, 병원도 다니고, 한의원도 다니고 "하시면서 "회사는 그만두면 안 되겠니?" 항상 말씀하시곤 했다. 한약도 지어주시면서 막내딸에게 하나라도 더 챙겨주고 싫어 하시는 엄마의 모습이 아직도 생생하다.

두 아이를 2년 터울로 자연임신으로 낳았을 때 기쁨은 이루 말할 수 없다. 몸은 힘들지라도 아이들의 방긋방긋 웃는 모습을 보면 모든 게 사라진다. 엄마는 이런 존재인가 보다. 힘듦에도 아이가 주는 하나하나 행동에 반응하면서 사르르 녹아버리는 존재. 언제 그랬냐는 듯이 잊어버리고 아이들과 하루를 보낸다.

나에게 아이들은 인연이다. 가족이라는 이름으로 만나 가족이라는 구성원으로 함께 살고 있다고 생각한다. 살아가면서 회사 일과 병행하는 워킹맘으로 내 안의 아이의 수많은 감정들과 잘 이겨내면서, 다시 아이들과 다른 일들을 마주할 것이다. 반복되는 삶을 살아갈 수 있다는 생각도 든다. 엄마는 그냥 받아들이면서 희생적이면서 무한한 사랑을 주시며 엄마의 삶을 사신 것 같다.

나는 엄마처럼 살지 못한다. 우리만을 바라보고 자식만 걱정하셨던 엄마. 엄마의 하고 싶은 것. 아니 할 수가 없어 포기했던 여자였던 엄마. 여자의 삶보다는 엄마의 삶으로 직업을 바꾸며 한평생을 그렇게 사신 모습은 엄마의 최선의 삶일 수도 있다. 우리 5남매들의 지금 모습이 엄마의 삶이다.

나에게 엄마의 삶은 무엇인가?

나는 어떤 엄마인가?

나에게 엄마의 삶은 어떤 모습이 최선일까?

아이들에게 비춰지는 나의 모습은 어떨까?

엄마라는 단어는 포근하고, 따뜻하며, 강인하기도 하고 언제든지 안아줄 수 있는 하늘에 떠있는 푹신한 구름이 떠오른다.

좋은 일보다는 힘든 일들을 겪으면서 버틸 수 있는 내공을 자신도 모르게 만들어져 가면서 버틸 수 있는 힘이 생기고, 그 힘으로 살아가는 강인함은 엄마가 아니면 할 수 없는 일들이다. 하지만 아이들이 기억하는 나는 슈퍼우먼이 아닌 것을 알았으면 하는 바램이다. 세상을 살아가는 방법, 힘들 때 오뚜기처럼 다시 일어설 수 있는 마음 근육 단단한 삶. 자신이 하고자 하는 꿈을 찾아 배우는 모습. 사람을 좋아하고 공감하는 따뜻한 마음을 아이들과 같이 배우며 성장하는 엄마이고 싶다.

엄마가 살아오신 그 길을 생각하면서 아이들과 함께 나만의 엄마의 길을 웃으면서 만들어 갈 것이다.

"엄마 잘 지켜봐 주세요. 엄마가 우리에게 했던 무한한 사랑은 약속 못 하지만, 후회 없는 삶을 살아갈게요. 항상 함께 해주세요."

여자의 삶에서 엄마의 삶. 다시 여자의 삶으로 살아가는 나의 모습을 보여주려 한다. '죽음은 두려운 게 아니라, 삶의 완성'이라고 니체는 말한다. 막연히 죽음은 두렵기도 하고 무섭기도 했다. 죽음을 생각하는 것만으로도 인생을 낙관적으로 볼 수 있고, 숨이 붙어 있는 지금 이순간이 얼마나 감사한지 깨닫게 해준다.

엄마도 삶의 완성을 하고 가셔서 얼마나 후련하실까? 엄마인 지금의 나도 삶의 과정을 완성하는 나로 살려 한다.

엄마가 했던 것처럼…

엄마가 사셨던 것처럼…

엄마가 웃으셨던 것처럼…

그리운 엄마에게 말을 건넨다.

엄마에게 편지로 마음을 전합니다.

사랑하는 엄마에게

엄마, 날씨가 제법 추워졌어요. 항상 따뜻한 날씨이면 좋으련만 계절의 변화는 어쩔 수 없네요. 엄마 그렇게 보내고 난 후, 엄마의 모습을 보고 싶었지만, 차마 볼 수가 없었어요. 엄마의 얼굴을 보면 눈물이 나고, 제 마음이 무너지면서, 잘 버텨왔던 마음이 걷잡을 수 없을 것 같아 힘들었어요. 언니 오빠들도 같은 마음이었어요. 그러나 이제는 엄마의 사진을 볼 수 있을 것 같아요. 엄마의 예쁜 웃는 모습, 대문에 앉아서 얘기 나누는 모습, 엄마의 일하시고 있는 모습, 아버지와 함께 여행 가셔서 노시던 모습, 엄마의 담배를 피우시던 모습, 하나씩 하나씩 꺼내 보며 그리운 엄마와의 추억을 얘기하려 해요.

엄마와의 지내왔던 지난 시간들이 이렇게 빨리 추억으로, 그리움으로 남게 될 줄 몰랐어요. 남들처럼 평범한 일상들이 이제는 소중하게 느껴지네요. 시골 가면 엄마와 같이 밥 먹고, 일을 하기도 하고, 시장도 같이 가고, 좋아하시던 짜장면도 사 먹고, 무척이나 회를 좋아하셔서 차를 타고 멀리 가서 먹고 왔던 엄마와의 일상들이 너무나 그립습니다.

그리움이 절실하다는 것은 엄마와의 추억들이 좋았고, 하지 못한 것에 대한 미안함도 있기 때문입니다. 어떠한 상황에서도 항상 후회는 있나 봅니다. 후회하지 않은 삶을 살았다고 자신했는데, 그게 아니었나 봅니다. 엄마 이제는 후회하지 않는 삶을 살기 위해 노력하려고 합니다.' 오늘을 의미 있게 보내라'라는 글이 저에게는 너무나 와닿습니다. 평범한 하루가 아닌, 당연함의 하루가 아닌 나에게 주어진 귀한 시간을 가장 아끼는 사람들과 함께 웃으며 서로 아끼고 사랑하고 행복하게 보내기로 했습니다.

작년 이맘때쯤 엄마께서 저의 집에 계시는 동안 많은 것을 알게 되고, 너무 행복했어요. 항상 받기만 하는 철부지 막내딸이었는데,

엄마에게 효도할 수 있는 시간을 주셔서 감사드립니다. 순간순간 애기처럼 행동하시면서 좋아하는 음식을 해달라고 하시고, 마음속에 있던 엄마의 감정들을 솔직히 얘기해 주셨던 기억이 나네요. 엄마의 모습을 자세히 보았던 적이 손에 꼽을 정도인 자신에게 용서가 되지 않기도 합니다. 엄마가 주무시는 모습, 식사하시는 모습, 잔잔히 웃음으로 바라보시는 모습. 모든 게 사랑스러웠습니다.

어찌 보면 이때서부터 나의 마음 속에는 준비를 하고 있었던 것 같아요. 사랑하는 사람을 떠나보내는 게 얼마나 힘든지 알기에, 그 분이 또 엄마라는 사실에 믿지 않고 싶었지만, 조금씩 조금씩 마음 한켠으로 가족 모두 말은 하지 않았지만, 각자의 역할에서 준비를 하고 있었습니다.

솔직히 아직도 실감이 나지 않아요. 멀리 떨어져 지낸 세월 때문인지, 아이들 케어하면서 회사를 다녀서인지 정신적인 여유가 없어서인지 아직도 전화하면 받을 것 같고, 목소리가 들리는 것 같아요. 한 달에 한 번씩 친정집에 갈 때마다 엄마가 주무셨던 방에 들어가 인사를 합니다.

"엄마 저 왔어요." 나즈막히 속삭이며, 엄마가 자주 입으셨던 옷에서 엄마의 향기를 맡으면서 또 엄마 생각을 하기도 해요.

"살아있을 때 오라고 죽어서 오면 무슨 소용 있냐고." 말씀하시면서 자식들을 보고 싶은 마음을 말씀해 주신 엄마의 모습이 생각나네요. 그때 우리 자식들은 미처 생각하지도 못한 것을 깨우쳐 주셨던 엄마. 뭐가 그리 바쁜 삶을 살았는지. 엄마, 우리도 지금의 삶이 최선이고, 살 수밖에 없고, 아무 일 없다는 듯이 앞으로도 그렇게 살아가겠죠.

엄마, 저는 엄마가 저에게 주신 사랑과 가르침을 잊지 않고, 항상 기억하며 살아갈게요. 엄마가 보고 싶을 때는 언제든지 사진을 보며, 엄마와의 추억을 떠올리려고 해요. 엄마가 저에게 주신 사랑과 가르침을 우리 아이들과 다른 사람들에게 나누며, 엄마처럼 따뜻하고, 배려심 깊은 사람이 되려고 노력할게요.

닮지 않으려고 살아가는 모습이 이제는 엄마처럼 살아가려 합니다. 절대 포기하지 않고, 무한한 사랑으로 상대방에게 기대하지 않고 겸손하며 비방이 아닌 포용하는 가르침으로 지혜롭게 삶을 살아가겠습니다.

그리움으로 엄마에게 말하고 싶고, 해주고픈 말을 편지로만 전할 수밖에 없는 마음이 너무 아프지만, 이겨내려 합니다. 엄마도 저희들과 좋은 추억만 간직하시길 빌게요. 그리고 잊지 마세요. 저희 마음속에 항상 함께 하시고 계신다는 것을.

한평생 엄마라는 직업임에도 잘 이겨 내줘서 고맙습니다.

엄마와의 좋은 추억을 간직할 수 있어 고맙습니다.

엄마라고 부를 수 있게 해주어 고맙습니다.

엄마의 이름으로 저희와 인연이 되어 주셔서 고맙습니다.

엄마, 사랑해요. 그리고 감사해요.

그리움

김수진

그리운 사람이라는 건
지금은 함께 있지 않다는

그리운 시절이라는 건
다시 돌아갈 수 없다는 것

그리움은 그렇게
과거에 머무른 듯 하지만

내가 살아가고 있는 지금도
결국은 그리움인 것을

살아간다는 건 그리움이다

에필로그, 김세희

밤이 되었습니다. 오늘도 잠이 들 때면 두 아이는 꼭 엄마를 찾습니다. 첫아이를 임신하면서 처음으로 '엄마'의 무게를 체감했습니다. 육아를 하면서 '엄마'의 자리가 얼마나 큰지를 알고 무섭기도 했습니다. 내가 없는 이 아이들의 세상은 상상하기도 싫었습니다. 부디 이 아이들에게 평생 상처가 될만한 일은 일어나지 않기를 늘 바라게 되었습니다. 그러다가 이 글을 쓰게 되었습니다. 인독기의 첫 공저 책에 늦깎이로 참여하게 되면서 이 기회의 소중함과 감사함을 알게 되었습니다. 그렇기에 두 번째 공저 책은 고민도 없이 쓰겠다고 손을 들었습니다. 그런데 글을 쓰다 보니 고민 없이 들었던 저의 손을 조금 원망하게 되었습니다.

'엄마'라는 주제는 저에게 평생 갈 숙제 같은 거였습니다. 엄마의 공석을 굳이 숨기지 않았지만 떠벌리지도 않았습니다. 그 안에 있는 구덩이는 없는 척 멍석을 덮어 가려놓았다가 당나귀 귀를 하고 싶어질 때면 한 번씩 걷어내곤 했었습니다. 만약에 내가 '엄마'에 대한 책을 쓴다면 그것은 작가가 된 지 적어도 몇 년 후의 일이라 생각했습니다. 하지만, 기회는 생각보다 더 빠르게 왔습니다. 기회는 잡는 것이 맞는데, 덥석 앞머리를 잡고 나니 이 녀석 음흉

한 미소를 짓고 있었습니다. 글을 다 쓰고 난 뒤 그 미소의 뜻을 알게 되었습니다.

저는 이 글을 쓰면서 자아성찰을 했습니다. 나도 몰랐던 나의 감정을 글을 통해서 알게 되었습니다. 아, 나는 괜찮은 것이 아니었구나. 하지만, 이제 괜찮구나. 이것만으로 나 자신에게 큰 선물을 한 기분입니다. 그런데 덤으로 엄마의 마음까지 이해를 하게 되었습니다. 사실 이 글의 숙제는 이것이었습니다. 엄마를 이해하는 것. 그리고 아주 훌륭하게 해내었습니다. 죄송합니다. 글로써 사리사욕을 챙겼습니다.

부모의 이혼은 요즘 흔하다고 하지만, 여전히 당사자들과 자녀들에게는 씻을 수 없는 상처를 남깁니다. 남들도 다 그렇게 산다고 나까지 아프지 않은 척 살 수는 없는 겁니다. 겪어보니 알겠습니다. 그래서, 나름 용기를 냈습니다. 우리 이해해 보자고, 그리고 아픈 거 맞으니까 숨기지 말고 약을 잘 발라보자고. 이 책을 읽을 누군가에게 그런 이야기를 글로 해주고 싶었습니다.

기회란 녀석의 음흉한 미소는 이런 뜻이었습니다. '너 이 녀석, 꽤 하는구나?' 이 녀석의 미소를 보게 해준 손유진 코치님과 이주희 리더님께 감사합니다. 그리고, 함께 하신 글벗들께 당신들과 함께해서 행복했다는 심심찮은 말을 건넵니다.

당신의 이름은 무엇인가요.

______________________________님께

당신의 이름은 무엇인가요.

지은이 고동한, 권혜영, 김세희, 문미영, 박경화, 손유진, 이주희, 인선민, 조연희

발 행 2024년 1월 23일
펴낸이 한건희
기 획 이주희, 손유진
펴낸곳 주식회사 부크크
출판사등록 2014.07.15.(제2014-16호)
주 소 서울특별시 금천구 가산디지털1로 119 SK트윈타워 A동 305호
전 화 1670-8316
이메일 info@bookk.co.kr

ISBN 979-11-410-6841-7

www.bookk.co.kr